〈이상한 변호사 우영우〉 대본집의
독자가 되어주셔서
감사합니다!

문 지 원

謝謝你成為《非常律師馬英禚》劇本書的讀者！
文智元

非常律師 禹英禑

i 小說 055

非常律師禹英禑【文智元劇本書】1

國家圖書館出版品預行編目 (CIP) 資料

非常律師禹英禑 (文智元劇本書) / 문지원 (Moon
Jiwon 文智元) 著;黃醇方譯 . -- 初版 . -- 臺北市 :
愛呦文創有限公司 , 2023.11
　　冊 ;　公分 . -- (i 小說 ; 55-56)
譯自 : 문지원 대본집 : 이상한 변호사 우영우 1
ISBN 978-626-97498-0-5(第 1 冊 : 平裝). --
ISBN 978-626-97498-1-2(第 2 冊 : 平裝). --

862.57　　　　　　　　　　　　112008724

愛呦文創

原 書 書 名　문지원 대본집 : 이상한 변호사 우영우 1
作　　　 者　문지원 (Moon Jiwon 文智元)
譯　　　 者　黃醇方
卡 片 繪 圖 設 計　Zorya
責 任 編 輯　高章敏
韓 文 特 約 編 輯　劉小妮
文 字 校 對　劉綺文
版　　　 權　Yuvia Hsiang
行 銷 企 劃　羅婷婷

發 行 人　高章敏
出　　　 版　愛呦文創有限公司
地　　　 址　10691台北市忠孝東路四段59號10-2樓
電　　　 話　(886)2-25287229
郵 電 信 箱　iyao.service@gmail.com
愛呦粉絲團　https://www.facebook.com/iyao.book

總 經 銷　聯合發行股份有限公司
電　　　 話　(886)2-29178022
地　　　 址　231新北市新店區寶橋路235巷6弄6號2樓

美 術 設 計　廖婉禎
內 頁 排 版　廖婉禎
印　　　 刷　沐春行銷創意有限公司
初 版 一 刷　2023年11月
定 價　460元
ISBN　978-626-97498-0-5

**非常律師
禹英禑**

文智元劇本書

김영사

目錄

因為足夠勇敢，所以才能保持可愛

—— 知名編劇講師｜東默農

　　自閉症類群的角色，近年來似乎受到了編劇們的青睞。

　　如韓劇的《好醫生》、《雖然是精神病但沒關係》、《我是遺物整理師》等知名連續劇，臺劇《誰是被害者》裡也有亞斯設定的鑑識人員，這樣特異獨行、眼光獨具且有點童心未泯（其實是未社會化）的存在，在戲劇中就如同早熟的兒童那樣抓人目光。

　　但禹英禑無論如何，是最為特殊的存在。

　　雖然大家都會覺得是演員很出色（演員確實演技非常精彩），但禹英禑的與眾不同，編劇絕對功不可沒。無論是音韻生動的自我介紹詞、對食物的偏執和對鯨豚類的著迷，這些極度簡單卻充滿創意又意象鮮明的安排，都令人驚艷。這麼俏皮可愛的自閉症類群，真的可以嗎？但她又是這麼的「像」，卻又這麼的不一樣。

　　她的特殊不僅僅是因為編劇賦予了她完美的可愛特質，更因為相較於其他世界觀都相對陰暗的故事，《非常律師禹英禑》是一部充滿陽光的故事。她不只自己可愛，她身邊的人事物、遭遇的案件，也都洋溢著

暖烘烘的溫柔。明明是競爭關係卻又放不下她的同學、坦然承認她與眾不同卻優秀的上級、對她的特殊從最開始就溫柔以待的男主角……這到底是什麼童話故事啊？

　　明明是勾心鬥角的律政劇，這麼充滿愛與溫暖的世界，真的可以嗎？推展情節的節奏如此迅速，真的可以嗎？案件用這樣的角度來帶出自閉症的議題，真的可以嗎？男女主角的戀情就這樣展開，真的可以嗎？但這個童話中的世界卻又是這麼真、這麼緊扣著禹英禑的弱點，一集接著一集，不斷地對她施以重拳。

　　我除了做為觀眾樂在其中，同時也做為同行，感受到編劇的勇氣。

　　有時創作做久了，會充滿各種擔心。這樣的安排會不會太誇張？這樣的規劃會不會引來批評？這樣的角色會不會不夠真實？會不會會不會會不會……要堅持完成心中理想的作品，是個艱難的挑戰。

　　感謝編劇每一個大膽的決定，使《非常律師禹英禑》這部作品如此的與眾不同，如此耀眼。希望每一個有志於學習編劇的創作者，都能從這部劇本書中，不只學到出色的技術，更感受到背後無畏的精神，可以勇敢寫出自己獨一無二的角色與世界觀，跟禹英禑一樣，充滿熱情的分享關於你心中的鯨豚宇宙吧。

就因所有的不完美，凸顯了這齣劇的真實感與人性化

—— 知識型YouTuber｜瑩真律師

　　在大部分的人心目中，法律代表絕對的正義、絕對的公平。在法的世界裡，只有黑與白、只有對與錯，善惡分明。

　　這種質樸的想像，恰好反映出在對現狀無力的社會中，人類寄託於一個至高無上，足以建構永恆秩序造物者的深深期待。

　　可惜的是，法律恰好與人類的期待相反。

　　畢竟說穿了，法律就是人類建造的一套制度，而所有人類所建造的制度中，沒有一個是完美的。更糟糕的是，這個不完美的制度，最後還是得交由本身就不完美的「人」，來實際運作。

　　這才是法律的真實面貌。

　　在進行法律普及化的過程中，這一點一直是我非常頭痛的部分。也許是受到傳統忠孝節義故事的影響，臺灣人對於法律的不完美尤其無法接受，甚而直接將這些不完美歸咎為「司法不公」、「法律是為有錢人服務」所導致。

還好，禹英禑出現了。

禹英禑這角色設定很有趣。某方面來說，她是一個完美的法律人。她有著超高智商，精準的邏輯思考，對浩如煙海的法律條文有著過目不忘的能力，還能在法庭的高壓對峙下快速反應，靠著靈光一閃，往往就能舉出最相關的司法案例或最核心的法律問題，突破案件僵局。

這樣的特質，讓她深受上司信賴，也是同事工作上的得力夥伴。

諷刺的是，她最欠缺的能力，竟是律師工作最需要的「共感」能力。她無法同理當事人的情緒，也無法進行有效溝通。因為她有著自閉症類群障礙症。

這種角色設定乍看之下極不合理，然而反過來思考，我們雖沒有禹英禑的不完美，但，我們也欠缺她在法律上的完美表現，不是嗎？

既然是人，一定存在著不完美的缺陷。與其讓那些聰明絕頂，穿著光鮮亮麗，擁有極致臉部線條的人代言律師角色，禹英禑的存在竟更凸顯了這齣劇的真實感與人性化。

值得一提的是，這齣戲中的加害人與被害人，一樣不完美。

戲中並沒有典型凶神惡煞，讓人恨得咬牙切齒的反派人物來承擔起觀眾的仇恨值，也沒有傳統上被欺負到無路可退，亟待英雄拯救的弱小角色。這樣的編排，也許讓期待韓劇復仇戲碼或包青天式沉冤得雪大結局的人，可能感到些許失望。

　　正因如此，我們才能真正了解正反兩方的立場與無奈。

　　真正了解，現實上的法律，不是黑與白，不是對與錯，而是人與人、人與現實、人與制度的拉扯與妥協。

　　相對於法律條文，這觀念更難讓民眾所接受，《非常律師禹英禑》竟恰如其分地完成了這艱鉅的任務。

　　不完美的制度，當然有改進的必要；但改進的前提，必須先正視這些不完美。期許每個對司法懷有期待的人，都能透過這齣戲汲取養分，再貢獻成為司法前進的力量。

各界佳評如潮

「韓劇爆紅的最大關鍵，就在劇本的內容力。」

——旅韓YouTuber｜韓國主婦Fion

「這是一個自帶溫度與力量的故事。」

——劇評YouTuber｜Ki笑人生 KiKi

「全書編劇視角！即使沒看過電視劇，也能透過文字宛如親臨拍片現場，看著演員們隨著劇情發展展現精湛演技，被劇情深深吸引！」

——韓文譯者暨本書特約韓文編輯｜劉小妮

希望能和禹英禑律師一起度過開心且有趣的時光

　　我聽說在《非常律師禹英禑》播出期間，臺灣也有許多人收看這部電視劇，聽到這部劇在臺灣維持了很長一段時間的收視率第一，我也感到非常驚訝，甚至還有臺灣職棒選手在棒球場上以「禹英禑打招呼方式」作為勝利慶祝動作，當我看到這篇報導時，也不禁微笑了起來。我還記得我曾閱讀過一篇專欄，文章內容在討論《非常律師禹英禑》在臺灣相關媒體報導側重方向的改變，播出前期的報導多為討論劇情發展及演員本身，而播出後期甚至到電視劇完結後，報導則著重於有關現實生活中自閉症人士所面臨的情況和苦衷。在理解自閉症類群障礙症的道路上，《非常律師禹英禑》能發揮作用，哪怕只是一點點也好，都讓我非常自豪。藉由這篇作者序，我想感謝所有喜愛《非常律師禹英禑》的臺灣觀眾。

　　光是電視劇受到大家的喜愛，對我而言就已經非常感激了，這次透過《非常律師禹英禑》劇本書，用嶄新的方式和臺灣讀者們見面，我很開心也很幸福，謝謝愛呦文創給了我這個珍貴的機會。

我期待各位讀者透過劇本書認識《非常律師禹英禑》的體驗，會和觀看拍好的電視劇時，有著不同的樂趣。閱讀劇本書就像是在執導人員和演員加上解析之前，由讀者親自去感受原汁原味的劇本骨幹，想必一定能讓你對這部劇產生新的解析和豐富的想像力。

　　最後，再一次感謝你成為《非常律師禹英禑》劇本書的讀者。
　　希望你在閱讀這十六集劇本時，能和禹英禑律師一起度過開心且有趣的時光。

문 지 원

雖然我知道這有點奇怪，但我總會忍不住想：在平行宇宙的某個地方，也許真的存在一位名叫禹英禑的奇特律師！

於是我開始試著想像，實際存在於平行宇宙的禹英禑律師會是什麼樣子。

禹英禑律師的一天充滿著自己的原則。

從「禹英禑飯捲」開始，以「毛怪家餐酒館的海苔壽司」作結的飲食；開門後閉眼默數「一、二、三」才進門，並在鄭明錫律師語畢前離開；把散亂的物品排放整齊的習慣；「我叫禹英禑，正著唸、倒著唸都一樣。黑吃黑、多倫多、石榴石、文言文、鹽酸鹽、禹英禑」壯闊的自我介紹……

禹英禑律師的腦海裡充滿自己喜愛的事物。

《憲法》、《民法》、《刑法》、《民事訴訟法》、《刑事訴訟法》、《行政法》、《商法》，藍鯨、大翅鯨、虎鯨、印太瓶鼻海豚、一角鯨、白鱀豚、白鯨，還有鯨魚的祖先巴基鯨、走鯨、羅德侯鯨、矛齒鯨。

以及黑吃黑、多倫多、石榴石、文言文、鹽酸鹽、禹英禑、驛三站等正著唸、倒著唸都是同個意思的單字……

我似乎是想透過這部劇，展現出禹英禑律師的世界裡，充滿著自我原則以及她所喜愛的事物。

以及我有多喜歡禹英禑律師。

喜歡到我希望觀看這部劇的各位，也都像我一樣喜歡禹英禑律師。

存在於平行宇宙中的禹英禑律師，也許對我、對各位讀者根本沒有太大的興趣，畢竟我們不是鯨魚，也不是帥氣又溫暖的李濬浩。

但也沒關係，那不就是禹英禑律師的魅力嗎？我只希望：

不管在哪個宇宙，禹英禑律師都能夠永遠幸福。

· 內文遵循文智元編劇的電視劇劇本執筆方式。

· 電視劇臺詞多為口語，考量到語氣表現，部分詞彙與《朝鮮語正寫法》標準用法稍有出入。

· 刪節號與空格分寫如有與《朝鮮語正寫法》不同之處，均是如實保留編劇賦予每句臺詞不同的呼吸量。

· 逗號、驚嘆號、句號等標點符號亦遵照編劇的想法，若出現沒有句點的臺詞，亦為編劇的考量。

· 內文為文智元編劇提供的最終版本，包含未播出的部分。

· 劇本中出現的地名、組織、人物、機關、事件等皆與現實無關。

「我叫禹英禑，正著唸、倒著唸都一樣，
黑吃黑、多倫多、石榴石、文言文、鹽酸鹽、禹英禑。」

　　有著自閉症類群障礙的禹英禑是集優缺點於一身的角色，164的高智商、正確背誦大量法律條文與判例的記憶力、不會被先入為主的觀念或情感影響的創意思考方式，這些都是禹英禑的優點。

　　同時，禹英禑在情感方面的共情能力不足，缺少社交能力，不善於表達情感。因感官敏銳而時常感到不安；因無法協調地運用身體，使禹英禑對於走路、跑步、拿筷子、綁鞋帶、通過旋轉門等動作較為陌生。

　　禹英禑極為強大，同時也極為弱小，她是高智商與低情商的綜合體，比我們大部分的人都要優秀，卻也比我們大部分的人都還要對這個世界感到生疏。

　　以一句話總結，禹英禑是個非常有趣的角色。

　　這樣的禹英禑，卻偏要成為律師。

　　「自閉」這個名字本身就是「被關在自我裡」的意思。

　　這樣的人闖進保守又嚴峻的法律界，立志「站在他人的立場，為他人辯護」。自閉症患者究竟能不能成為律師？這部劇會讓看似不可能的事，轉瞬之間變得可能，而且過程中也會讓你感受到無比的樂趣。

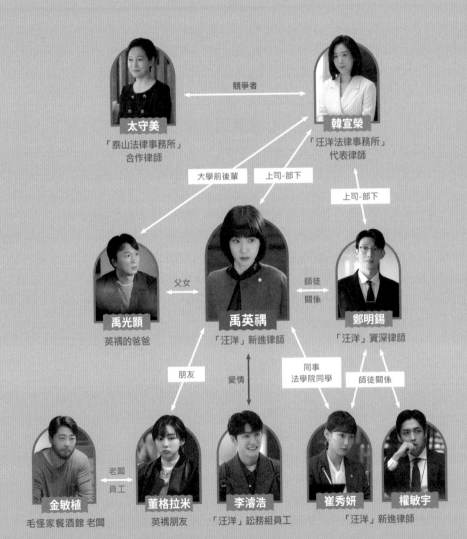

人物關係圖

太守美
「泰山法律事務所」
合作律師

韓宣榮
「汪洋法律事務所」
代表律師

競爭者

大學前後輩

上司-部下

上司-部下

禹光顥
英禑的爸爸

父女

禹英禑
「汪洋」新進律師

師徒
關係

鄭明錫
「汪洋」資深律師

朋友

愛情

同事
法學院同學

師徒關係

金敏植
毛怪家餐酒館 老闆

老闆
員工

董格拉米
英禑朋友

李濬浩
「汪洋」訟務組員工

崔秀妍
「汪洋」新進律師

權敏宇

禹英禑

女，27歲

#「汪洋法律事務所」的新進律師

　　禹英禑很獨特，不知道在看哪裡的眼神、不協調的步伐和肢體動作、奇特的聲音、單一的語調、像是一本活字典般過於標準的發音……

　　如果是對自閉症類群障礙症有所瞭解的人，應該能一眼就猜出禹英禑是一位自閉症患者。

　　禹英禑很有趣，她令人出乎意料卻誠實的模樣，有時會讓旁人驚訝，甚至讓人以新的思維看待框架裡的規則。

　　被人拿來和其他新進律師比較，面對從沒處理過的案件總是感到慌張的她，卻能以專屬自己的方式克服極限，以嶄新的觀點解決案件。

　　禹英禑很勇敢，社交能力不足的人，會傾向選擇可以獨自處理的工作，以禹英禑來說，她可以從書記官一路當到法官，或是成為研究法律的大學教授，但英禑選擇成為律師。

　　站在他人的立場設想，為他人的利益辯護。對於有著「被關在自我裡的障礙」的英禑來說，這件事相當困難，但她還是堅持要去做。理由很簡單，因為幫助別人的時候，英禑是幸福的。不隱藏自己的弱點，而是勇於正面突破的英禑，在這個保守又嚴峻的法律界，她能成為一位優秀的律師嗎？

鄭明錫

男，43歲

#英禑的導師 #「汪洋法律事務所」的資深律師

　　鄭明錫這輩子都在為了不和爸爸過上同樣的人生而掙扎。明錫的爸爸不喜歡工作，是個遊手好閒之人，媽媽獨自辛苦地拉拔明錫長大，明錫為了報答媽媽的恩惠，拚命認真讀書，深怕一鬆懈，就會染上爸爸遊手好閒的劣根性。在對自我的要求和鞭策之下，明錫達成了許多成就。

　　考上首爾大學法律系，並於在學期間通過司法特考，在司法研修院以優異的成績結業後，以軍法務官的身分服役。退伍後馬上開始在韓國國內第二的大型律所「汪洋法律事務所」工作。如果說法律界有「骨品制度[1]」，那麼明錫就是「聖骨」階級，當上律師後，明錫也沒有停止對自己的鞭策，汪洋給了他高額年薪，卻也伴隨著巨大的業務量。雖然有過許多次辛苦到想辭職的念頭，但明錫一心只想趕走自己體內那個遊手好閒的爸爸，把自己當作驅魔師，全心投入工作。

　　雖然明錫的身體健康每況愈下，也面臨必須和老婆離婚的局面，但他在40歲出頭就取得汪洋法律事務所代表律師韓宣榮的深厚信任，成為一位資深律師。

　　明錫聰明且勤奮，號稱「聰勤」上司。他具備實力、通情達理、有許多值得學習的地方，卻對部下處理事情的遲鈍手腳感到煩悶。對他來說，要指導沒有經過他訓練的新進律師，是需要無比耐心的煩悶差事。已經接手訓練兩位新進律師了，宣榮又丟給他一位自閉症律師。「代表賺盡雇用身心障礙律師的面子，卻要我善後一切……」明錫越想越無奈。但宣榮認

註釋1：骨品制度：新羅時期實行的身分階級制度，分為王族所屬的聖骨、真骨，貴族所屬的六頭品、五頭品、四頭品，推測為平民所屬的三頭品、二頭品、一頭品，以及相當於奴婢的零頭品。

為，沒有任何一位上司比明錫更能正確掌握部下的優缺點，給予因材施教的指導。「天才自閉症」這種很難指導的部下，交給明錫再適合不過了。

明錫認為職場即戰場，他抱持著「不會因為身心有障礙，而包庇部下事情做不好，反而更該好好指導！」的心態，聰勤上司鄭明錫就這麼遇見了奇特部下禹英禑。

李濬浩
男，29歲

#「汪洋法律事務所」的訟務組員工

李濬浩這輩子不管去哪裡都很受歡迎，他的魅力說明如下：致命的笑眼、想被擁入懷中的肩膀、想掛在上面的手臂、禮儀男、優雅公子教科書、大型犬長相、無限散發狗狗般的魅力……

因為聽過太多人說自己「暖心」，濬浩並沒有意識到自己真正的魅力就是受歡迎，當然也就不會去利用這一點。他不會阻止女生靠近他，卻也沒有和任何人交往過，因為他不想和自己的粉絲談戀愛。害怕被別人誤解，所以他不曾提起，其實濬浩的理想型是「值得尊敬的女生」。雖然濬浩很木訥，但他是看著爸爸真心愛著事業有成的母親而長大的，在兒子的眼裡，父母看起來非常幸福，也許是受到父母的影響，濬浩在潛意識中不斷尋找著「值得尊敬的女生」。

在媽媽身為地方大學法學專業研究所教授的影響之下，濬浩也想成為法律界的一分子，但是他並不是能夠靠讀書成為法官、檢察官、律師、教授的料。不過濬浩成為了汪洋法律事務所的訟務組員工，工作內容主要是輔助跟訴訟有關的多元業務，有時候要前往案件現場取得追加證據。在汪洋法律事務所中，濬浩的人氣依舊，無論是律師、祕書還是員工，許多女生都對濬浩示愛過。

在不為任何誘惑所動的潨浩面前，時不時出現了一位需要很多人照顧的奇特律師。無法通過旋轉門，如果沒有人幫忙就進不去也出不來；因為不大會拿筷子，如果沒有人幫忙夾小菜，這餐就只能吃白飯。但這位女生卻常常展現出令人讚嘆的奇妙記憶力和創新的發想。潨浩好像無意間尊敬起禹英禑律師了，心總是忍不住撲通撲通跳著。

韓宣榮

女，50歲

#「汪洋法律事務所」的代表律師

韓宣榮這輩子都在與太守美競爭，從她父親那一輩就註定這件事了。1975年，太守美的爸爸設立了「泰山法律事務所」，三年後的1978年，韓宣榮的爸爸創建了「汪洋法律事務所」，從那時候起，大韓民國的律所業界就形成了「高山與大海」的雙雄鼎立，雖然每次都是泰山勝過汪洋。

韓宣榮和太守美的成長過程很類似。

以大型律所創辦人的女兒出生，畢業於首爾大學法律系，通過司法特考，並在司法研修院結業後前往留學，在美國當律師後，回來接手爸爸的律所。宣榮想打破「屹立不搖的第一名泰山與萬年第二的汪洋」這種僵化的局面，她想把汪洋打造成第一名的律所。這不僅是父親的遺言，也是源於她對守美的憎恨。

宣榮在大學時期，和大企業「江川集團」會長的兒子崔規浩交往過，並非是為了策略聯姻，至少宣榮是真心愛著規浩。但是江川和泰山之間就是策略聯姻了，當時的宣榮因為感受到巨大的背叛及羞恥，痛苦到想過自我了結，雖然她也恨沒出息的前男友規浩，但是對壞女人守美更加憎恨。野心勃勃的守美最近似乎還覬覦法務部部長一職，如果她成功了，那麼泰山的力量勢必會更加強大，只要想到這件事，宣榮半夜睡著睡著都會爬起

來抽菸。

對宣榮來說，打倒泰山和守美，把汪洋打造成第一名的律所，這件事並不只是單純的事業規劃，而是宣榮的人生目標。

太守美
女，50歲

#英禑的媽媽　　#泰山法律事務所的合作律師

太守美這輩子都以「擁有一切的女人」而活。財富、名譽、顯赫家世、美貌，甚至實力，太守美確實擁有一切。守美就讀首爾大學法律系的20歲出頭，她不禁開始懷疑，「即使不擁有一切也不要緊吧？沒有財富、名譽、顯赫家世，我也能好好活著吧？」就在這時，沒有財富、名譽、顯赫家世，卻充滿男人味、可靠的禹光顥出現在守美面前。守美和光顥陷入愛河，兩人生疏地談著戀愛，有了孩子。懷孕後的守美彷彿遭到一記當頭棒喝，對光顥的愛意也在瞬息之間冷卻。這時守美才終於承認，「原來我是必須擁有一切的女人，我太習慣富足的生活，我不能失去任何東西」。

守美靜靜地生下孩子，除了守美的父母和光顥，沒有其他人知道這個祕密。

護理師詢問守美要不要抱抱孩子，但守美對孩子的長相一點也不好奇。守美把孩子丟給光顥，就這麼逃跑了，與其成為「一無所有的妻子和媽媽」，守美選擇成為「法官、檢察官、律師」，當時她才23歲。

從那之後，守美就過得很忙碌，必須盡快讓因自己誤判而差點陷入泥沼的人生回到正常軌道。

守美通過司法特考，司法研修院結業後，就毫不猶豫地和父母安排的對象結婚，也就是大企業江川集團會長的兒子崔規浩。守美和規浩去了美國，生下了一個兒子，守美在美國以律師身分活動一陣子後，為了接手爸

24

爸的律所，回到了韓國。

　　最近守美在計劃「擁有更多」，她暫時放下泰山的代表律師一職，試圖一拚法務部長。此時，英禑出現在守美面前。「擁有一切的女人」的阿基里斯腱，因為她一生下那個孩子就逃跑，守美的人生再次動搖。

權敏宇

男，29歲

#英禑的同事　#「汪洋法律事務所」的新進律師

　　權敏宇很討人厭，就讀河那大學時，他聽過喝醉的學長這麼跟他說：「你該不會……是因為對權力很敏感才叫權敏宇的吧？」

　　周遭的同學也都認同這番話而笑著。只有這位學長沒有笑，反而繼續告訴他：「人生不要活成這樣，權敏宇，你很討人厭。」

　　從那天起，敏宇的綽號就變成了「對權力很敏感的人」，敏宇暫時回頭檢視自己，他能理解別人覺得自己的舉動很討人厭，但他覺得為了生存，這也是無可奈何，學長自己就活得很善良嗎，憑什麼教訓人。敏宇聳聳肩，就把那天發生的事從記憶中刪除了。

　　敏宇想要成功，他認為有時候使出權謀詭計是必須的。找出競爭者的弱點並攻擊，是贏家的智慧；需要時加以利用，不用時過河拆橋，也是一種生存本能。敏宇認為就是因為從學生時期到現在都秉持這樣的態度生活，才能在激烈的競爭中生存下來，成為汪洋的新進律師。

　　英禑出現在這樣的敏宇面前，敏宇的腦袋開始快速運轉：我聽說過英禑在首爾大學以會讀書而聞名，律師考試也以接近滿分的成績造成熱議，那麼她真的是代表派來的空降部隊嗎？

　　敏宇出於本能地分析英禑，試著找出她的弱點，如果英禑的弱點就是自閉，那麼敏宇會毫不猶豫地攻擊這一點。

對敏宇來說，英禱是個危險的競爭者。

崔秀妍

女・27歲

#英禱的同事 #「汪洋法律事務所」的新進律師

　　崔秀妍就像「春日暖陽」，既開朗又溫暖，甚至正向且善良。她心甘情願地幫助身邊的人，但是她最近覺得以「春日暖陽」活著，似乎有點累了，尤其是在法學院或律所這種競爭激烈的地方，更是難上加難，秀妍開始為自己不經意幫助人的那些時間和精力感到可惜，也覺得都幫忙了才來嘆息的自己真是不爭氣。在「必須競爭的現實」與「幫助他人的本能」之間，秀妍總是感到矛盾。

　　秀妍和英禱是首爾大學法學專業研究所的同屆同學，在法學院時期，英禱是讓秀妍很為難的存在。在天性善良的秀妍眼裡，會先看見英禱需要幫助的地方，所以秀妍總是不經意地像個大姐一樣，照顧著英禱。但當兩人需要競爭時，英禱總是輕鬆就能贏過秀妍，秀妍心想：英禱是天才，我到底憑什麼說我要幫助天才？我拚死拚活讀書都不一定能贏過她……

　　當秀妍感到後悔時，眼前一定會出現因為開不了寶特瓶而手足無措的英禱，或是其他讓秀妍想照顧她的模樣，所以秀妍選擇盡量遠離英禱，採取「眼不見為淨」的策略。

　　但是偏偏在汪洋，以被分到同一組的同事暨競爭者，再次和英禱見面了。看到英禱在一樓大廳旋轉門前數著「一、二、三」，秀妍就忍不住為她操心了，「如果她因為旋轉門摔倒了怎麼辦……不對，我幹麼擔心她？幫她以後要是有什麼需要打分數的事，一定又是『反一禹』，反正第一名都是禹英禱。是啊，我顧好我自己就好。」

　　秀妍裝作不認識英禱，心一狠轉過身，內心卻百般複雜。

26

禹光顯
男，52歲

#英禑的爸爸　#飯捲店老闆

　　出生於窮困農家的禹光顯，當年他拚命苦讀考取首爾大學法律系的時候，沒有人猜到他的未來是「把經營飯捲店當副業的全職爸爸」。

　　大學時期，他和首爾大學法律系的學妹太守美陷入愛河，兩人生疏地談著戀愛，有了孩子。懷孕後，出生於法律世家的守美彷彿遭到一記當頭棒喝，想把光顯和這個孩子從自己的人生中抹去。光顯向守美哀求：「孩子沒有罪，不要打掉孩子，只要妳生下來，我保證會帶著孩子離開法律界，安靜過活。」

　　經過一番苦思，守美生下了孩子，光顯帶著孩子離開守美的身邊。

　　與其成為「法官、檢察官、律師」，光顯選擇成為「單親爸爸」，當時他才25歲。

　　光顯把孩子取名為英禑，「落英的英、象徵福氣的禑」，雖然對光顯來說，英禑是像花一樣美麗的福星，但也是很難養育的女兒。英禑小時候不會和光顯對視，喊她的名字也沒反應，5歲了還不會說話。十幾歲時因為和同儕處不來，所以英禑總是被排擠，即使現在英禑長大成人，還是不大會拿筷子、不大會綁鞋帶，常常在名為大眾交通的迷宮裡走失。

　　為了照顧這樣的女兒，光顯無法從事一份正常的工作。家教、作業簿教師[2]、英文書籍翻譯、保險、淨水器、汽車銷售員，穿梭在各種短期打工之中，最後租了住家樓下的店面，開了一間飯捲店，只為了便於立刻跑上家中照顧女兒。

註釋2：作業簿教師：教育出版社定期出版作業簿，每間出版社雇有作業簿教師，通常為一週一次登門拜訪訂閱作業簿之家庭，每次進行10到20分鐘的題目講解，與學生約定下一次的檢討範圍，並與家長討論學習進度，此教育模式盛行於學齡前兒童至國小高年級。

養育英禍這件事，辛苦的同時，卻也很有趣。英禍在唸國小前，就已經把家裡的書全部背起來了，其中英禍最喜歡光顯大學時期閱讀的法律書籍。英禍第一次開口說話的單字，不是「爸爸」也不是「媽媽」，而是「傷害罪」。在5歲的英禍因為一直不說話而去醫院，醫生診斷為「自閉症障礙」後回家的路上，

他們父女租的聯排住宅的屋主突然毆打光顯，英禍見狀就說：「傷害他人身體者，可處七年以下有期徒刑，十年以下褫奪公權，或一千萬韓元以下之罰金。」

從那天起，光顯就用法律用語和英禍對話。「妳再大吵大鬧，小心警察叔叔罵妳哦」這句話對英禍行不通，但如果換成「在公共場所大聲喧嘩、妨害安寧，得以輕微犯罪處刑」，英禍就會安靜下來。

一路上跌跌撞撞、卻仍疼愛有加的女兒，現在說要當律師。光顯甚是擔心，雖然英禍非常聰明，從國小到法學院畢業都是第一名，卻有著自閉症。「如果英禍無法實現夢想，感到挫折怎麼辦？」

現在守美在法律界是重量級的人物，這點也讓光顯很為難：一直以來對英禍隱藏媽媽的存在，該何時、該怎麼跟英禍說呢？

董格拉米
女，27歲

#英禍的朋友 #毛怪家餐酒館工讀生

跟董格拉米相處過的人，都會暗自覺得「她是神經病吧……」。根據國立國語院的定義，神經病亦即「擁有跳脫常理的思維和生活方式，我行我素的人」。當你看到他像是吸毒般的呆滯眼神，奇怪的態度，吟唱著Rain的《GANG》；打工時做錯事被老闆罵髒話，以「我真該死，我明天會戴保險套來上班，因為你叫我『幹』你娘」回嘴；問英禍知不知道「日就

28

月將」是什麼意思，卻笑著自言自語道：「星期日喝醉，星期一[3]就即將
完蛋！」

　　你可能也會覺得：她是神經病吧⋯⋯

　　格拉米是英禊的朋友，是教導英禊如何社交的老師，雖然你看到格拉
米的瘋狂行為，會覺得「到底是誰教誰⋯⋯」，但在英禊眼裡，格拉米是
人氣王中的人氣王，是社交能力滿級，如神一般的存在。

　　格拉米和英禊是高一同班同學，當時英禊被稱為「那個全校第一的低
能兒」或「自閉兒」，忍受著同年級生的欺負。後來，格拉米幫擋過幾次
之後，英禊都會跟在格拉米後頭，因為她知道，在格拉米身邊就是安全
的。格拉米也覺得和英禊一起行動不錯，每天只會對她訓話的老師，在英
禊面前都會變得無比親切。「神經病」和「低能兒」就這麼成為搭擋，一
起並肩度過艱難的校園生活。

　　格拉米在毛怪家餐酒館打工，高中畢業後到現在的每一份工作都做不
久，唯獨這次因為「毛怪老闆對我很好，員工餐很好吃」，意外地在這裡
工作了很久。

　　英禊是這間餐酒館的常客，每當英禊分享在社會生活、待人處事上遇
到的煩惱，格拉米和毛怪老闆就會湊在一起，告訴英禊解決辦法。如果你
看到他們討論的模樣，很可能會覺得「這樣真的有辦法解決嗎⋯⋯」，但
還是會不自覺地為他們加油，神經病和低能兒的十年友情加油！

註釋3：星期一的韓文為월요일（月曜日）。

· 第 1 集 ·

英禑　我叫禹英禑，正著唸、倒著唸都一樣，黑吃黑、多倫多、石榴
　　　石、文言文、鹽酸鹽、禹英禑⋯驛三站。

· 第 2 集 ·

花英　如果一定要結婚，那我要跟妳結婚，我要跟我愛的人結婚。

· 第 3 集 ·

英禑　自閉症的正式名稱是「自閉症類群障礙症」。之所以稱之為
　　　「類群」，就是因為自閉症各不相同。

· 第 4 集 ·

濬浩　我想跟妳站在同一邊。

· 第 5 集 ·

英禑　從在法學院的時候，我就一直這麼覺得，妳都會告訴我教室位置、有沒有停課、考試範圍異動，妳很努力讓我不被同學欺負、欺騙、排擠。現在也是如此，妳幫我打開

· 第 6 集 ·

英禑　鯨魚們智商很高，牠們一定知道如果不拋棄孩子，自己也會有生命危險，但是牠們最終仍然沒有離孩子而去。如果我是鯨魚……媽媽是不是就不會拋棄我了？

· 第 7 集 ·

濬浩　這樣我好失落。

· 第 8 集 ·

英禑　我們在昭德洞山坡上，一起看著那棵欅樹的時候……我很開心。我一直想見妳一面，很高興見到妳。

報 名 表 (法學專業研究所)

姓名	禹英禑	姓別	女
出生年月日	960918	手機	010-756-5252
E-mail	wooyoungwoo@gorae.com		
住址	서울특별시 마포구 합정동 84-2		

學歷	學校名稱	就讀期間	學系
	首爾大學	2019.03~2022.02	法學專業研究所 主修法學
	首爾大學	2015.03~2019.02	經濟學系
	和文高中	2012.03~2015.02	社會組

法學專業研究所屆數	(首爾大學)法學專業研究所 (12)屆				
法學專業研究所	第一學期	4.3	第四學期	4.3	4.3/4.3 100/100 第一名畢業
	第二學期	4.3	第五學期	4.3	總和
	第三學期	4.3	第六學期	4.3	

外語	種類	LEVEL、分數等	資格證照	考取年度	內容
	TOEIC	990		2022.04	律師考試合格
	TEPS	600			

希望領域	進入汪洋法律事務所後，希望能負責環境、國內訴訟、公平交易等職務。

特殊事項	我在法學院以第一名畢業，在學期間學期成績皆為第一名，律師考試也以1550分的優秀成績合格。

附件資料	1. 自傳

嵌入（INSERT）　　　　　為了強調當前畫面的特定動作或情況，插入
　　　　　　　　　　　　另一畫面，可使狀態更為鮮明，有強調故事
　　　　　　　　　　　　性的效果。

閃回（FLASHBACK）　　　一種表現回想畫面的場景效果。經常用來說
　　　　　　　　　　　　明當前事件的前因後果，或是闡述某個人物
　　　　　　　　　　　　的個性。

蒙太奇（MONTAGE）　　　一種剪輯手法，將一個個不同的場景，各取
　　　　　　　　　　　　一小部分，連結成一段緊密且嶄新的內容。

轉場（CUT TO）　　　　　一幕結束後，要進入下一幕的場景轉換效
　　　　　　　　　　　　果。

旁白（N）　　　　　　　　獨白或對觀眾的說明，並非登場人物之間的
　　　　　　　　　　　　臺詞。

「我剛剛說『一般律師』，似乎對妳有點失禮。」

「沒關係，因為我的確不是『一般律師』。」

第1集

非常律師
禹英禑

$$\textcircled{1}$$

S#1. **PROLOGUE：馬路** (室外／白天) **- 過去**

22年前。

禹光顯 (30歲／男) 抱著女兒與**禹英禍** (5歲／女) 走在醫院林立的馬路上，畫面上浮現成年英禍的聲音。

英禍   （N）聽說所有父母都會有那麼一天，想著「我的孩子是不是比較特別？」對我的爸爸而言，2000年10月17號就是那樣的日子。

光顯佇留在某棟建築物前面，抬起頭看。
他看著寫有「兒少精神科醫院」的招牌，表情略顯黯淡。

S#2. **PROLOGUE：兒少精神科醫院診間** (室內／白天) **- 過去**

坐在兒童座椅上，英禍左右搖晃著身體。
緊盯著懸吊在壁鐘裡、鯨魚形狀的鐘擺左右晃動。

光顯   英禍～英禍！禹英禍！

光顯就在英禑耳邊喊著她的名字，但英禑毫無反應。
醫生（30多歲／男）留意著英禑的一舉一動。

醫生　　您說英禑現在五歲了⋯還不會說話，對吧？
光顯　　是的。
醫生　　媽媽、爸爸這種簡單的單字也不會嗎？
光顯　　她完全不會說話。

醫生將檢查報告翻面，寫了一些字之後，放下筆，看著光顯。

醫生　　雖然還需要仔細檢查才知道⋯但我認為英禑是「自閉症類群障礙症」。
光顯　　什麼？自閉⋯嗎？

像是突然踩進無底深淵般，光顯的表情逐漸茫然。

S#3.　PROLOGUE：巷子（室外／白天）- 過去

光顯和英禑父女緊握著對方的手，從醫院回家，英禑的另一隻手拿著冰淇淋。
光顯是租房過活，他租的「英蘭聯排住宅」前面，**朴奎植**（59歲／男）就站在那裡，看到光顯走來，他馬上大喊，跑上前去。

奎植　　你這傢伙！站住！

光顯驚訝地站在原地。

奎植　　我看你這個單親爸爸可憐，沒漲過你房租，結果你居然覬覦我

太太？馬上搬走！你這傢伙！

光顯　　（發自內心的愣住）覬覦你太太嗎…？我嗎？

奎植　　只要我不在，你就一天到晚進出我們家吧？你做了什麼好事？
　　　　你和我太太做了什麼！

光顯　　我只是因為要去工作，偶爾拜託房東太太幫忙照顧英褚。

奎植　　拿照顧孩子當藉口，進出男主人不在的屋子裡？去你個殺千刀
　　　　的神經病！發你媽的神經！該死的（嗶──消音）臭雜種！！！

光顯　　你怎麼能當著孩子的面，罵得這麼難聽？房東就很了不起嗎？

奎植　　你說什麼?!

奎植衝上來，和光顯發生肢體衝突。
奎植的太太**崔英蘭**（50歲／女）見狀也跑來阻止丈夫，但無力攔
阻，這個情況讓英褚嚇壞了，手中的冰淇淋掉到地上。
英褚緊閉著眼睛，用雙手摀住耳朵，開始左右擺動著身體。英
褚的呼吸越來越急促
就在快要發作的驚險瞬間。

英褚　　傷害罪。

光顯驚訝地看著英褚，奎植也停下動作。

英褚　　傷害他人身體者，可處7年以下有期徒刑，10年以下褫奪公權，
　　　　或一千萬韓元以下之罰金。

光顯推開奎植，走向英褚。

光顯　　英褚…妳剛才是說話了嗎？

光顯和奎植的肢體衝突停止，情況稍微緩解了下來。
英禑輕輕地張開緊閉的雙眼，也緩緩放下摀住耳朵的雙手。

光顯　　（對奎植和英蘭說）你們剛剛有聽到吧？你們有聽到英禑說話吧？
　　　　我的孩子說話了！英禑說話了！！！

興高采烈的光顯根本不在乎剛剛的肢體衝突
抱起英禑就衝回家裡。

S#4.　**PROLOGUE：英禑家客廳（室內／白天）- 過去**
　　　　小小的客廳裡，英禑的樂高積木散落滿地。

光顯　　英禑，妳剛剛說的那句話，是在哪裡學的？

　　　　等待著英禑的回答，光顯的眼神裡充滿迫切。

光顯　　剛剛妳說的傷害罪啊，是在哪裡看到的？
英禑　　《刑法》
光顯　　《刑法》？

　　　　光顯回頭望向書櫃，櫃子的某個角落裡，有一本光顯大學時期
　　　　讀的書《刑法》。
　　　　光顯的手顫抖著，拿起《刑法》翻開其中一頁。

光顯　　妳看了這本書嗎？看了《刑法》嗎？

　　　　英禑在一旁蹦蹦跳跳，眼角餘光看到光顯翻開的那一頁。

英禤　　第311條，侮辱罪，公然侮辱他人者，可處1年以下有期徒刑、拘
　　　　役，或2百萬韓元以下罰金。

　　　　光顯驚訝地看著書。
　　　　第一行確實寫著「第311條，侮辱罪」。
　　　　英禤似乎是把那一頁都背下來了，
　　　　她繼續背誦著後半段。
　　　　這時光顯聽見有人在敲玄關門。

英蘭　　（只有聲音）英禤爸爸！

CUT TO：
　　　　光顯打開玄關門。
　　　　站在門外的英蘭拿出藥袋。

英蘭　　不好意思，我老公太無理取鬧了，這個藥給你擦。

　　　　被奎植打到臉腫起來的光顯，眼角噙著淚水。

英蘭　　英禤爸爸，你在哭嗎？
光顯　　英禤…她會背《刑法》，那麼厚一本書，她都背起來了。

　　　　英蘭看向光顯手裡拿著的《刑法》。

英蘭　　真的嗎？看來因為英禤是天才耶，所以才跟其他小孩不大一
　　　　樣，我的老天爺，英禤長大一定可以當律師。

　　　　聽了英蘭的話，光顯笑得合不攏嘴，斗大的淚珠奪眶而出。英禤

依然在彈簧床上幸福地跳著。畫面上再次浮現成年英祿的聲音。

英祿　　（N）聽說所有父母都會有那麼一天，想著「我的孩子是不是比較特別？」對我的爸爸而言，2000年10月17號就是那樣的日子。他在這天發現，我這個女兒是個患有自閉症的天才。

TITLE：
《非常律師禹英祿》

S#5. 英祿的房間（室內／白天）

22年後的現在。
禹英祿（27歲／女）戴著寫有「禹英祿」字樣的眼罩，躺在床上。

英祿　　（N）我叫禹英祿，正著唸、倒著唸都一樣，黑吃黑、多倫多、石榴石、文言文、鹽酸鹽、禹英祿。

懸吊著鯨魚鐘擺的壁鐘，悄悄地唱著鯨魚之歌，這代表現在是早上7點。英祿起床，拿下眼罩，取出耳朵裡的耳塞。

英祿的房間裡充滿著英祿喜歡的鯨魚相關物品。天花板上掛著有大有小的鯨魚吊飾，層架上條列式地排滿各品種的鯨魚裝飾物，英祿把其中一隻歪掉的鯨魚擺正。

英祿打開衣櫃。
衣櫃裡掛著一件件材質柔軟卻一模一樣的衣服。
英祿拿出其中一件，走向全身鏡。
鏡子前掛了一件相同材質，看起來卻像新衣的西裝裙套裝，上

頭還貼著一張有光顯筆跡和手繪笑臉的便利貼。

「英禑，這是爸爸送妳的禮物，標籤和線頭我都拆乾淨了！☺」

光顯　　（N）英禑，這是爸爸送妳的禮物，標籤和線頭我都拆乾淨了！

英禑看向牆上那張「人的情緒」海報。
這是20年前的光顯，為了教導英禑認識人的表情和情緒，擺出
各式各樣的表情並拍照，每張照片下都有英禑當時歪七扭八的
筆跡，用以表示各個表情所代表的情緒。海報裡的年輕的光
顯，看著現在的英禑，笑得燦爛。
拿著新衣服在鏡前比劃的英禑，表情看起來有點緊張。

S#6.　　**英禑的家**（室外／白天）

打開玄關門，走出家門的英禑。
穿上爸爸送的西裝裙…看起來沒那麼精明幹練，反而有點皺皺
的。雖然是西裝沒錯，但因為是柔軟的材質，穿不出西裝筆挺
的模樣。
英禑的脖子上掛著大大的頭戴式耳機。
英禑住在坪數不大、有著老舊壁磚的雙層住商合併公寓，一樓
是飯捲店，二樓是英禑和光顯住的地方。
英禑沿著屋外的階梯下樓，走進「禹英禑飯捲」飯捲店。

S#7.　　**禹英禑飯捲**（室內／白天）

光顯　　（端詳著英禑的打扮）天啊，我的女兒看起來好專業！

禹光顯（52歲／男）像是對待小朋友般高興地迎接英禑，英禑對於
光顯喜出望外的問候完全沒有回應，坐在她的固定位置。

英禑　　我要一份禹英禑飯捲。

光顯　　好的，一份禹英禑飯捲～

　　　　光顯快速做著飯捲，光顯用刀切好飯捲後，不會直接盛盤，而
　　　　是水平放好每塊飯捲，以看得清楚食材。

英禑　　（N）我每天早上都會吃禹英禑飯捲，海苔飯捲是很可靠的食
　　　　物，食材一目了然，不會被意料之外的口感或口味嚇到。

　　　　光顯把飯捲遞給英禑，坐在英禑對面。
　　　　英禑不熟練地動著筷子，把海苔飯捲排放整齊，開始品嚐。

光顯　　妳把去公司的上班路線說一遍。

英禑　　走到首爾大學入口站，搭地鐵二號線，在驛三站下車，
　　　　從4號出口出去，直走312公尺就會到公司，所需時間一共38分鐘。

光顯　　好，記得不要學別人說話，不要說不重要的話，說話不要太直接。

英禑　　克制複述，禁止說不重要的話以及太直接。

光顯　　尤其不能提到鯨魚話題。

英禑　　那…如果遇到必須提到鯨魚話題的情況呢？

光顯　　妳又不是在水族館工作，哪會有必須提到鯨魚的情況。

英禑　　那如果真的發生這種情況怎麼辦？

光顯　　（鬱悶）那就說吧！

英禑　　（滿意）好，那我要去上班了。

　　　　英禑從座位上站起來，戴上頭戴式耳機，走出門外。光顯向英

禑道別，臉上寫滿了擔心。

光顯的背後，可以看見飯捲店的牆上掛著一個相框，裡面有一張剪報，「大韓民國首位自閉症律師」的新聞標題下，寫著「首爾大學法學院第一名畢業」、「律師考試高分通過」等語句。

S#8. 地鐵月臺 (室內／白天)

正值上班通勤時間，擠得水泄不通的地鐵月臺。

英禑戴著頭戴式耳機排著隊，臉上滿是緊張。

為了緩解緊張，英禑左右晃動身體，用右手緊按左手手背，頭戴式耳機裡的大翅鯨唱出讓她平靜下來的歌聲。

地鐵到站開門，英禑緊閉雙眼，在心裡默數「一、二、三」調整呼吸，但人們不會等她，在擁擠人群中被推來推去的英禑，好不容易才搭上地鐵。

S#9. 驛三站 (室內／白天)

英禑搭乘手扶梯，前往寫有「驛三站」的出口。

英禑　　　（N）驛三站[4]，正著唸、倒著唸都一樣。

S#10. 馬路 (室外／白天)

英禑踏出地鐵站出口。

英禑看到人滿為患的街景，有點卻步，但是她跟著地上排成一

註釋4：驛三站：역삼역，역삼為地名「驛三」，最後的역，其漢字為「驛站」的「驛」。

列的黃色盲人磚，鎮定下來，邁出步伐。

S#11.　汪洋法律事務所（室外／白天）

英禑抵達「汪洋法律事務所」門口，因為是雇有上千位律師的大型律所，眼前的大樓也是超越想像的巨大。

英禑走向入口的推拉門，清潔人員忙著用拖把清理灑在推拉門內側的咖啡，大聲叫英禑不要從這裡進來，手指指向旁邊的旋轉門。

「嗖——嗖——」巨大的旋轉門驚悚地旋轉著。英禑看著旋轉門，表情變得茫然，像是下定決心似的深呼吸後，衝進旋轉門裡，但是錯過了踏出來的時機，回到了原處，英禑再次嘗試。

這次她被困在旋轉門裡，轉了兩圈，又被彈了出來。

此時，有個人幫她擋住了旋轉門，就是**李濬浩**（29歲／男）。

濬浩　　現在！請快進來！

多虧有濬浩，英禑順利走進靜止的旋轉門。
濬浩和英禑一起進入旋轉門，讓英禑成功進入大樓內部。

S#12.　汪洋法律事務所1樓大廳（室內／白天）

濬浩　　這個門是不是很不好走？

帥氣的濬浩向著英禑微笑。
才剛艱辛地通過旋轉門，現在還必須跟陌生人對話，這樣的情況讓英禑很緊張，視線開始不安地轉動，無法克制地按壓著手背。

英祐	謝謝。
濬浩	妳要到哪裡？
英祐	喔…我要到鄭明錫律師的辦公室。
濬浩	喔！我也要去那裡，我們一起去吧。

S#13. 汪洋法律事務所11樓走道（室內／白天）

電梯開門，濬浩和英祐抵達訟務組職員聚集的11樓。

濬浩	請跟著我走。

英祐跟在濬浩後面，感受到某種陌生的感覺。
在英祐的眼裡，人們急忙和濬浩打招呼，
女生們笑得甚是燦爛，男生們和濬浩擊拳問早，濬浩親切微笑
著，回應著每個人的問候，「人氣男」濬浩走著走著，停在某
間辦公室門口，回頭看著英祐。

濬浩	這裡就是鄭律師的辦公室，需要幫妳敲門嗎？
英祐	不用了，我自己來就好。
濬浩	好的，那我先走了！

濬浩離開後，英祐獨自留在門口。
英祐看著寫有「鄭明錫律師」的門，大口深呼吸。

S#14. 明錫的辦公室（室內／白天）

「叩叩，休息一拍，叩」獨特的敲門聲讓**鄭明錫**（43歲／男）、**權
敏宇**（29歲／男）、**崔秀妍**（27歲／女）同時看向門口。

明錫　　請進。

　　　　門打開後，他們看見站在走道上的英禑。
　　　　像剛剛通過地鐵門的時候一樣，英禑這次也是緊閉雙眼，在心
　　　　中默數「一、二、三」，調整呼吸後才進入辦公室。
　　　　在三人眼裡，英禑很奇怪，
　　　　和英禑是法學院同學的秀妍認出英禑，小聲地嘆了一口氣。

明錫　　請問妳是…？
英禑　　我是汪洋法律事務所的新進律師禹英禑。

　　　　不知道在看哪裡的眼神處理、獨特的發聲方式。
　　　　明錫看著這樣的英禑，表情黯淡了起來。

明錫　　新人是今天到職嗎？我記得我有拿到履歷…

　　　　明錫翻找著辦公桌抽屜，找出了英禑的一張履歷，站在明錫身
　　　　後的敏宇稍稍抬起頭，看了一眼履歷，上方有一張便條紙，寫
　　　　著「麻煩你多照顧了，From韓」。

英禑　　那個…我的履歷有兩張，你沒有第二張嗎？

　　　　聽英禑這麼一說，明錫再次看著履歷，撕下「韓」的便利貼，
　　　　發現有訂書針拆除的痕跡。

明錫　　第二張的內容是什麼？
英禑　　「特殊事項，自閉症類群障礙症。」

「所以韓才要抽掉第二張啊…」明錫心想。
覺得自己上當了，說不出話來。

明錫　　好，那妳還有什麼話要說嗎？

　　　　明錫、敏宇、秀妍一直看向英禑，慌張的英禑欲言又止，經過
　　　　一番苦思，英禑決定說出…

英禑　　我叫禹英禑，正著唸、倒著唸都一樣，黑吃黑、多倫多、石榴
　　　　石、文言文、鹽酸鹽、禹英禑…驛三站。

　　　　「噗！」敏宇笑出聲來，「唉啊──」秀妍嘆了一口氣。
　　　　明錫似乎再也忍不下去了，拿著履歷起身。

明錫　　我先離開一下，你們自己打個招呼吧。

　　　　明錫走出辦公室

秀妍　　妳不能在公司講這些，什麼黑吃黑、多倫多啊？
英禑　　「不能在公司講這些」，禁止說黑吃黑、多倫多。可是…我實
　　　　在很難不講。
敏宇　　妳們兩位認識嗎？
秀妍　　我們是法學院的同學。
敏宇　　（對英禑說）妳怎麼會認識我們代表？

　　　　聽不懂敏宇在說什麼，英禑呆呆看著敏宇。

敏宇　　我剛才看她貼了交代要照顧妳的紙條耶？

48

秀妍	哇——你現在連代表的筆跡都認得了啊？
敏宇	上面署名「From韓」，在我們汪洋能自稱「韓」的人，除了代表還有誰？

敏宇直視著英禔，眼神銳利。

S#15. 宣榮的辦公室（室內／白天）

明錫拿著英禔貼有「韓」的履歷，大步走著。近乎「哐哐！」的敲門聲，門內傳來一聲沉穩的「請進～」。

明錫開門，向**韓宣榮**（50歲／女）恭敬地鞠躬。

辦公桌上的名牌寫著「**汪洋法律事務所，代表律師韓宣榮**」，甚是威嚴。

明錫	妳派給我的新進律師來報到了。
宣榮	是嗎？
明錫	請問妳看過她履歷第二張的內容嗎？她說上面載明她患有自閉症。
宣榮	我看過了。
明錫	所以妳明明有看到，卻還是讓她進公司嗎？
宣榮	那你是不是只執著於第二張，而忽略她第一張的內容了呢？首爾大學法學院第一名畢業，律師考試拿到1500分以上的成績，汪洋不引進這樣的人才，難道要拱手讓人嗎？
明錫	律師考試只要會背就能拿高分了，我需要的是能夠和委託人面談又能夠開庭的律師，必須具備良好的社交能力和辯論技巧，一個連自我介紹都說不好的人，要我怎麼教？
宣榮	那你第一天上班的時候，有把自我介紹說好嗎？
明錫	我的意思是…（鬱悶）她和我不一樣。
宣榮	哪裡不一樣？

明錫　　（語塞）如果妳真的這麼堅持，那我派一樁案件給她處理。

　　　　宣榮靜靜地看著明錫丟下這句宣言。

明錫　　我要測試她是否不夠格，或者只是我對身心障礙人士的偏見，
　　　　如果到時候我認為禹英禑律師無法和委託人面談，也無法站上
　　　　法庭為委託人辯護，我能請她離開嗎？
宣榮　　就這麼辦吧

S#16.　**明錫的辦公室**（室內／白天）
　　　　英禑坐在接待沙發上，明錫遞給英禑一個裝滿案件資料的厚信
　　　　封，並坐在英禑的對面。

明錫　　這是公益事件，妳把資料拿出來看看吧。
英禑　　把資料拿出來看看吧。

　　　　英禑從信封裡取出資料，把資料擺放整齊，才開始細看。
　　　　明錫觀察著英禑，覺得她非常不可靠。

明錫　　被告是個70幾歲的老太太，她丈夫患有輕度失智症，都是被告
　　　　在照顧他，案發當天，他們發生爭執。由於丈夫口出惡言，被
　　　　告一氣之下，打了丈夫的額頭，用當時被告手邊的熨斗。
英禑　　當時被告手邊的熨斗。

　　　　英禑看著熨斗的照片。
　　　　布滿鏽痕的舊型鐵製熨斗，看起來沉甸甸的。

英禝	這個熨斗…長得好像抹香鯨。
明錫	抹香鯨？
英禝	對，抹香鯨又稱巨抹香鯨，牠們的頭部又大又方，裡面有抹香鯨腦油器，因此得其名。腦油器裡儲存著有助於牠們使用聲納系統的蠟狀鯨腦油。

「突然在說些什麼？」明錫心想，有些傻眼。
英禝見狀，繼續炫耀她的鯨魚知識。

英禝	你讀過赫曼·梅爾維爾（Herman Melville）的小說《白鯨記》（Moby-Dick）嗎？那本書裡的鯨魚就是抹香鯨，雖然書中把抹香鯨描述成「白鯨」，但實際上，抹香鯨的身體通常是暗灰色或紫褐色…
明錫	（打斷）妳現在到底在說什麼？
英禝	（瑟縮、支支吾吾）我現在在說…有關抹香鯨的事…
明錫	妳不專心處理案件嗎？
英禝	喔，對不起。（對自己下定決心）禁止提起鯨魚。

英禝再次看向熨斗的照片。

S#17.　英蘭家的客廳（室內／白天）

三個月前。
崔英蘭（72歲／女），坐在客廳地板上，拿出照片裡的那個熨斗，
朴奎植（81歲／男）按著頭從房間裡出來，躺在客廳沙發上。

奎植	唉唷，頭好痛。
英蘭	很不舒服嗎？要不要吃止痛藥？

51

此時，門鈴響起，外頭有人喊著「有快遞！」，英蘭開心地跑上前去，和藹可親的快遞宅配員和英蘭打招呼，笑聲傳進奎植的耳裡，讓奎植不是滋味，英蘭抱著快遞紙箱走回客廳。

奎植　　妳到底在開心什麼？和別的男人有說有笑。

英蘭　　你又來了，他哪能算別的男人？他都能當我們的孫子了。

奎植　　妳老公就在這裡，妳還敢勾引別的男人？要是我不在家，妳就要把他帶進房間了吧！

英蘭坐在坐式熨斗的燙衣板前。

英蘭　　（壓抑怒氣）好了啦，好了啦。

奎植　　妳只要看到男人就笑得合不攏嘴，只有在酒店陪酒的才叫酒家女嗎？我看不是吧。

英蘭　　你怎麼能這樣說你老婆？我有沒有告訴過你，你要是再這樣講，我們就同歸於盡？

奎植　　妳為什麼要勾引別的男人！為什麼要像個妓女一樣！

英蘭　　什麼？妓女？妓女嗎?!

英蘭火冒三丈。
拿起眼前的熨斗，就往奎植頭上砸。
奎植用雙手抱住頭。

英蘭　　我們今天就一起死吧！同歸於盡，做個了結吧！

英蘭哭喊，雖然拿著熨斗揮來揮去，但已經哭到沒有力氣。
那一刻，奎植的雙手垂地，失去意識，面色呆滯。

英蘭　　　老公？老公！

英蘭搖晃著奎植的身體，但是毫無反應。
英蘭手忙腳亂地找出手機，撥打119。

英蘭　　　喂？我老公昏倒了，拜託你們快點來。

CUT TO：
再次回到明錫的辦公室，現在。

明錫　　　最後她丈夫因為腦出血，需要12週才能痊癒，被告因殺人未遂
　　　　　被起訴。
英禎　　　被告因殺人未遂被起訴。
明錫　　　妳是怎樣？為什麼從剛剛就一直學我講話？
英禎　　　喔，對不起，禁止複述行為。
明錫　　　複述？那是什麼？
英禎　　　重複別人說的話，是自閉症的常見症狀之一。
明錫　　　以後不要再複述了。
英禎　　　（N）以後不要再複述了。

英禎瞞著明錫，偷偷在心裡複述，才放鬆下來。
英禎向明錫點點頭，表示以後不會再複述了。

明錫　　　總之，這個老太太的情況很令人同情，她自己都七十幾歲了，
　　　　　身體也有很多毛病，還要照顧八十歲的失智老公，不過幸好檢
　　　　　方似乎也這麼認為，所以沒有申請拘票。
英禎　　　（驚訝）但是她的罪嫌是殺人未遂耶？
明錫　　　這是好事，因為在被告尚未被拘提的狀況下開庭，被判徒刑的

機率很低。好，那麼禹英禑律師，現在妳能為被告做什麼？

這個問題讓英禑茫然地看著明錫。

明錫	幫她爭取緩刑，雖然罪嫌是殺人未遂，但是就這樁案件來看，有機會爭取緩刑。
英禑	好，我知道了。
明錫	（看手錶）我們準備去和被告見面，她應該快到會議室了。

S#18. 會議室（室內／白天）
英蘭獨自坐在會議室的椅子上，明錫和英禑一進來，英蘭就站起來和明錫打招呼。

英蘭	鄭律師，你好。
明錫	妳好，我今天只是過來一趟，介紹妳們認識。之後妳的案件會交由這位律師負責。
英禑	妳好，我是禹英禑，我會盡全力負責。

因為太緊張，英禑的眼神處理和發聲方式比平常更尷尬了。
大部分人看到英禑會有的感受，英蘭當然也察覺到了，英禑有點奇怪。

| 英蘭 | 這位女士…是我的律師嗎？（迫切地看向明錫）鄭律師，你不負責我的案件了嗎？ |
| 明錫 | 我也會一起參與，只是責任律師換成禹英禑律師了。 |

英蘭的臉上寫滿了擔憂，此時，明錫端出了能輕易且快速取得

委託人信任的方法。

明錫	她是首爾大學畢業的。
英蘭	（有點被說動）是哦…？
明錫	而且是第一名畢業。

英蘭這時才坐回位置上。

明錫	好，那妳們慢慢聊，我就先失陪了。

明錫離開後，英禑坐在英蘭對面。

英禑	我看到地址嚇了一跳，沒想到你們還住在那裡。
英蘭	什麼？
英禑	22年前，我和我爸爸也住在那裡，英蘭聯排住宅201號。
英蘭	22年前，住在201號…？啊，是那個首爾大學法學院畢業的英禑爸爸！（再次看向英禑）妳…原來是英禑！！！天啊，怎麼這麼巧？所以當年那個小女孩真的當上律師了耶！我當時就說妳是天才，沒想到妳真的當上律師了！

英蘭開心地緊緊抱住英禑。
排斥擁抱的英禑，以僵硬的姿勢忍耐，度過這個時刻。

英禑	請問妳丈夫是什麼時候被診斷患有失智症？
英蘭	大概有五年了吧？他辭去區廳的工作之後，還做過各式各樣的工作，因為他這個人就是閒不下來。後來被診斷出失智症，就沒有再繼續工作了，大概是五年前。
英禑	（停頓）嗯…妳丈夫原本是區廳的公務員嗎？

55

英蘭　　對，他當到股長，屆齡退休。

英禓　　那麼兩位目前的收入來源是…

英蘭　　就靠我老公的年金，和收取聯排住宅的房租，這兩個收入。

英禓　　請問聯排住宅是登記在誰的名下？

英蘭　　當然是在我老公名下，那棟房子叫做英蘭聯排住宅，只是借用
　　　　我的名字。

　　　　思緒似乎有些卡住，英禓陷入沉思。

英蘭　　（擔心）怎麼了？這會有什麼問題嗎？

S#19.　明錫的辦公室（室內／白天）

　　　　明錫坐在辦公桌前工作，聽見門口傳來「叩叩，休息一拍，
　　　　叩」的敲門聲，聰明的明錫回想起剛才發生過的事，知道是英
　　　　禓來找他了。

明錫　　禹英禓律師，請進。

　　　　英禓打開門，緊閉雙眼，在心中默數「一、二、三」，調整呼
　　　　吸後才進入辦公室，一如往常。
　　　　明錫看著這樣的英禓，輕嘆一口氣。

英禓　　我寫好律師意見書了。

　　　　明錫讀著英禓交上來的律師意見書，表情變得凝重。

明錫　　這是什麼？

英祧	這是律師意見書。
明錫	（鬱悶）怎麼會，（指著資料）怎麼會是「無罪」？
英祧	我打算主張被告的殺人未遂罪嫌為無罪。
明錫	禹英祧律師，這還不夠明顯嗎？這樁案件，檢方打從一開始就想讓被告被判緩刑，所以只要讓他們看到被告已經深刻反省，並且證明被害人也不希望被告被判刑就行了。也就是說，這是一樁就算律師只是靜靜地坐在被告旁邊，法官會判被告緩刑的案件，如果這樁案件需要追究是否有罪，我怎麼會交給妳處理？妳可是今天第一天到職的新人耶。
英祧	嗯…我認為這樁案件確實有必要追究是否有罪。

明錫有點火大，但他努力抑制怒氣。

明錫	為什麼？妳為什麼這麼認為？
英祧	這樁案件很有趣，就像我最喜歡的鯨魚腦筋急轉彎。假設體重22公噸的雌抹香鯨，吃掉體重達500kg的大王魷魚，雌抹香鯨在6個小時後產下重達1.3公噸的卵，試問此時這頭雌抹香鯨的體重是多少呢？

英祧的表情很開心，像是在分享一件非常有趣的事。
相反地，明錫正在發揮極大的耐心。

明錫	我不知道。
英祧	正確答案是「鯨魚不會產卵」。鯨魚是哺乳類，所以牠們不產卵，而是直接生下小鯨魚。如果把焦點放在體重上，就不可能解出這道題目，我們必須看到問題的核心。
明錫	所以呢？
英祧	這樁案件是刑事案件，所以人們只會把焦點放在《刑法》，但

是這樣就看不到正確答案了，這樁案件的核心在於《民法》。

明錫　　《民法》？

英禥　　《民法》第1004條，「蓄意殺害或意圖殺害直系尊親屬、被繼承
人、其配偶或繼承優先順位、同等順位者，則失去繼承權」。
換句話說，人無法繼承自己殺害或試圖殺害之對象的遺產。

明錫的態度轉為真摯。

英禥　　被告靠著丈夫公職退休的年金過活，他們收租的聯排住宅也登
記在丈夫名下，如果被告的殺人未遂罪嫌成立，那麼在被告的
丈夫過世後，她的經濟狀況將會嚴重陷入危機。到時候她領不
到丈夫的年金，也無法繼承丈夫名下的房產。

明錫的表情像是遭了一記當頭棒喝。

英禥　　被告弄傷她丈夫是事實，所以沒辦法說她完全無罪，所以我打
算幫她爭取「傷害罪」緩刑，而非「殺人未遂罪」。

英禥的眼神散發著光芒。
明錫再次看向英禥的律師意見書，陷入沉思。

明錫　　妳做得很好，妳找出這樁案件隱藏的爭議點了。我應該要先看
出來才對，是我想得不夠周到。

英禥　　你現在知道也還不算太晚。

聽到過於誠實的英禥這麼說，明錫忍住笑意。

明錫　　妳是不是還得去醫院一趟？我派個同事陪妳，你們一起去吧。

要在公司外面和被告、被害人見面有點難度，連對一般律師來
說都很不容易。

英禍　好，我知道了。

英禍轉身走向門口，明錫停下手邊動作。

明錫　嗯⋯抱歉。

英禍　什麼？

明錫　我剛剛說「一般律師」，似乎對妳有點失禮。

英禍　沒關係，因為我的確不是「一般律師」。

英禍走出辦公室。
明錫腦中浮現各種想法，思緒變得複雜。

S#20.　瀋浩的辦公室（室內／白天）

包含瀋浩在內的許多員工，都用隔板分開的辦公桌前工作。
瀋浩是汪洋法律事務所訟務組的員工，又稱「律師助理」。律
師助理要負責協助律師各方面的業務。有位**員工**（20多歲／女）輕
輕地把巧克力放在瀋浩辦公桌上。

員工　瀋浩，你現在很想睡吧，吃點巧克力，提振精神吧。

瀋浩　謝謝。

員工　我看你好像喜歡吃黑巧克力，所以幫你準備了82度的黑巧克力～

瀋浩　哇，我會珍惜著吃。

上司　瀋浩！你現在忙嗎？

因為**上司**（40多歲／男）的出現，原本也聊不大下去的員工只好悄

悄離開。濬浩打開辦公桌的抽屜，把剛剛收到的巧克力放進去，抽屜裡滿是別人送的餅乾零食。

上司　　那些都是別人送你的嗎？你真好命～都沒人要分我吃口香糖。

濬浩　　（微笑）我不忙，有什麼事嗎？

上司　　你去醫院出個差吧，聽說是要陪新人律師去。

濬浩　　這樣啊？

上司　　但好像滿需要人照顧的耶？

S#21.　汪洋法律事務所1樓大廳（室內／白天）

英禑手上提著公事包，看著眼前的旋轉門。

濬浩走向英禑，站到英禑身旁。

濬浩　　需要幫妳擋住旋轉門嗎？

英禑　　我還沒有要出去，我在等人。

濬浩　　我也在等人。

英禑和濬浩同時看向各自的手錶。

約定的時間還沒到。

英禑　　旋轉門的優點是在隔絕內部與外部空氣的狀況下，人們依舊能夠自由進出大樓，有助於防止冷氣外洩和保溫。

濬浩　　喔，是啊。

英禑　　但是旋轉門的人流通行速度，比一般的門還要慢，小孩或老人都有可能被門夾到，對輪椅使用者來說也很難通過。只有一個優點，卻有三個缺點，如果說服大樓的持有人，是不是能夠把旋轉門換掉？

英祚對旋轉門議題的認真，讓瀋浩笑了出來。

瀋浩　　　嗯⋯把通過旋轉門這件事，想成在跳華爾滋如何？
英祚　　　什麼？
瀋浩　　　通過旋轉門的時候，跟著節奏就會容易一些。一、二、三，
　　　　　一、二、三。

瀋浩示範屈膝、站直的節奏。

英祚　　　一、二、三，一、二、三。
瀋浩　　　一、二、三，一、二、三。待會要出去的時候，我們一起試試看。

瀋浩再次看向手錶，已經超過約定的時間了。

瀋浩　　　請稍等我打個電話。

瀋浩稍微站遠一點打電話，英祚的電話響了。

英祚　　　喂？
瀋浩　　　喂？

瀋浩和英祚拿著各自的手機，看著對方。
瀋浩這時才發現，那個「滿需要人照顧的新人律師」就是英祚。

瀋浩　　　原來妳是律師啊？妳好，我是訟務組的李瀋浩，今天我負責陪
　　　　　妳去醫院。
英祚　　　喔，好。我叫禹英祚。

濬浩伸出手，在不得已的情況下，排斥握手的英禑只好以一個很尷尬的姿勢回應。

濬浩　　禹英禑律師⋯妳的名字很有趣耶，倒過來唸也一樣。
　　　　沒想過會聽到別人這麼說，英禑嚇了一跳。

英禑　　不能在公司講這個。

濬浩　　是喔？那麼我們出去再說吧？

　　　　濬浩笑著走向旋轉門。
　　　　英禑有點慌張，但也趕緊跟上。
　　　　濬浩擋住旋轉門，比出手勢請英禑進去。
　　　　英禑猶豫了。

濬浩　　一、二、三，一、二、三。

　　　　英禑鼓起勇氣，靠近旋轉門。
　　　　濬浩和英禑一起走進旋轉門，來到大樓外面。
　　　　通過旋轉門的兩人，就像跳著華爾滋的情侶。

S#22.　醫院診間（室內／白天）

畫面上是奎植案發當天拍攝的腦部電腦斷層掃描。

主治醫生（40多歲／男）向英禑和濬浩說明。

醫生　　照片裡白色的部分就是血，有看到硬腦膜下方白色的血吧？這種狀況就叫做「硬腦膜下出血」，算是外傷性腦出血中最嚴重的症狀。死亡率超過60%就算妥善治療，通常也都會留下後遺症。

濬浩	但是他的頭部沒有骨折耶。
醫生	可能他的頭骨比較硬吧？（微笑）這種狀況其實滿常見的。
英禑	他的腦出血有可能並不是因為重擊嗎？
醫生	這不大可能，他的頭部可是被鐵製熨斗打到，而且他平常也沒有高血壓的問題。

S#23. 六人病房 (室內／白天)

英禑和濬浩走進病房。

奎植躺在最裡面的病床睡覺，英蘭站在旁邊拉著窗簾，不讓陽光照到奎植的臉。

英蘭小心翼翼，盡量不吵醒奎植。

英禑	崔英蘭女士。
英蘭	（壓低聲音）你們來啦？老頭在睡覺，我們出去聊吧。
奎植	怎麼回事？他們是誰？

奎植一睡醒就進入戒備狀態，四處張望。

英蘭開心地把英禑拉到奎植面前。

英蘭	你認得這位小姐嗎？
奎植	（睜大眼睛看著英禑）她是誰？
英蘭	她就是以前住在201號的英禑啊，她爸爸是首爾大學法學院畢業的。
奎植	那個…首爾大學法學院！住在201號的王八蛋！

英蘭、英禑、濬浩因意料之外的辱罵感到慌張。

奎植清楚地回想起22年前，和光顯發生肢體衝突的那天，怒氣

一湧而上。

奎植　每次都假借要託妳照顧小孩，趁我不在，進出我們家，跟妳偷
　　　來暗去的王八蛋!?

英蘭　臭老頭，你又在胡說什麼了？

奎植　那個王八蛋的女兒來這裡幹麼？就這麼想看我被活活氣死
　　　嗎！！！

　　　因為奎植突然大吼大叫，英禑受到驚嚇。
　　　就像22年前那樣，英禑開始不由自主地眨眼，雙手摀住耳朵，雖
　　　然沒有像五歲那時嚴重，但是她仍不斷左右晃動身體，試圖讓自
　　　己鎮定下來。潻浩見狀嚇了一跳，趕緊上前隔開奎植和英禑。

潻浩　伯父，請冷靜一點。

奎植　（對英禑說）最好不要再讓我看到妳！去妳個殺千刀的神經病！
　　　發妳媽的神經！該死的（嗶──消音）臭雜種！！！

英蘭　唉唷～這個老頭在發什麼脾氣？

　　　英蘭把英禑和潻浩拉出病房。

S#24.　醫院休息室（室內／白天）

　　　休息室裡，英蘭、英禑、潻浩面對面坐著。

英蘭　抱歉，那個老頭疑心病很重，平常都好好的，偶爾發作就會像
　　　這樣，真丟人。（淚水盈眶）

英禑　好。（直接進入重點）言歸正傳，妳在警方那裡做筆錄的時候，說
　　　了「我的確有想殺了我老公」這樣的陳述。

英蘭	我當時就應該直接殺了他，這麼一來，我就不用再忍受他的脾氣了。
英禔	那…所以那些口供都是真心的嗎？
英蘭	我現在的想法就是那樣。
英禔	重要的不是現在怎麼想，而是案發當時妳的想法。
英蘭	唉唷，我不知道啦，我怎麼想，這很重要嗎？
英禔	如果妳當時是想殺了妳丈夫，那就是殺人未遂罪；如果想傷害他，那就是傷害罪；如果只是想打他幾下，那就是暴力致傷罪；如果是不小心的，那就是過失致傷罪。法律認為當事人當下的意圖很重要，根據意圖的不同，罪名也會不一樣。
英蘭	每次看我們家老頭那樣…其實我真的很想殺了他。
澹浩	我想應該是因為妳現在內心很煎熬吧。

英禔感到很混亂，她搞不懂英蘭內心真正的想法。

英禔	嗯…人心真的好難懂。換作是我，如果我想殺一個人，那我應該不會在他睡覺時，擔心他覺得刺眼，特地幫他拉上窗簾，甚至還把動作放輕，就怕吵醒他。

英蘭因為英禔敏銳的觀察，說不出話來。

英禔	人應該不會為了恨之入骨的人做這些舉動，這是在為心愛的人著想吧？

S#25. 明錫的辦公室 （室內／白天）

「叩叩，休息一拍，叩」的敲門聲。
明錫、敏宇、秀妍正圍坐在沙發上開會，一起看向門口。

明錫　　　請進。

英禍和潛浩走進辦公室，向明錫打招呼。
秀妍看著潛浩，內心有點悸動。

明錫　　　原來是潛浩陪妳去醫院啊？被害人的狀況怎麼樣？

英禍　　　不大好，可能要下次才能請他簽免刑求情書。今天他引發了一
　　　　　場大混亂。

潛浩　　　那個老先生脾氣真的很不好，他一看到禹律師就破口大罵…老
　　　　　太太一定也是受不了才動手的，我完全能夠理解她的心情。

明錫　　　破口大罵？為什麼？

英禍　　　他認為我爸爸和被告搞外遇。

明錫　　　（愣住）妳爸爸和被告…？那他罵了妳什麼？

英禍　　　去妳個殺千刀的神經病，發妳媽的神經，該死的（嗶——）臭
　　　　　雜種。

所有人都因為英禍過度真實的重現，愣在原地。
明錫再次回過神來。

明錫　　　我想過了，這樁案件，我們採取國民參與陪審吧。

敏宇和秀妍非常驚訝。

明錫　　　如果光看證據，這很明顯是殺人未遂，沒錯吧？被告用熨斗大力
　　　　　敲擊老先生的額頭，「沒有殺人意圖」這種說法太不合理了。
　　　　　如果用證據打官司，一定會輸。我們必須證明出，老太太的處
　　　　　境值得同情，所以採用國民參與陪審，對我們比較有利，我們
　　　　　可以激發陪審團的同情心。

敏宇	那麼可以由我來幫助禹英禑律師進行辯護嗎？如果想獲得陪審團的支持，口才就很重要了。我曾經通過主播考試，我對我的口才很有信心。
秀妍	（爭先恐後）我之前在新進律師演講比賽中獲得第一名，主播風格的流利語調，反而可能令人反感，我們需要的是溫柔地拉近與陪審團之間的距離，能夠說服陪審團的口才能力。

敏宇和秀妍怒瞪著對方。

明錫	禹英禑律師，妳覺得呢？如果妳對辯論沒有信心，就要請人幫忙了。
英禑	我認為⋯這樁案件的核心應該是要讓大家看到被告的處境值得同情吧？以值得同情的基準來說⋯沒有什麼比得過身心障礙，而我剛好患有自閉症類群障礙症。

英禑勇敢將自己的身心障礙當作祕密武器，這著實讓濬浩佩服。明錫暫時陷入沉思。

明錫	那麼就讓妳自己努力看看吧，無論如何，當妳站上法庭，就是代表汪洋法律事務所，所以記得好好練習口條，不要出糗。
英禑	好，我知道了。

S#26. 電梯（室內／晚上）

下班了，敏宇和秀妍身著外出服裝，正要搭電梯。

敏宇	禹英禑到底是怎樣？她真的有身心障礙嗎？她現在該不會是在裝傻，要整我們吧？

秀妍　　你知道她在法學院的綽號是什麼嗎？

敏宇　　黑吃黑，多倫多？

秀妍　　大家都叫她「反一禹」，反正第一名都是禹英禑。我每次看到
　　　　她，心裡都會很矛盾。看到她做事生疏的樣子，就會忍不住想
　　　　要幫助她，但最後第一名都是她，我只會被擠下去，不管是在
　　　　學校還是在這裡，都一樣。

敏宇　　那就不要幫她啊，幹麼幫一個比自己厲害的人。

S#27.　汪洋法律事務所1樓大廳（室內／晚上）

電梯門開了，敏宇和秀妍來到1樓大廳。兩人的視線看向旋轉
門，發現英禑站在門前，嘴裡數著「一、二、三，一、二、
三」，做著屈膝、伸直的動作。

秀妍　　唉啊——這樣要我怎麼不幫她。

敏宇　　那妳就去幫她吧。

敏宇像是嘲諷般的嗤之以鼻，繞過秀妍離開了。

S#28.　汪洋法律事務所（室外／晚上）

秀妍打開推拉門，走出大樓，她看見前方敏宇大步走向地鐵站的
背影，回頭一看，這次看見英禑在大樓裡衝向旋轉門的模樣。

CUT TO：

英禑成功進入旋轉門，但是錯過了出來的時機，不停在門裡旋
轉。此時，有人幫她擋住了旋轉門，是秀妍。

| 秀妍 | 出來。 |

英祐終於走出大樓。

秀妍	如果妳覺得旋轉門很難走，走其他的門不就好了。
英祐	那是因為…
秀妍	妳是笨蛋嗎？妳就那麼笨嗎！

英祐愣在原地，不知道為什麼秀妍會那麼生氣。
秀妍氣沖沖地離開了。
英祐獨自留在公司門口，回頭看著旋轉門。

| 英祐 | （N）我的名字是「落英的英、象徵福氣的祐」，寓意是像花一般美麗的福星。但是「伶俐的伶、愚蠢的愚」會不會更適合我呢？從出生到現在看過的書，都能過目不忘，卻連一道旋轉門都無法通過的禹伶愚，伶俐和愚蠢並存的禹伶愚。 |

S#29. 毛怪家餐酒館（室內／晚上）

小小一間餐酒館，開放式廚房的前面有吧檯和三四張桌子，卻連一位客人都沒有。

董格拉米（27歲／女）拿著拖把從倉庫走出來。

牛仔褲、牛仔外套、刺青、耳洞和漂染髮營造出的帥氣和古怪感，這是專屬於董格拉米，遊走在嘻哈與混亂之間的風格。

董格拉米把拖把當作麥克風，咚滋咚滋數著拍子。

一邊拖著地，一邊唱起Leessang的《謙虛是困難的》（Humility is hard）。

在董格拉米熱唱的時候，在廚房裡工作的老闆**金敏植**（36歲／男）

嘆了一口氣，胖乎乎的體格和毛茸茸的落腮鬍，看起來很可愛。

格拉米　（唱歌）謙～虛！謙虛是困難的！謙～虛！謙虛是困難的！謙虛是困難的！

英禑走進餐酒館。
格拉米把拖把丟在一邊，歡迎英禑的到來。

格拉米　禹英禑英禑～
英禑　　董董格拉米。

似乎是專屬於兩人的打招呼模式，她們面對面站著，小小地做了「Dab」[5]動作。
英禑坐在她的吧檯專屬座位上，董格拉米坐在英禑的旁邊。

敏植　　妳還沒吃晚餐吧？今天一樣要吃禹英禑海苔壽司嗎？
英禑　　對，今天一樣要吃禹英禑海苔壽司。

敏植開始製作日式海苔飯捲──海苔壽司。
這是英禑晚餐最常吃的餐點。

格拉米　第一天上班怎麼樣？
英禑　　很累。
格拉米　唉唷～妳終於體會到出社會的滋味了！

_____

註釋5：Dab：一種舞蹈姿勢，將手肘彎曲斜舉，頭部靠向手肘，另一手同時平行抬起斜伸。

70

英禩	妳知道什麼是國民參與陪審嗎？
格拉米	當然知道，就是有國民一起參與審理案件吧？
英禩	我必須在法官和陪審團面前為被告辯護，但是我的口條不大好，妳可以陪我練習嗎？
格拉米	當然可以啊！

敏植把擺盤擺得很漂亮的海苔壽司放到英禩面前。

和吃光顯的海苔飯捲時一樣，英禩先把壽司擺放整齊，才開始吃。

敏植	唉啊——這位客人，妳該不會真的覺得她能幫上忙吧？她應該連法庭都沒去過吧？
格拉米	你在說什麼啊？現在誰還會親自去法庭，電影都有演啊。（對英禩說）妳有看過那個嗎？《證人》？（浮誇模仿鄭雨盛的聲音）「律師也是人！」
英禩	我沒看過《證人》。
格拉米	那《正義辯護人》呢？（浮誇模仿宋康昊的聲音）「國家？你說的國家到底是什麼？自殘？你說自殘？」
英禩	我也沒看過《正義辯護人》。
格拉米	（浮誇模仿宋康昊的聲音）「你以為你是愛國人士嗎？錯了，你只不過是國家政權下的走狗！把真相說出來，那才是真正的愛國！」（順便模仿郭到元的聲音）「閉嘴！你這個赤色分子！」

敏植對格拉米的熱情演出不以為意，英禩則是打從心底佩服格拉米。

格拉米	喂！開庭沒什麼好怕的，妳也做得到。律師只要把這件事做好就行了，（大力拍打吧檯）「我有異議！」
英禩	（跟著拍打桌子）「我有異議！」

71

格拉米	妳要再多放點感情，「我有異議！！！」
英禑	「我有異議！」
格拉米	妳應該要從基本發聲練習，跟我唸唸看，啊—欸—伊—喔—嗚。
英禑	啊—欸—伊—喔—嗚。

隨著兩人越來越深入的練習，英禑上班第一天的夜色也漸漸變暗。

S#30. 法院（室內／白天）

明錫、潗浩、英禑走進法院，不知道是不是因為這是當上律師後的第一次開庭，英禑感到很緊張，在英禑的眼裡，今天的法院格外陌生。

英禑在法庭沉甸甸的門前，深深地吸了一大口氣。

潗浩打開門，明錫率先走進法庭。

英禑跟在後頭，緊閉雙眼，在心裡默數「一、二、三」調整呼吸後，才走了進去。

S#31. 法院（室內／白天）

潗浩坐在旁聽席，英禑和明錫坐在辯護人席。

英蘭坐在被告席，向明錫和英禑打招呼。

法警	全體起立。

法庭內的所有人都站起來後，三位法官走進來坐在法官席，**審判長**（60多歲／男）開始確認各方出席狀況。

審判長	崔玄昱檢察官到了嗎？

玄昱	到了。

明錫看向坐在檢察官席的**崔玄昱**（40多歲／男）。
給人的第一印象很固執。

審判長	鄭明錫辯護人到了嗎？
明錫	到了。
審判長	禹英禑辯護人到了嗎？

明錫瞥向身旁的英禑。
英禑因為太過緊張，說不出話。

審判長	禹英禑辯護人到了嗎？
明錫	（小聲地說）禹英禑律師！妳要回答啊。

英禑努力試著回答，但就是無法張開嘴巴。

審判長	禹英禑辯護人？
明錫	到了…

明錫不自覺地假裝成英禑，用女生的聲音回答。審判長直視明錫的表情似乎是在說「搞什麼飛機？」明錫顯得很難為情。

明錫	（指著英禑並切換回自己的聲音）禹英禑律師到了。
審判長	那麼現在就開始針對2022年第1017號刑事案件遭起訴殺人未遂的被告崔英蘭，進行審理。

CUT TO：

光顯和董格拉米走進法庭，坐在旁聽席。

審判長　辯護人，請發表開庭陳述。

應該要輪到英禑發言了，但她仍然尚未緩解緊張，一動也不動，明錫看著這樣的英禑，內心焦急不已。
坐在旁聽席的澐浩為此感到心疼，低下頭，
光顯也深深嘆了一口氣，董格拉米對著英禑，用手勢和嘴型說「妳在幹麼！站起來啊！」但英禑根本沒看到。

審判長　辯護人，你們在做什麼？不發表開庭陳述嗎？
英蘭　（小聲地說）唉唷，妳是怎麼回事⋯

英蘭慌張到坐立不安。
明錫認為不能再這樣下去，正準備代替英禑起身發表陳述時，英禑終於站起身來，走向法庭中央。

英禑　在發表開庭陳述之前⋯我有件事要先請在場的各位包涵。我患有自閉症類群障礙症，所以在各位看來，可能會覺得我說話有點結巴，動作也不流暢。但是我深愛法律，並且尊重被告，這一點與其他律師無異。身為一位辯護人，我會盡全力幫助被告釐清案件的真相。

專屬英禑的獨特眼神處理和發聲方式，因為緊張而變得短促的呼吸，但是英禑的真心穿越這些表面能見的東西，讓整個法庭安靜下來。英禑輪流向法官和陪審團鞠躬致意。
格拉米發出歡呼「呼！」並大力拍手，澐浩和旁聽席的人們都笑了。光顯也一同笑著，但是淚水在眼眶裡打轉，其中一位年輕的

陪審員不自覺地跟著拍手了一陣子，才反應過來，停下動作。

審判長　　妳還深愛著法律啊？真是值得嘉許。

審判長溫柔地笑著。
「幸好，氣氛不錯。」操心不已的明錫，這才終於鬆了一口氣。
相反地，面對法庭內一面倒向英禍的氣氛，玄昱繃緊神經。

CUT TO：
玄昱審問著英蘭。
態度像是要逼英蘭提出自白。

玄昱　　「我老公一直懷疑我，還對我惡言相向，讓我有了殺人衝動。」
　　　　這是案發後警方調查時，妳所說的陳述，請問妳還記得嗎？

英蘭　　那是…

玄昱　　請回答「是」或「不是」就好。

英蘭　　是…

玄昱　　但是妳現在為什麼改口了？

英蘭　　當時面對警察，我太緊張，所以說錯話了，我沒有想要殺了我
　　　　老公。

玄昱　　沒有想殺他的意思嗎？要不要看一下案件紀錄？「你要是再這
　　　　樣講，我們就同歸於盡？我們今天就一起死吧！同歸於盡
　　　　吧！」這是案發當時妳對被害人說的話，請問妳還記得嗎？

英蘭　　記得…

玄昱　　一個「沒有殺人衝動」的人，會使用那麼多死亡的極端字眼嗎？

就像格拉米的教導，英禍用盡全力地拍打桌子，坐在一旁的明
錫打了個冷顫。

| 英禡 | 我有異議！這是誘導詰問。 |
| 審判長 | （同樣也打了個冷顫）同意。 |

玄昱走回檢察官席，拿出用塑膠袋包覆的熨斗。
為了讓熨斗看起來很重，還故意晃動熨斗。

玄昱	這是被告攻擊被害人時使用的熨斗，被告，請問妳用這個熨斗，攻擊妳丈夫的什麼地方？
英蘭	他的⋯頭。
玄昱	頭？（瞪著英蘭）被告，妳真的沒有殺人衝動嗎？妳其實很希望他死吧？
明錫	我有異議。
審判長	駁回。被告，請回答檢察官的問題。
英蘭	（看向裁判長）唉唷，法官，我知道錯了，我真的做錯了，我這輩子都沒有對我老公不忠，但是他卻一直懷疑我，我一時氣不過才會動手。

英蘭啜泣。
英禡和明錫看著這樣的英蘭，臉色變得凝重。

CUT TO：
法庭結束後，明錫朝玄昱走去。

明錫	哇，崔檢察官，我還以為你是在對黑道分子進行詰問呢。對方是七十歲的老太太，你太咄咄逼人了吧？
玄昱	我本來也打算要好聲好氣啊，我連拘票都沒申請，你還看不出來嗎？是你們先不客氣的。
明錫	唉唷，我們哪裡不客氣了。

玄昱　　（嚴肅）既然你們想要追究是否有罪，我當然也必須全力以赴。
　　　　總不能讓別人覺得，我是連起訴書都寫不好的檢察官吧。

　　　　玄昱轉身離開，英禑和濬浩走向明錫。

明錫　　（像自言自語般）看來檢察官是鐵了心要跟我們拚了，這下糟糕了。

S#32.　車（室內／晚上）

　　　　從法院回汪洋律師事務所的路上。
　　　　濬浩開著車，英禑和明錫坐在後座。
　　　　各自都在為剛才的開庭而煩惱，氣氛也顯得沉重，明錫打破沉默。

明錫　　我們傳喚朴奎植出庭，如何？讓他親口表示，自己不希望被告
　　　　受罰。
英禑　　但是我們已經提交了同樣內容的免刑求情書了。
明錫　　那份免刑求情書是朴奎植親自手寫的嗎？
英禑　　不是，是我準備表格，請他簽名而已。
明錫　　老先生親自開口求情，一定比那張免刑求情書有效，尤其是對
　　　　陪審團來說。
濬浩　　不過，他會好好出席作證嗎？他的脾氣不好惹，而且他看禹英
　　　　禑律師那麼不順眼。
明錫　　那就由我來負責詰問朴奎植，禹律師，妳來擬詰問稿。
英禑　　好，我知道了。

S#33.　法庭（室內／白天）

　　　　第二次開庭。

77

審判長	被告這邊聲請以證人身分傳喚被害人朴奎植呢。
明錫	是的,因為朴奎植年事已高,很難長時間坐在旁聽席上,所以現在人在外面,我們現在請他進來。

明錫對坐在旁聽席上的瀋浩使眼色。
瀋浩向外走,推著坐在輪椅上的奎植進入法庭。
法官和陪審團專注看著初次露面的被害人。
奎植的輪椅一到達證人席,奎植就徐徐站起身宣誓。

奎植	本人將秉持良心,當據實陳述,決無匿、飾、增、減,如有虛偽不實之陳述,願受偽證罪之處罰,謹此具結。
審判長	辯護人,請詰問證人。

明錫專心投入思考。
對身旁的英禑說悄悄話。

明錫	禹英禑律師,妳去詰問吧。
英禑	什麼?
明錫	「老太太一定也是受不了才動手的,我完全能夠理解她的心情。」這是李瀋浩看到朴奎植破口大罵後說的話。

英禑無法理解明錫話中的意思,愣在原地。

明錫	禹律師,妳去誘導朴奎植罵人。
英禑	喔…好。
審判長	辯護人?你們不進行詰問嗎?

英禑站起來,深呼吸後鼓起勇氣靠近奎植,奎植認出英禑是誰

之後，氣得臉紅脖子粗。

英蘭早已猜到奎植會有這樣的反應，正準備上前阻止，卻被明錫攔了下來。

英禑　你好，我是崔英蘭女士的辯護人，禹英禑。

奎植　喂！我是不是說過別再讓我看到妳！你們全部人都狼狽為奸，你們是不是很想看我被活活氣死啊？你們把我叫來，就是要讓我看到這種不乾淨的東西，是在整我嗎！！！

英禑害怕過大的聲音，雖然閉著眼睛，身體顫抖著，卻還是努力忍耐。

奎植看似就要衝上來打英禑。

法警被眼前的奎植嚇到，趕快抓住他。

審判長　（驚訝）證人？你這是在做什麼？

奎植　（對英禑說）該死，去妳個殺千刀的神經病，發妳媽的神經，該死的（嗶——消音）臭雜種！！！

奎植過於流暢的髒話連珠炮，讓法官和陪審團大吃一驚。

審判長　先把證人帶走。

法警試圖讓奎植坐回輪椅上，但是奎植相當不受控，英蘭實在看不下去，跑向證人席阻止奎植。

「你這該死的臭老頭！」英蘭喊道，並用力拍打著奎植的背。

審判長　我們先休息10分鐘。

CUT TO：

英禑進行最終結辯。

英禑的語氣依舊獨特，但態度卻更加沉穩了。

英禑　誠如各位所見，朴奎植並不是一位好相處的丈夫。（法庭內的人笑出聲）他過度懷疑妻子的為人，甚至口出惡言。儘管如此，被告崔英蘭卻依然和朴奎植相處了大半輩子，即使朴奎植患有失智症，被告也沒有棄之不顧。被告也許是位一氣之下動手打丈夫的妻子，但不可能會是一位殺夫未遂的妻子。請讓深刻反省自身過錯的被告…

此時，滄浩從法庭外氣喘吁吁地跑進來，對明錫說了悄悄話。

一起進來的法警也向審判長與玄昱通知消息。

不明所以的英禑停止發言，環視四周。

玄昱　庭上，由於被害人朴奎植在移送醫院的途中身亡…

英蘭　什麼？誰死了？我們家老頭死了？

英蘭嚇得站起來，雙腿發軟。

明錫攙扶英蘭，陪審團議論紛紛。

玄昱　我方要將被告的罪嫌，由「殺人未遂罪」更改為「殺人罪」。請同意我方更改起訴書。

審判長深吸一口氣後，點頭以示同意。

英禑看著這一切，臉色發白。

S#34. 殯儀館靈堂 (室內／晚上)

明錫和濬浩在奎植的遺照前行禮。
英禑站在兩人身旁，沒有力氣行禮，像是失了魂似的。

英禑　　（N）如果不是我去進行詰問，如果沒有讓朴奎植先生氣成那樣。不對，如果這樁案件並非由我負責…

英禑看向英蘭。
英蘭雙眼無神地看著奎植的遺照，好像下一秒就會倒下似的。

英禑　　（N）朴奎植先生現在會不會還活著？

S#35. 殯儀館接待室 (室內／晚上)

英禑、濬浩、明錫坐在坐式餐桌前。
明錫幫英禑和濬浩倒燒酒。

明錫　　你們也覺得很諷刺吧？明知道他身體不好，還硬要他出庭作證，只為了勝訴。

英禑呆呆地看著明錫。
明錫隱藏自己充滿痛苦的表情，往自己的酒杯裡倒滿酒。

明錫　　但是自責到今天就好，接下來好好想想我們還能為被告做什麼吧。

明錫一口喝掉燒酒，濬浩也跟著喝酒。
剛剛停止動作的英禑，也跟著明錫和濬浩，一飲而盡。

S#36.　殯儀館走廊 (室內／晚上)

英祸坐在走廊的椅子上，戴著頭戴式耳機，聽著大翅鯨的歌聲。英祸看到英蘭無力地從洗手間走出來，就從椅子上站了起來，英蘭本來只想直接走過，英祸卻鼓起勇氣率先說話。

英祸　我第一次在別人面前開口說的話，是「傷害罪」；而第一個說我會成為律師的人是妳，崔英蘭女士。我覺得很神奇，我第一個負責的案件，居然是要幫妳把罪名更改成傷害罪。

英蘭　這是什麼意思？

英祸　這一切對我來說都是第一次，所以我想要做到盡善盡美，但因為求好心切，就操之過急了。我害朴奎植先生因此過世，我非常抱歉。

英蘭靜靜地嘆了一口氣。

英蘭　這怎麼能怪妳呢，要怪也是怪我們家老頭的臭脾氣，時隔20年才見到當初的鄰居小女孩，沒有歡迎妳就算了，還對妳惡言相向。還要怪我，都不知道他時日不多了，還拿熨斗打他。那個老頭平常就老是喊他頭痛了…是我太過分了。

英蘭抽泣，英祸不知所措地走上前去，試圖把手放在英蘭的肩膀上…最終還是放下了。

S#37.　英祸的辦公室 (室內／晚上)

英祸還沒有帶什麼物品來事務所，辦公室空蕩蕩的。
英祸看著貼在白板上的案件相關照片。
案發當時的客廳、熨斗、奎植的腦部電腦斷層照片等。

濬浩敲門後進來。

濬浩　　我把朴奎植的相驗報告拿來了。

濬浩把資料遞給英褚。

濬浩　　死因確實是腦出血，就是先前動手術的硬腦膜下出血復發。

英褚看著相驗報告，嘆了一口氣。
濬浩看向貼在白板上的那些照片。

濬浩　　那個熨斗…妳不覺得很像那個嗎？《白鯨記》裡出現的…
英褚　　（驚訝）抹香鯨嗎？
濬浩　　抹香鯨，沒錯！她居然用這麼恐怖的東西打人，被害人沒有當場死亡，感覺已經很幸運了。

因為意料之外的鯨魚話題，英褚快要把濬浩盯出洞了。

濬浩　　怎麼…了嗎？
英褚　　在公司裡有很多事情不能做，不能重複別人說的話，不能亂講不重要的話，像是黑吃黑、多倫多、石榴石、文言文、鹽酸鹽，還有不能講話太直接。
濬浩　　喔，是這樣啊？我都不知道耶…
英褚　　尤其不能提起鯨魚的話題，除非是必要的情況。
濬浩　　嗯…如果只有妳和我獨處的時候，應該可以說這些吧？
英褚　　什麼？你說只有我們兩人獨處的時候，可以聊鯨魚的話題嗎？
濬浩　　（微笑）對啊，當然可以。

濬浩不知道這句話會帶來多大的影響，輕輕地對英禑微笑，英
禑再次看向熨斗的照片。

這一刻，英禑的腦海裡閃過了某個東西。

INSERT：
一隻抹香鯨充滿力量地躍出湛藍的海面。

CUT TO：
再次回到英禑的辦公室。

英禑　　在朴奎植的主治醫生眼裡，會不會也是這樣呢？他會不會也覺
　　　　得熨斗看起來就像抹香鯨一樣強大，而忽略了鯨魚不會產卵的
　　　　事實呢？

濬浩　　什麼？

英禑　　這件事不能只用《刑法》衡量，必須用《民法》才能完善處
　　　　理，同樣地…不能只著重於熨斗。

英禑從白板上撕下熨斗的照片。

照片底下露出英禑歪七扭八，幾乎可以說是鬼畫符的筆跡。

「朴奎植，81歲，輕度失智症病患」

INSERT FLASHBACK：
英禑的腦海裡回想起
在殯儀館走廊上，英蘭說的話。

英蘭　　那個老頭平常就老是喊他頭痛了…

CUT TO：

再次回到現在，英禑的辦公室。

英禑　　那個…警方筆錄！

濬浩聽到這句話，翻起英禑桌上奎植的警方筆錄，找到了「我
因為頭痛得像快要炸開，躺在沙發上休息，突然有快遞來
了」。但是英禑搶先一步講出自己已經背起來的內容。

英禑　　「我因為頭痛得像快要炸開，躺在沙發上休息，突然有快遞來
　　　　了。」
濬浩　　所以他在被熨斗攻擊之前，本來就有頭痛的症狀了。
英禑　　說不定…他的腦出血也許不是熨斗造成的。

英禑和濬浩看向彼此，恍然大悟。

S#38.　法庭（室內／白天）

審判長　　辯護人，請詰問證人。

曾經在醫院見過的奎植的主治醫生，此時坐在證人席上。
如果不算誘導奎植罵人那一次，現在是英禑第一次正常的證人
詰問。英禑悲壯地站起來，不大流暢地走向證人席。

英禑　　硬腦膜下出血，分為外傷造成的「外傷性硬腦膜下出血」，以
　　　　及慢性疾病造成的「自發性硬腦膜下出血」，請問是否正確？
醫生　　是。
英禑　　請問你是以什麼為依據，判斷朴奎植為「外傷性」腦出血？

醫生	因為他被熨斗重擊啊，我聽說他被熨斗重擊後就昏倒了。

英蘭心中的罪惡感再次湧上，低下了頭。

英禑	請問朴奎植先生的頭骨有骨折嗎？
醫生	沒有。
英禑	請問朴奎植的頭部，有任何熨斗造成的傷口或瘀血嗎？
醫生	沒有。（雙手護住頭）因為他說他有這樣護住頭。
英禑	那麼請問他的手臂上有任何傷口嗎？
醫生	這…有是有，但並不嚴重。
英禑	那請問你為什麼會覺得熨斗有那麼大的殺傷力呢？熨斗並沒有造成他骨折、重傷或是瘀血啊。
醫生	（惱羞成怒）奇怪，我難道是偵探嗎？他們跟我說病患被熨斗重擊後昏倒，我當然就依照這個說法去診斷，我難道還要去調查他到底是不是被熨斗打昏的嗎？
英禑	如果你的診斷可能會讓被告去坐牢，那麼是不是就該深入調查呢？

英禑看也不看醫生一眼，不帶感情地回應。
英禑這樣的態度讓醫生莫名火大，氣到臉都紅了。

玄昱	我有異議，辯護人正在與證人爭論。
審判長	同意，辯護人，請專注於詰問證人。
英禑	辯護人，請專注於詰問證人。

審判長因為突如其來的複述行為愣住，明錫也嚇得打了個冷顫。英禑試著打起精神，不斷搖著頭。

英禑	朴奎植81歲，證人，請問你知道嗎？

醫生	知道。
英禑	朴奎植患有失智症，請問你知道嗎？
醫生	知道。
英禑	腦出血的典型徵兆就是劇烈頭痛，請問你知道嗎？
醫生	知道。
英禑	案發當天，朴奎植在被熨斗重擊之前，就已經有劇烈頭痛的症狀了，請問你知道嗎？
醫生	什麼？
英禑	（遞出筆錄）「我因為頭痛得像快要炸開，躺在沙發上休息，突然有快遞來了。」這是朴奎植在警方調查時做的筆錄。
醫生	那個…我不知道。
英禑	自發性硬腦膜下出血經常發生在老年人身上，尤其好發於失智症病患，請問是否正確？
醫生	是…
英禑	朴奎植高齡81歲，而且患有失智症，更何況在案發前就曾表示有劇烈頭痛，請問證人，你還能肯定朴奎植就是外傷性硬腦膜下出血嗎？你確定完全沒有自發性硬腦膜下出血的可能性嗎？

醫生說不出話來，玄昱嘆了一口氣。醫生看向英蘭，面對英蘭迫切的眼神，醫生不自覺地低下頭。

醫生	自發性硬腦膜下出血的可能性…應該是有的。

法庭內議論紛紛。
明錫趕緊站起來，向審判長和檢察官提交資料。

明錫	這是3位醫學專家的診斷書，他們根據朴奎植的病歷及相驗報告，判斷朴奎植的病名及死因，是慢性疾病所導致自發性硬腦

膜下出血，我方要呈交作為補充證據。

英禑 庭上，如證人所說，朴奎植的腦出血，有可能不是被告動手導致，而是本身患有的慢性疾病所造成的。

這麼一來，被害的傷害行為，與被害人的死亡並沒有因果關係。請將被告的「殺人」罪嫌，更改為「傷害罪」進行判決。

審判長閱讀著明錫呈交的診斷書，輕輕點了頭。

審判長 （對玄昱說）檢方認為呢？檢方有意更改起訴書嗎？

玄昱的表情很兩難，像是忘記要說什麼。
明錫看著這一切，靜靜地微笑。
英禑等待著審判長和檢察官的回答，眼神閃閃發亮。

S#39. 英禑的辦公室（室內／白天）

「叩叩」濬浩敲門後進來。
坐在辦公桌前工作的英禑，呆呆地看向濬浩。

濬浩 禹律師，剛剛判決出來了。
英禑 喔。
濬浩 被告的「殺人罪」獲判「無罪」，「傷害罪」獲得緩刑，恭喜妳。
英禑 喔…謝謝。
濬浩 崔英蘭女士想要見妳一面，所以我請她過來了。

濬浩開門，英禑縮著腰站起來。
英蘭走進來，雖然因為這段時間的辛苦而變得消瘦，
但表情則是安定許多。

英蘭看著英禑好一陣子，走向英禑，抱住了她。
排斥擁抱的英禑，僵硬地試著往後移動身體。

英蘭　　禹律師，謝謝妳。

英蘭流下了眼淚。
這是英禑身為律師，第一次收到道謝。
英禑的表情稍微放鬆了一些。
站在旁邊的湑浩露出欣慰的微笑，站在走道後方，從打開的門
縫看著這個畫面的明錫，也笑了。

S#40.　EPILOGUE：禹英禑飯捲 (室內／晚上) - 過去

一個月前。
剛結束營業，正在打掃飯捲店的光顯
聽見有人進門的聲音，回頭看向門口。
這位「客人」的真面目太過意外，光顯非常驚訝。

宣榮　　光顯學長，好久不見。

宣榮對光顯微笑。
光顯看著眼前的狀況，表情很微妙。

〈完〉

「但是如果我遇到相愛的人，並且舉辦婚禮，

　我會和那個人同時一起進場，

　而不是讓爸爸把我的手交給我的伴侶，

　因為要結婚的我，已經是個成熟的大人了。」

第2集

滑落的
婚紗

$$\textcircled{2}$$

S#1.　PROLOGUE：飯店婚宴會場（室內／白天）**- 過去**

兩個月前。

大企業「大賢集團」旗下的高級飯店「大賢飯店」婚宴會場。

似乎是要展現出這場婚禮有多麼盛大，婚宴會場裡充滿金碧輝煌的裝飾。

司儀　　在座各位即將見證兩位新人攜手朝未來邁出第一步的時刻，請各位賓客起身，以熱烈的掌聲為新郎和新娘獻上祝福。

坐滿婚宴會場的一千位賓客紛紛起立，看向舞臺上的新娘**金花英**（28歲／女）及新郎**洪眞旭**（29歲／男），花英身穿一襲平肩款式的婚紗，脖子至上胸一覽無遺。

花英美麗的臉龐面無表情，卻略顯緊張。

司儀　　新郎、新娘，請前進！

現場響起了孟德爾頌的《結婚進行曲》。

花英和真旭開始向前走。

婚禮工作人員**姜智慧**（27歲／女）拉平花英的婚紗後襬，這時婚紗又稍微從胸口滑落一些，花英用拿著捧花的手，把婚紗往上拉，並將手緊壓在胸前，不讓婚紗滑落。砰砰！拉炮聲、掌聲和歡呼聲震耳欲聾。

每位賓客都拿出手機或相機拍攝新郎新娘。

此時，花英看見賓客中的「某人」，驚訝地停下腳步，真旭拉著停下來的花英，花英繼續往前走，卻忘記用手壓住婚紗，花英的腳稍微踩到婚紗的前襬，踉蹌了一下，為了不讓自己跌倒，花英又往前踏了一步，這一刻，花英完全踩住婚紗前襬，婚紗一下子滑落至骨盆以下，內衣似乎也一併滑落，花英的上半身涼快到發冷。

正要迎來高潮樂句的《結婚進行曲》嘎然而止。
新郎看著袒胸露背的新娘，瞠目結舌。
賓客們僵在原地，目瞪口呆

宙明　　那是…怎麼回事…？

真旭的爺爺**洪宙明**（82歲／男）看著花英的背部，喃喃自語。花英的後腰有著大大的觀世音菩薩刺青。宙明非常失望，又是咂嘴又是直搖頭，花英的爸爸**金正久**（75歲／男）表情黯然失色。

砰——！有個拉炮現在才不識相地爆開。
花英驚嚇到忘記拉起衣服，拉炮裡的彩色紙片無情地飛到花英的臉上。

TITLE：

《非常律師禹英禑》

S#2.　禹英禑飯捲 (室內／白天)

兩個月以後的現在。

上班前的早晨，英禑穿著套裝，頭戴式耳機掛在脖子上，嘴裡
吃著飯捲。光顯坐在英禑對面轉著電視頻道，畫面突然停在某
個節目。

光顯　　真漂亮。

電視裡正播著某部劇的婚禮場景。
穿著婚紗的新娘牽著爸爸的手往前走。

英禑　　你換了飯捲裡的火腿嗎？

光顯　　什麼？對啊，怎麼了？

英禑　　我覺得不好吃。

英禑不滿地放下筷子，直視著光顯。

光顯　　唉唷？吃就對了！妳長那麼大，沒為爸爸煮飯就算了，還嫌棄
　　　　配菜啊？

英禑吸了一口氣，再次拿起筷子。

光顯　　妳這樣何年何月才能長大成家呢？（指著電視）英禑，妳不想穿
　　　　穿看那種婚紗嗎？

英禑	爸爸，你想穿穿看那種婚紗嗎？
光顯	不是啦，不是我想穿…（嘆氣）因為在婚禮上，牽著女兒的手走紅毯，是每個爸爸的夢想。

光顯看著電視，電視裡的爸爸把女兒的手交給女婿，熱淚盈眶。

英禑	對人類來說，結婚是脫離父母獨立生活，並伴隨著交配行為的儀式，但是對鯨魚來說…

英禑說到一半，突然停下了。
光顯訝異地看著這樣的英禑。

光顯	怎麼回事？妳居然不把鯨魚的話題說完？
英禑	你想再多聽一點嗎？
光顯	沒有，只是…很奇怪啊。
英禑	以後我不會勉強不想聽的人，因為現在有人聽我說鯨魚話題了。
光顯	真的嗎？是誰？
英禑	（看向時鐘）我要遲到了，我去上班了。

英禑從座位上站起來，戴上頭戴式耳機，走出飯捲店。光顯看著英禑吃完的飯捲盤子，暗自苦笑，英禑把所有火腿都挑出來，在盤子正中間排成一個大大的「X」字。

S#3.　汪洋法律事務所（室外／白天）

閃閃發光的高級進口車停在汪洋法律事務所大樓門口。
朴室長（40多歲／男）下車，拉開後座車門。
身穿名牌西裝的正久下車，抬頭看著這棟大樓。

S#4.　會議室（室內／白天）

正久走進會議室，透過落地玻璃窗一眼望盡首爾市區。宣榮和明錫迎接正久和朴室長。

宣榮　　初次見面，我是韓宣榮。

明錫　　我是鄭明錫。

正久　　我是金正久。

一行人全都入座。

正久　　在座各位都很忙碌，我們就直接講重點吧。我四十七歲那年老來得子，迎來了我的寶貝小女兒，她不久前結婚了，對象是「大賢建設」社長的兒子，婚禮辦在大賢飯店。

明錫　　恭喜你。

正久　　恭喜個鬼！都是大賢飯店那群該死的傢伙害的…

正久的表情瞬間變得凝重。

朴室長　婚禮上發生了一件意外。
　　　　會長的女兒當天身穿一襲平肩款式的婚紗…但是當新郎、新娘行進時，那件婚紗…突然滑落了。

宣榮和明錫倍感驚訝，正久似乎還是為此所苦，
嘆了一口氣。

宣榮　　滑落到哪個位置呢…？

朴室長　（用手指著自己的屁股）這裡以下…

宣榮　　內衣呢？沒有一起滑落吧？

朴室長難過地搖搖頭。

正久　你們知道這場婚禮花了多少錢嗎？大賢飯店說他們會包辦一切，我就指定以最高規格辦理，總共花了2億3千萬韓元。你們猜有多少位賓客？光是身分尊貴的賓客，我就請了一千位，我花了2億3千萬韓元，在那一千人面前顏面掃地。

明錫　你一定很難受。

正久　我該向大賢飯店那群傢伙索賠多少錢？

宣榮　你說的是損害賠償金吧？雖然確切數額還需要進一步調查…

明錫在便條紙上寫下「2.5～3億韓元」，將便條紙輕輕推至宣榮面前。
宣榮看到便條紙，似乎是同意明錫所寫的數額，輕輕點了頭。

宣榮　大約是…

正久　等等。

宣榮驚訝地看著正久。

正久　如果妳腦中的數額不到10億韓元，那就乾脆別說了吧。

宣榮　10億韓元嗎…？

深怕有人看到，宣榮悄悄地將那張寫有「2.5～3億韓元」的便條紙翻至背面。

明錫　請問你們有跟大賢飯店討論過了嗎？

朴室長　大賢飯店表示願意全額退還婚禮費用，還承諾會提供新郎和新娘價值一千萬韓元的大賢飯店住宿券。

明錫	換算成現金的話，等於開出了價值2億4千萬韓元的條件，聽起來還不錯。
正久	什麼？還不錯嘛?!

明錫被正久的氣勢震懾到了。

正久	我可是顏面掃地啊。我邀請了那麼多親朋好友，甚至還有客戶們，卻讓那麼多人看到我女兒赤身裸體，我丟臉到在別人面前都抬不起頭！但是你說什麼？2億4千萬韓元還算不錯？我的自尊心只值這點錢嗎，你是這個意思嗎？
明錫	不，我不是那個意思…
宣榮	你剛才提到的部分屬於法律上的「精神賠償」，意指相對於財產上的損失，這是針對精神上的痛苦來請求賠償。但是精神賠償這種東西，在法律上真的很難界定，實際判例都是這樣的，即使認定判賠，數額通常也不高。
明錫	大賢飯店不僅願意全額退還婚禮費用，甚至主動提供屬於精神賠償方面的免費住宿券，其實他們的提議算是很合理了。如果你們打算重新舉辦婚禮，我們應該還能請求飯店一併負擔下一場婚禮的費用。
正久	汪洋和泰山終究是半斤八兩啊？

宣榮頓住，因為長期以來被外界認為汪洋劣於泰山的自卑情結，每次只要提到泰山，平時好聲好氣的宣榮，都會變得異常固執，知道這個情況的明錫，不安地看著宣榮。

宣榮	什麼？
正久	我名下的土地，在可樂洞一帶就多達6千坪，我要打的官司難道會只有一兩件嗎？一直以來，我都是委託泰山處理訴訟，因為

我聽說那裡是大韓民國最頂尖的律所，但是現在事情大條了，
那群傢伙卻像縮頭烏龜，說詞都是那些，「精神賠償本來就賠
不了多少」聽他在放屁！我就是因為受夠了在泰山花大錢，還
要聽他們胡說八道，才會來這裡找你們，我還以為汪洋跟他們
不一樣。

宣榮　　汪洋確實和泰山不一樣。

正久　　哪裡不一樣！「可能有點困難」、「恕我們無法處理」你們的
說詞根本一模一樣！

宣榮　　你想索賠的確切數額是多少呢？

正久　　要賠償我丟臉丟到家的自尊心，至少要拿回10億韓元吧？

宣榮暫時陷入沉思。

宣榮　　我們會試著求償，我們會讓你看見，汪洋確實能做到泰山做不
到的事。

正久　　那就萬事拜託妳。（對朴室長說）委託費多準備一點！

有別於正久的和顏悅色，宣榮的臉上寫著悲壯兩字。
明錫萬念俱灰般地低下頭，偷偷深嘆一口氣。

S#5.　　**明錫的辦公室**（室內／白天）

明錫和新進律師們圍坐在沙發上。
閱讀著「滑落的婚紗」案件相關資料。

明錫　　「損害」可以分為哪些類型？

英禑詫異地盯著明錫。

秀妍	根據損害三分說理論，可以分為「積極損害」以及「消極損害」。
敏宇	（搶話）以及「精神賠償」。積極損害是指當事人的既有財產實質上的減少，消極損害是指當事人的財產應增加而未增加。
秀妍	（不認輸插話）精神賠償是針對精神上的痛苦來請求賠償。

秀妍和敏宇瞪著對方，明錫在白板上寫下「**積極損害**」、「**消極損害**」、「**精神賠償**」。

英祿	鄭明錫律師，你當了那麼久的律師，還不知道損害分為哪些類型嗎？
明錫	（慌張）我是因為不懂才問的嗎？當然是為了指導大家。
英祿	（存疑）喔…是這樣嗎？
明錫	（無視）根據損害三分說理論，已經支出2億3千萬韓元的婚禮費用，屬於積極損害，假設需要以同樣的規格再次舉辦婚禮，我們還能額外請求2億3千萬韓元的消極損害，因為如果沒發生婚紗意外，當事人也無須支付這筆錢。其實對同一損害提出重複求償是不合理的，但是我們的委託人主張求償10億韓元，意思就是我們最後還得請求超過5億韓元的精神賠償。
敏宇	但是根據大法院所頒布的《精神賠償估算方案》，即使被害人死於交通事故，最高精神賠償也只有1億韓元。這樁案件充其量只是妨害名譽，而且屬於一般情況，並非情節重大的狀況，所以精神賠償的求償金額連要超過5千萬韓元都很難。
明錫	沒錯，但是活在世上，難免會遇到這種提出不合理要求的委託人，既然我們接受了委託，就一起來找出辦法吧。

秀妍用筆記型電腦瀏覽著大賢飯店婚禮事業組的網頁。

秀妍	大賢飯店新設立了婚禮事業組以統籌辦理婚禮的相關業務，這對我們來說還算幸運，因為婚宴會場和婚紗通常是分開租借，追究責任時，難免會有模糊地帶，但是這樁案件的婚禮相關業務，都是由大賢飯店直接負責。
明錫	最重要的問題是「這真的是大賢飯店的疏失嗎？」不管是故意或是過失，我們都必須找出可以歸責於飯店的事由，如果事由並不存在，那麼請求損害賠償根本沒有意義。

明錫的視線跳過英禑，停留在秀妍和敏宇身上。

明錫	權敏宇律師和崔秀妍律師！你們兩位做過臥底調查嗎？
秀妍	什麼？
明錫	大賢飯店不可能老實告訴我們，他們在準備婚紗的過程中究竟出了什麼差錯，我們得親自查出來，你們兩位假扮成新郎新娘，去大賢飯店試穿婚紗吧。

秀妍的表情黯淡到了谷底。

明錫	禹英禑律師，妳和濬浩去拜訪那對新人。
英禑	是。
秀妍	那個…大賢飯店的事，可以換掉權敏宇律師，讓我跟李濬浩一起去嗎？
明錫	（微笑）為什麼？妳覺得權敏宇律師不夠格扮演妳的新郎嗎？
秀妍	對。
敏宇	（慌張）哇——我也不喜歡崔秀妍律師好嗎！我跟禹英禑律師一起去拜訪那對新人吧。（對英禑說）妳不介意吧？
英禑	雖然我也比較喜歡跟李濬浩獨處，但是我願意讓步。
秀妍	妳喜歡跟李濬浩獨處？什麼啊，你們很熟嗎？

英禑　　　（想得入神）那個…如果「很熟」的定義是兩人獨處時有特定的聊天話題，那麼沒錯，我們很熟。

「兩人獨處時有特定的聊天話題？」
秀妍、明錫、敏宇的表情都非比尋常，但英禑完全沒有意識到。

S#6.　**正久家的客廳**（室內／白天）
既寬敞又豪華的客廳。
家庭幫傭（40多歲／女）招呼英禑和敏宇到花英的房間。

家庭幫傭　婚禮結束後，小姐就再也沒有出過房門了。（敲門對花英說）律師們來了。

家庭幫傭開門後，英禑和敏宇走進房內。

S#7.　**花英的房間**（室內／白天）
原先看著窗外發呆的花英，轉頭看向英禑和敏宇。
不知道是不是因為心力交瘁，花英比婚禮當時更加消瘦。

敏宇　　　我是負責本案的汪洋法律事務所律師權敏宇。

敏宇瞥向英禑，用眼神示意「該妳了」。
但是英禑只顧著環顧房間各個角落。

敏宇　　　（小聲地對英禑說）妳不打招呼在幹麼？
英禑　　　是，妳好。

敏宇	（嘆氣）妳要自我介紹啊，介紹妳自己。
英禑	對，我的名字是…（思考了一下能不能說）我叫禹英禑，正著唸、倒著唸都一樣，黑吃黑、多倫多、石榴石、文言文、鹽酸鹽、禹英禑。
花英	什麼？
敏宇	抱歉，她才剛進公司不久。
花英	這樣啊…兩位請坐。

明明自己也是新人，敏宇卻表現出會好好教育後輩的姿態，拍著英禑的肩膀，兩人坐在花英的對面。

敏宇	妳一定很難過吧？
花英	那個…是啊。
敏宇	婚禮結束後，妳一直住在妳父母家嗎？妳老公呢？
花英	那件事發生之後，我們的關係變得有些尷尬，新婚房就一直空在那裡，他也住在他爸媽家。
敏宇	請問你們有打算重新舉辦婚禮嗎？
花英	我不知道，這件事請你去問我爸。
敏宇	（不自覺地驚訝）妳爸嗎…？

「請你去問我爸」這句話從一位成年女性口中說出，敏宇感到很意外。相反地，英禑似乎並沒有發現異常，點點頭回應花英。

花英	雙方長輩意見分歧…這段婚姻很複雜。真旭哥的爺爺之前很疼我，他是教會的長老，在唱詩班擔任指揮，而我負責鋼琴伴奏。他介紹我跟真旭哥認識，看著我們結婚，但聽說他因為婚禮上的意外，對我很失望，甚至還提議退婚。
敏宇	他因為婚禮上的意外對妳很失望嗎？為什麼？

花英	因為我的背上…有觀世音菩薩的刺青。

敏宇被這句話嚇到，愣了一下才趕緊恢復理智。

敏宇	妳是什麼時候發現婚紗有問題的呢？
花英	婚禮當天早上，試穿的時候，婚紗尺寸量得非常合身，但是當天穿起來卻有點寬鬆。
敏宇	妳有告知大賢飯店的員工嗎？
花英	有，我有告訴幫忙穿婚紗的姐姐，但是她說可能是因為我變瘦了，就只在婚紗內側多別上幾個別針。
敏宇	籌備婚禮期間，妳有變瘦嗎？
花英	沒有。
敏宇	妳身邊有人能為當時的情況作證嗎？像是有沒有朋友聽說妳擔心婚紗太鬆…
花英	沒有，我的朋友們都沒有來參加婚禮。
敏宇	（再次驚訝）但那是妳的婚禮耶…？
花英	因為賓客名單是我爸在管，所以來的都是我爸的客人。

敏宇因為花英屢次反覆提起爸爸，又再次愣住了。
為了拖點時間提振精神，敏宇作球給英禑。

敏宇	禹英禑律師，妳沒什麼想問的嗎？
英禑	我有問題。金花英女士，請問妳愛妳丈夫嗎？

花英和敏宇都因為這道太過單刀直入的問題而感到慌張。

花英	什麼？
敏宇	對不起。（小聲地對英禑說）這算什麼問題？

英祺　這是我的問題。這間房間裡⋯有很多照片。有很多妳的獨照，也有很多妳和親朋好友一起拍的照片，但是卻沒有妳丈夫的照片，一張都沒有。

就聽到英祺這麼說，敏宇環顧房間內部，看著看著發現⋯確實如此。家具上方和牆壁上的每一處都掛滿花英和親朋好友拍的照片，其中沒有任何一張真旭的照片。

花英　（慌張）我跟真旭哥的合照應該都擺在新婚房吧。
英祺　（感到奇怪而歪頭）那裡有一張耶？

英祺指向放在房間角落的箱子，裡面有著婚紗照和沒發完的請帖，像是隨便打包的搬家行李一樣。

英祺　妳沒有把婚戒戴在手上，而是放在梳妝檯上。

敏宇反覆看著花英的手指和梳妝檯。
花英的手指上戴著好幾個細戒指，但是唯獨鑲有寶石的結婚戒指被放在梳妝檯上。

英祺　金花英女士，請問妳愛妳丈夫嗎？

就像是直覺敏銳的偵探對罪犯攻其不備，花英甚是慌張。

S#8.　大賢建設1樓咖啡廳（室內／白天）

大賢集團旗下建設公司「大賢建設」大樓內的1樓咖啡廳。
英祺、敏宇和真旭面對面坐著。

真旭　我岳父真的很奇怪，我一點也不願回想起那天的事，我不懂他為什麼堅持要提告。而且被告還是大賢飯店…（嘆氣）一副想挑起兩家紛爭的樣子，真是的。

英禑　洪真旭先生，你不想提告嗎？

真旭　一想到他們毀了我的婚禮，我當然也很火大啊，五星級飯店的婚禮服務居然差勁成這個樣子。但是大賢飯店和大賢建設都是大賢集團的旗下事業，到頭來丟臉的還是我們家族，不是嗎？

敏宇　我聽說你們家主張要退婚…這是真的嗎？

真旭　花英說的嗎？（嘆氣）我爺爺很疼愛花英，所以非常積極促成這樁婚事，爺爺介紹花英給我認識，甚至也說服了我的爸媽，結果因為…你們知道花英身上的刺青吧？

敏宇　是，她有告訴我們。

真旭　她說那個刺青是她年少不懂事的時候，鬧著玩才去刺的，再加上刺青很難去除，而且她刺在不明顯的地方，所以我也不以為意。但是那個刺青甚至讓爺爺覺得自己被背叛了，畢竟他年事已高，還是個虔誠的基督徒，他不能接受我跟那樣的人結婚，他說反正還沒登記結婚，要我乾脆放棄這段婚姻。

英禑　那麼你打算退婚嗎？

真旭　我也不清楚，等長輩們討論好再說吧。

敏宇　你有和金花英女士提過退婚的事嗎？

真旭　我們有好一陣子沒見面了，她的個性變得很尖銳，正在接受精神科治療…我們見面總是會吵起來。

敏宇　精神科？金花英女士正在接受精神科治療嗎？

真旭　她沒跟你們說嗎？據我所知，從那天出事之後，她就一直在看醫生。

S#9.　大賢建設（室外／白天）

走出大賢建設大樓外的英祼和敏宇。

敏宇　　法律是不是有規定有錢人不能太懂事啊？

英祼　　不，並沒有那種法律…（想了一陣子）喔，你是在開玩笑嗎？

敏宇　　（無視英祼的話，顧著講自己的）妳也要回辦公室吧？我們搭計程車
　　　　吧。

敏宇走到車道去攔計程車，英祼跟在後頭。

敏宇　　新郎和新娘都還那麼不成熟，居然還想要結婚，妳說對不對？
　　　　至少在心智方面要獨立才能結婚吧。只會茶來伸手、飯來張
　　　　口，搞不好他們活到這個年紀，都還沒親自下廚過呢。

活到這個年紀都還沒親自下廚過的英祼感到很驚訝，所以反問
敏宇。

英祼　　權敏宇律師，你有親自下廚過嗎？

敏宇　　當然有啊！禹英祼律師，難道妳沒有嗎？

英祼　　那個…

在英祼思緒混亂，停留在原地時，
敏宇發現了一輛空車計程車。

敏宇　　計程車！

S#10.　車（室內／白天）
　　　　前往大賢飯店的車子裡。

瀋浩開著車，秀妍坐在副駕駛座。

瀋浩　我們該怎麼稱呼對方呢？

秀妍　這個麼，那我叫你…「瀋浩哥」？

秀妍講出來後，自己害羞到臉紅。

瀋浩　那麼我就叫妳「秀妍」？不對，一直用名字稱呼好像不大好，
　　　也不知道之後會發生什麼事。

秀妍　喔，有道理。那麼…

瀋浩　（看著秀妍）「親愛的」？

瀋浩突如其來的一句「親愛的」，讓秀妍的心臟狂跳。
此時瀋浩的手機震動，是英禍打來的。秀妍心想「英禍打來有
什麼事？」瀋浩則是稀鬆平常地開啟免持通話接聽。

瀋浩　喂，禹律師。

英禍　（聲音）李瀋浩先生，請問你也認為成年人一定要自己下廚煮
　　　飯，離開父母獨立生活嗎？

瀋浩　喔…這個麼，這樣應該比較好吧？

英禍　（聲音）但是虎鯨這輩子都不會離開媽媽，牠們都會一起行動。
　　　以人類的標準來看，所有虎鯨都是媽寶…

秀妍　（打斷）喂，禹英禍，妳在幹麼？

英禍　（聲音）崔秀妍？我現在…在講電話。

秀妍　這就是妳跟瀋浩獨處時特定的聊天話題嗎？妳不能在上班時間
　　　做這些事，不能打電話妨礙正在工作的人

英禍　（聲音）喔…

瀋浩　我不介意。（對英禍說）禹律師，我現在有點忙，晚點再回撥給

妳。

英禩　　（聲音）好。

嘟一聲，英禩掛電話了。

秀妍　　英禩很常這樣嗎？

濬浩　　沒有，只是偶爾⋯

MONTAGE：

以蒙太奇手法呈現過去幾天，自從濬浩說了「我們兩人獨處的時候，可以聊鯨魚的話題」，英禩就一天到晚找濬浩聊鯨魚。

S#11.　濬浩／敏宇家的廁所（室內／白天）- 過去

濬浩和敏宇一起住的住辦大樓兩房套房的廁所，濬浩正在刷牙準備上班，英禩打來了。

濬浩猜是急事，就隨便先把泡沫吐掉，接起了電話。

濬浩　　喂，禹律師。

英禩　　（聲音）你聽過這種說法嗎？「比起對深海的認識，人類對月球背面更加瞭解。」

濬浩　　什麼？

英禩　　（聲音）目前沒有任何人看過藍鯨生產，由此來看，上述說法的確有道理。有人會認為「藍鯨的體型相當於波音737客機，那麼藍鯨生下一隻相當於河馬重量的小藍鯨，要捕捉到這個畫面哪有那麼難？」但是正因為大海如此廣闊且深邃，所以能牢牢地守護鯨魚的祕密。

濬浩　　這樣啊，是。

準備要上班的敏宇經過廁所門口，

敏宇　　（不出聲，只做嘴型）是誰？找你幹麼？

澔浩　　（搖頭表示沒事）禹律師，我現在⋯（停頓）喂？

英禑講完自己想講的話，就掛斷電話了。
意識到這件事的澔浩愣在原地。

S#12.　汪洋法律事務所11樓走道洗手間門口（室內／白天）- 過去

澔浩從洗手間出來，看到英禑正在等著自己，嚇得打了冷顫。

英禑　　藍鯨的糞便是紅色的，因為牠們的主要食物──磷蝦就是紅色
　　　　的。

澔浩　　（莫名尷尬）這樣啊，是。

英禑　　鯨魚的糞便扮演著某種類似幫浦的角色，能將海洋深處的營養
　　　　成分，輸送到海洋表面。鯨魚會先潛入大海深處進行捕食，然
　　　　後再浮出海面排泄，那些糞便就會成為浮游植物的養分。

澔浩　　原來如此、原來如此⋯

英禑清脆響亮的發聲，讓路過的人們都瞥向他們，必須承擔這
一切丟臉情況的澔浩，臉紅得像磷蝦一樣。

S#13.　汪洋法律事務所1樓大廳（室內／晚上）- 過去

電梯門開了，澔浩和英禑來到1樓大廳，就連他們往旋轉門走去
的這段路，英禑都還在聊鯨魚。

英禓	長鬚鯨是一種遷移型動物，可是生活在加州外海的400隻長鬚鯨，卻一整年都停留在同一個地方，以牠們的速度，通過加州只需要6天，但牠們一點都不想移動。
濬浩	這樣啊，禹律師，我們久違地走旋轉門下班，怎麼樣？

濬浩幫英禓擋住旋轉門，使眼色要英禓先走進去。

英禓	不，我今天要加班。
濬浩	什麼？所以妳走了那麼一大段路，只是為了跟我聊鯨魚嗎？
英禓	對，再見。

英禓毫不在意地回頭遠走。
只留下濬浩茫然地站在旋轉門前。

CUT TO：
再次回到車上，現在。

秀妍	那怎麼會是偶爾而已？她根本是整天纏著你！
濬浩	我沒關係啦，聽久了也覺得滿有幫助的…

濬浩暫時不說話。
秀妍看著濬浩，等待著他的下一句話。

濬浩	而且除了我之外，還有誰會聽她說這些呢？至少有我聽她說，這樣也不錯吧。
秀妍	你會聽她說一輩子嗎？
濬浩	什麼？
秀妍	如果你沒這個打算，就該主動跟她劃清界線，那才是真正在為

英禤著想。

濬浩因為秀妍的話陷入沉思，此時「咕嚕嚕！」秀妍的下腹傳來陣痛，秀妍把手放到肚子上。

濬浩　妳還好嗎？

秀妍　我還好，我沒事。

但是「咕嚕嚕——咕嚕嚕咕嚕——！」秀妍的肚子很不好。

濬浩默默加快車速。

秀妍覺得這個情況太難為情了，但是又無法克制急著上洗手間的衝動。

秀妍慌得臉色發白，不斷冒著冷汗，用力抓緊安全帶。

S#14.　大賢飯店1樓大廳（室內／白天）

秀妍一進到大賢飯店，馬上衝往洗手間。

她用雙手抱住肚子，夾緊屁股，以競走姿勢進入洗手間的模樣令人心疼。

S#15.　大賢飯店1樓洗手間（室內／白天）

秀妍抵達洗手間。

從最近的隔間開門，偏偏都客滿了。

當她打開最裡面的那間，關門後一脫下褲子，「噗嚕！噗嚕嚕嚕嚕！」肚子裡的好朋友搶先一步探出頭來，絕望和解脫並存在秀妍的表情上。

S#16. 大賢飯店1樓大廳 (室內／白天)

英禍拿著一個小購物袋走進飯店。

她左顧右盼地尋找著洗手間，濬浩向她走來。

濬浩　禹英禍律師？妳怎麼來這裡了？

英禍　我是搭地鐵來的。

濬浩　是喔。

英禍　我必須見到崔秀妍律師，恕我無法說出我為什麼來這裡，尤其
　　　是你，我絕對不能告訴你。

濬浩　喔，好…崔秀妍律師好像在那裡的洗手間。

濬浩用手指出洗手間的方向。

英禍點點頭，就趕緊往洗手間去了。

S#17. 大賢飯店1樓洗手間 (室內／白天)

英禍進入洗手間裡面

從最近的隔間開始尋找秀妍。

英禍　（叩叩，休息一拍，叩）秀妍，是妳嗎？（敲下一道門）秀妍，是妳
　　　嗎？（敲下一道門）秀…

秀妍　我在這裡！

最裡面的隔間開了一點點門縫，英禍走近。

秀妍　妳有幫我拿來嗎？趕快給我。

英禍透過門縫把購物袋遞給秀妍。

關上門後，隔間裡傳來秀妍翻翻找找的聲音。

秀妍　搞什麼啊，禹英禑，妳在跟我開玩笑嗎？我的衣櫃裡沒有其他
　　　　褲子了嗎？沒有西裝褲嗎？

英禑　有啊。

秀妍　那妳為什麼帶這件來？

英禑　因為妳叫我隨便拿一件，這件看起來最舒服，也沒有標籤。

秀妍　我真的快被妳搞瘋了。

隔間的門打開，秀妍走出來。
上半身依舊是剛剛的西裝打扮，但是下半身穿著睡褲，褲子上
粉紅色的愛心花紋非常奪人耳目。

英禑　要回去幫妳拿別件褲子嗎？

秀妍走向洗手臺洗手，英禑站在秀妍旁邊。「咕嚕嚕嚕！」秀
妍的肚子又開始蠢蠢欲動。
秀妍把手放在下腹，表情看起來非常難受。

秀妍　反正我已經沒戲唱了，這樁婚事，得交給妳了。

背景響起申昇勳的《我相信》（*I Believe*）。就像《我的野蠻女
友》裡的車太鉉一樣，秀妍向英禑叮嚀囑咐。

秀妍　我們約好要稱呼對方「親愛的」，雖然稱呼他「濬浩」也不
　　　　錯，但是在別人面前一直提到名字太危險了。我們之所以這麼
　　　　急著結婚，是因為我們超速，先上車後補票，所以要趁著肚子
　　　　還不明顯的時候，穿上世界上最美麗的婚紗，在大賢飯店舉行

婚禮，這是我的…不對，現在這變成妳的夢想了。

英裯　妳剛剛說的「超速」，應該不是指行車速度超過交通法規所定
　　　速限的行為吧？

秀妍　嗯，不是。

英裯　那麼妳的意思是…

秀妍　意思是我們在婚前上床了，所以濬浩的孩子就在這裡…

秀妍撫摸著自己的肚子，突然出現了「咕嚕嚕嚕！」的聲音。
信號再次響起，秀妍彎下腰。

秀妍　（傷心的眼神）濬浩…就拜託妳了。

秀妍急急忙忙地躲回隔間裡。
留下英裯愣在原地，不知所措。

S#18.　大賢飯店1樓大廳（室內／白天）

英裯走出洗手間。
焦急地看著手錶的濬浩走了過來。

濬浩　崔秀妍律師呢？她還好嗎？

英裯　她沒戲唱了。

濬浩　什麼？

英裯　李濬浩，你必須和我結婚。現在我應該稱呼你…（看著濬浩）親
　　　愛的。

英裯突然說出一句「親愛的」，讓濬浩的心臟莫名悸動。

| 澔浩 | 那麼…我們要上樓了嗎？原本預約3點，已經遲到很久了。 |
| 英禑 | 好的，親愛的。 |

S#19.　大賢飯店婚紗試裝間（室內／白天）

裝潢得富麗堂皇又寬敞的婚紗試裝間。

婚禮事業組的**組長**（40多歲／女）坐在英禑和澔浩對面，把婚紗型錄遞給他們，組長給人既善良又苛薄，一種說不上來的印象。

組長	你是說下週要舉辦婚禮嗎？
澔浩	對，我們那麼臨時預約，有場地真是太好了。
組長	就是說啊，通常我們的婚宴會場都要提前一年預約才行，兩位真的非常幸運呢。
英禑	我們之所以急著結婚，是因為我們超速了。
組長	什麼？
英禑	我說的「超速」並不是指行車速度超過交通法規所定速限的行為，妳知道嗎？

英禑沒頭沒尾的一番話，讓組長停頓了一下。
澔浩來打圓場。

澔浩	那是當然，親愛的，我想組長一定有聽懂妳的意思。
組長	（轉移話題）兩位喜歡什麼風格的婚紗呢？
澔浩	這套看起來滿漂亮的。

澔浩把他從型錄上選出來的照片拿給組長看。
是和花英身上那件一模一樣的婚紗。
組長的表情微妙地僵住了。

組長　這件很漂亮，確實很美…老實說，這種款式有點過時了，而且穿在身上時，要注意很多地方。

濬浩　說得也對，親愛的，妳太瘦了，萬一穿了這種款式的婚紗，結果滑落了怎麼辦？（對組長說）偶爾會有這種狀況發生吧？

組長　什麼？你說滑落嗎？婚紗滑落嗎？哈哈！當然不會發生這種事，我們量尺寸都量得很精確。

組長的誇張反應顯得非常尷尬。

英禑　我想試穿這套婚紗。

組長　唉唷，看來兩位真的很喜歡這套婚紗耶，原來你們喜歡大膽的風格啊？

濬浩　就是因為這樣，我們才會超速啊。

英禑　就是因為這樣，我們才會超速。

濬浩微笑，組長不得已也跟著微笑。

組長　那麼就試穿這一件吧，新郎請在這裡稍等一下。（往後看）智慧！

站在不遠處的20多歲女性員工跑來找組長。

員工　智慧還沒有回來。

組長　她去哪裡了，為什麼還沒回來？現在可是上班時間耶？

員工　（慌張）什麼？組長妳剛才叫她去跑腿…
（看臉色，小聲地說）那個，麵包…

S#20.　大賢飯店1樓洗手間（室內／白天）

智慧走進洗手間。

智慧站在洗手檯鏡子前，邊補妝邊和朋友講電話。

智慧 　她說麵包下午四點剛出爐，叫我趁新鮮買回去給她，我根本就是她的「麵包外送員」吧？（停頓一下）我的意思就是這樣，如果珠熙姐還在，她一定會幫我講幾句公道話。（停頓一下）天啊，妳不知道嗎？珠熙姐被開除了啊。（像是在講悄悄話般小聲）就是那時候啊，之前發生的婚紗滑落事件。

秀妍還待在洗手間隔間裡。

本來要沖馬桶了，一聽到「婚紗滑落事件」就停下動作。

智慧 　唉唷，不管了啦，麵包外送員要回去了，我還得趁麵包還熱，獻給她呢。

智慧離開洗手間。

秀妍沖完水走出隔間，確認洗手間沒有其他人後，打電話給濬浩。

秀妍 　濬浩，我是秀妍。好像有一位叫做「珠熙姐」的人，因為婚紗滑落事件被開除了，我剛好聽到別人在講電話，如果確實是大賢飯店婚禮事業組的員工，她就會提著麵包出現。

S#21.　大賢飯店試裝間（室內／白天）

濬浩 　麵包嗎？

濬浩坐在新郎等候區的沙發上，跟秀妍講電話。

眼前閃過一個裝有麵包的透明塑膠袋，濬浩嚇得抬起頭來。濬浩看見拿著麵包的智慧走進試裝間裡的茶水間。

員工　　要開門囉。

新郎等待區和新娘更衣間隔著的那道門被打開了。
濬浩看著門後。
門後漸漸浮現英禑穿著婚紗、手握捧花的模樣，濬浩不自覺地從座位上站了起來。
手突然失去力氣，手機應聲落地，電話裡秀妍喊著「喂？喂？」的聲音聽起來很遙遠。
眼前的英禑太美麗了，濬浩感到十分慌張。

組長　　實際穿上之後，覺得如何呢？
英禑　　我覺得非常不舒服，整件婚紗就像用標籤做成的一樣。
組長　　（無視英禑說的話）天啊～看看新郎的眼神，完全被妳迷倒了呢。
英禑　　（看著濬浩）你被我迷倒了嗎？

英禑開著玩笑，噗哧一笑。「是這樣嗎？我被她迷倒了嗎？」
濬浩因為心中產生意料之外的情感，有點站不穩。

INSERT：
時間來到了傍晚，夕陽輕輕掠過大賢飯店的室外招牌。

S#22.　大賢飯店試裝間的茶水間（室內／白天）
智慧洗著組長吃麵包用的碗。

澔浩	不好意思，打擾了。
智慧	（嚇一跳）什麼？
澔浩	請問妳知道珠熙去了哪裡嗎？
智慧	珠熙…？你說的是裴珠熙嗎？
澔浩	對，大概是三個月前吧，我來這裡找她諮詢過，但她今天好像不在。
智慧	珠熙姐已經辭職了，你找她有什麼事嗎？
澔浩	這件事說來話長…還是妳可以告訴我她的聯絡方式嗎？

智慧的視線看向遠方的組長，發現組長正在觀察著他們兩個。

智慧	抱歉，那是珠熙姐的個人資料…抱歉。

智慧避開澔浩，走出茶水間。
澔浩輕嘆了一口氣

S#23. 法院調解室（室內／白天）

準備程序期日，**審判長**（50多歲／男）坐在長桌中間，沒有原告也沒有被告，只有雙方律師出席的情況。明錫和新進律師們坐成一排，對面坐著三位被告代理人。

審判長	婚紗在婚禮進行時滑落了，光是想像就覺得很可怕，可是有必要把這件事鬧得那麼大嗎？本來只是一件可以一笑置之的意外插曲，卻動員了7位大型律所的律師，爭取求償10億韓元…我認為有浪費司法資源的疑慮。
明錫	原告金花英因為這起意外事件，這兩個多月以來，一直都在接受精神科治療，她和她丈夫的關係逐漸不和，甚至討論了退婚

的事。被告大賢飯店向原告收了2億3千萬韓元，用這筆鉅款來籌備婚禮，萬一換來的結果是退婚，一定會造成很大的傷害，我們不認為這是能一笑置之的意外插曲。

大賢飯店的代理人**朴政浩**（40多歲／男）回應。

政浩　　婚紗滑落意外事件的原因是由於原告的疏忽，而非大賢飯店的疏失，因此，無論是原告接受精神科治療，或是處於退婚危機，大賢飯店都無需負責。

審判長　我認為本案無論要證明誰對誰錯，都不是件容易的事。雙方都無意在合理的範圍內和解嗎？

政浩　　婚禮結束後，大賢飯店有準備慰問金，但是原告拒絕了。如果對方非得用提告的方式辨明是非，那麼大賢飯店也不會退縮，畢竟這件事攸關五星級飯店的名譽。我們希望能透過審判長的公正判決，證明這件事並非大賢飯店的疏失。

明錫和新進律師們被政浩意志堅決的魄力震懾到了。

S#24.　醫院診間（室內／白天）

花英接受治療的精神科醫院診間。

敏宇和秀妍坐在**主治醫生**（40多歲／男）對面

醫生　　如果一定要把她的症狀歸屬於某個特定病名，我認為這是「創傷後壓力症候群」。婚禮上的意外在她心裡留下創傷，讓她非常難受，雖然現在已經好轉許多，但是婚禮剛結束那陣子，她的失眠症、飲食障礙症與社交恐懼症都非常嚴重。

秀妍　　創傷後壓力症候群可以視為她陷入退婚危機的原因嗎？

醫生　　這個嘛。（表示為難）兩位都是律師，想必一定很清楚，我身為

醫生，有義務保護病患的隱私權，不是嗎？

敏宇　我就直話直說了，我們想要證明創傷後壓力症候群是被退婚的原因，所以需要專家的意見。請問你願意出庭作證嗎？這是為了幫助金花英女士。

醫生　為了幫助金花英女士…真的是如此嗎？（暫時苦惱）我可能無法出庭作證，抱歉。

醫生閉口不談。
無從得知醫生內心的想法，敏宇和秀妍的心情變得煩悶。

S#25.　麵包店咖啡廳（室內／白天）

有著麵包窯烤爐，寬敞空間、漂亮裝潢的麵包店咖啡廳。
咖啡廳員工送了兩杯飲料到英禑和澔浩的位置上，英禑把桌面整理得整整齊齊，澔浩則是看著飲料上面的打發鮮奶油。

英禑　打發鮮奶油的脂肪含量約為30％。

澔浩　這樣啊？

英禑　是，長鬚鯨和其他鯨魚的乳汁比打發鮮奶油更加濃厚，因為牠們的乳汁約有30～50％的脂肪含量。藍鯨媽媽每天可以分泌出200kg的高脂肪乳汁，那麼喝了6個月母乳長大的藍鯨寶寶，體重會增加多少呢？

澔浩　是多少呢？

英禑　是17公噸。

英禑說完自己想說的話，就面無表情地喝了一小口自己的飲料。情人眼裡出西施，在澔浩的眼裡，英禑的一舉一動都很可愛…但是澔浩突然很好奇一件事。

澔浩	除了鯨魚的話題，妳沒有別的事情想跟我聊聊嗎？
英禙	（想了一下之後）沒有。
澔浩	喔，沒有啊？
英禙	對，沒有。

雖然澔浩也有猜到答案，但是實際聽到還是有點失落。
澔浩想起秀妍的建言，思考了一下，

澔浩	我們以後⋯只在特定的時段聊鯨魚，怎麼樣？不要隨時隨地都在聊鯨魚。
英禙	這樣啊⋯（腦中經過一陣混亂）好，那什麼時候比較方便？
澔浩	午餐時間可以嗎？我們可以一起吃午餐，邊吃邊聊。
英禙	好的，那麼午餐以外的時間⋯
澔浩	我們不聊鯨魚的事，聊些別的事情吧。
英禙	不聊鯨魚的事，聊些別的事情。（欲言又止）那麼⋯如果是必須聊到鯨魚的情況呢？
澔浩	（微笑）那種情況就得聊啊！
英禙	（滿意）是，那種情況就得聊啊。

此時，時間來到4點，麵包店老闆把剛出爐的麵包擺到展示架上，智慧走進麵包店，熟練地拿起托盤和夾子就走向展示架，英禙和澔浩向智慧走近。

澔浩	智慧，妳好。
英禙	妳來買麵包嗎？
智慧	（驚訝）天啊⋯你們怎麼會來這裡？
澔浩	我們想知道裴珠熙的聯絡方式，我們不會做奇怪的事，拜託妳了。

智慧　　抱歉，我沒辦法隨便透露。

　　　　智慧把麵包夾入托盤中，打算一結完帳就馬上離開，
　　　　但是澔浩選擇使用正面突破法。

澔浩　　之前發生過婚紗滑落事件吧？大概兩個月前。

　　　　智慧驚訝地回頭看著澔浩。

澔浩　　我們想向裴珠熙詢問那件事。
智慧　　你們想問…什麼？

　　　　正當澔浩思考如何回答時，英禑突然說話。

英禑　　那件事的真相。
智慧　　你們兩位是來調查的嗎？
澔浩　　妳知道那天的新娘金花英女士，目前還在接受精神科治療嗎？

　　　　似乎是被第一次聽說的事情嚇到，智慧顫抖了一下。

澔浩　　因為婚紗滑落事件，金花英即將要被退婚了，我們一定會低調
　　　　處理，絕對不會連累妳，請妳幫忙我們。
智慧　　就算我給了她的號碼…你們也很難聯絡上她。珠熙姐，她出
　　　　國了。

S#26.　法庭（室內／白天）

　　　　第一次言詞辯論期日。有3位法官坐在法官席，被告席包含政

浩、3位律師以及大賢飯店婚禮事業組組長。花英、明錫與新進
律師們則坐在原告席。

審判長　（看時鐘）證人到了嗎？

明錫以很為難的表情站起來。

明錫　她還沒到，因為她從很遠的地方過來，可能會晚點才到。可以
再等她一下嗎？

審判長　「很遠」是有多遠，難道她是從國外過來嗎？還要等多久？

明錫瞥向敏宇。
敏宇從剛剛就一直打電話給濬浩。
但是敏宇的表情顯示，濬浩都沒有接電話。

審判長　今天視同證人未出席，之後再擇日開庭審理。

明錫嘆了一口氣，濬浩急忙打開法庭的門。
出現在濬浩後頭的人不是珠熙，而是智慧。

明錫　（開心地看著審判長）證人姜智慧到了！

審判長　請到前面來。

智慧站在證人席。
組長看著智慧，露出「妳懂吧？好好作證！」的表情。

智慧　本人將秉持良心，當據實陳述，決無匿、飾、增、減，如有虛
偽不實之陳述，願受偽證罪之處罰，謹此具結。

125

審判長　原告代理人，請詰問證人。

　　　　　明錫走向智慧。

明錫　金花英女士的婚禮當天，請問妳負責什麼工作呢？

智慧　我是大賢飯店婚禮事業組的員工⋯當天負責協助新娘穿婚紗。

明錫　請問妳記得婚禮當天，金花英女士穿上婚紗後說了什麼嗎？

智慧　記得，她說婚紗太鬆了，好像會滑下來。

明錫　請問妳是怎麼回答她的呢？

智慧　我說婚紗不可能滑下來。

明錫　請問妳為什麼這麼認為？

智慧　新娘們在婚禮前通常都會變瘦，一部分原因是因為減肥，而且婚禮當天幾乎滴水不沾，所以通常會比平常消腫。婚禮事業組的裁縫師真的有很豐富的經驗，手藝也很精巧，應該不會因為新娘稍微變瘦，就導致婚紗滑落，我認為他們不可能這麼隨便地修改衣服。

　　　　　組長點點頭，似乎很滿意智慧的回答。

明錫　請問妳現在還是這麼認為嗎？

　　　　　智慧猶豫了。
　　　　　為了避開組長強迫性的眼神，智慧低下頭。

明錫　證人？請回答，妳現在還是這麼認為嗎？

智慧　不。

明錫　為什麼？

智慧　因為婚禮結束之後⋯我才發現那件婚紗被調包了。

花英心想「原來是這樣…」小聲地嘆了一口氣。
組長的表情變得僵硬。

智慧　婚禮當天早上，金花英女士試穿後修改過的婚紗被扯破了，是跟我共事的前輩員工所犯的疏失，前輩叫做裴珠熙。因為沒有時間縫補了，只好以另一件婚紗代替，那件婚紗是同樣的款式，但是尺寸比原先稍微大了一點。

明錫　那麼婚禮事業組的員工們，對金花英女士隱瞞事實嗎？

智慧　組長開除了裴珠熙之後，才告訴我們這件事，她要我們保密到底，不然我們也會被開除。我今天是帶著辭職的覺悟出庭的，（看著花英）我不知道新娘因為這件事過得這麼辛苦。現在才說出口…我很抱歉。

花英點點頭。
明錫結束詰問後轉身，表情變得明朗。

CUT TO：
花英坐在證人席，政浩正在進行詰問。

政浩　原告，婚禮結束後妳覺得很痛苦嗎？

花英　什麼…？對。

政浩　請問妳為什麼覺得痛苦呢？

花英不知道要怎麼回答，不發一語。

明錫　我有異議，被告代理人正在以模糊不清的提問折磨原告。

審判長　雖然稱不上是折磨，但異議成立，請提出具體的問題。

政浩　是，那麼我就提出具體的問題。原告，請問妳知道「無尾熊」

這個社群網站嗎？koala.co.kr.

花英　（哆嗦）知道…

政浩　妳在無尾熊社群網站上，以「莎莉萊德」這個暱稱上傳了幾篇
　　　貼文吧，請問這是事實嗎？

花英很慌張，秀妍打開筆記型電腦，搜尋無尾熊社群網站上，
莎莉萊德的貼文。

政浩　請妳回答，這是事實嗎？

花英　是的。

政浩　（看著印出來的資料）貼文標題是「搞砸婚禮的心得」，這是婚禮
　　　隔週的9月8日，原告在無尾熊社群網站上傳的貼文。可以請妳
　　　唸出劃底線的部分嗎？

政浩把資料遞給花英，但是花英卻像凍住了，一動也不動。秀
妍找到那篇問題貼文，把筆記型電腦轉給明錫看。

政浩　還是由我來唸呢？「現在男方家裡提議要退婚，反倒是件好
　　　事，只要我躲在創傷背後再撐一下，我應該就可以不用結婚
　　　了，就可以不用跟我不瞭解的男人，過著謊言般的人生了。」

明錫和新進律師們的表情變得凝重。
花英嚇得臉色發白。

政浩　因為婚禮的事情，原告至今都還在接受精神科治療，也讓她陷
　　　入退婚的危機，以上是原告的主張。所以她向大賢飯店求償高
　　　達10億韓元的鉅額精神賠償慰撫金，正確嗎？

花英無法回答。

政浩　可是在這則貼文中，妳卻說「男方退婚反倒是件好事」。
　　　還提到「只要我躲在創傷背後再撐一下，我應該就可以不用結
　　　婚了」。請問這兩者之中，哪個才是妳內心真正的想法？妳說
　　　婚禮結束之後，妳過得很痛苦，到底是因為什麼而痛苦呢？

　　　政浩的眼神裡包含了嘲笑。
　　　花英的眼角噙著淚水。
　　　政浩把花英貼文的紙本資料遞給審判長。

政浩　庭上，我方要提交原告上傳的貼文作為證物。

　　　英禕看著秀妍筆記型電腦裡花英的貼文。
　　　最後一句寫著「但是我能逃到什麼時候呢？」

S#27.　明錫的辦公室（室內／晚上）

明錫、濬浩和新進律師們圍坐在沙發上。
所有人都看著花英緊閉著的嘴唇。

明錫　如果妳不肯說，那我們也沒有辦法幫助妳。
花英　這樁婚事，真的讓我爸很開心，他很高興能跟大賢集團結為親
　　　家，因為還收到了禮物。
明錫　禮物嗎？
花英　真旭哥的爺爺在道谷洞有一些土地，他說等我跟真旭哥結婚
　　　後，就會把那些土地送給我，當作結婚禮物。我爸知道這件事
　　　之後，比我還要興奮，他都計劃好那些土地的用途了。可是我

不大確定，這樣被催婚是對的嗎？真旭哥跟我對彼此根本一點
興趣都沒有，其他人都是這麼活著的嗎？

敏宇　　其他人並不會收到土地當作結婚禮物，而且還是道谷洞…

明錫示意敏宇不要再挖苦人了。
花英眼眶泛淚。
濬浩遞衛生紙，秀妍安撫著花英。

花英　　就連提告…也只是因為我爸氣不過，因為跟財閥世家結為親家
的大好機會告吹了，他想在事件結束以前，讓真旭哥一家也嚐
點苦頭。（嘆氣）雖然我不認為光靠兩個人相愛就能結婚，但是
這是我的人生啊…我真的不知道該怎麼做了。

花英流下了眼淚，所有人都心情沉重地嘆著氣，
一瞬間，有什麼東西閃過英禓的腦海。

INSERT：
一隻鯨魚充滿力量地躍上湛藍的海平面。

CUT TO：
再次回到明錫的辦公室，英禓露出了既開心又興奮的表情。

英禓　　這樣正好，居然還有土地這份禮物，真是太好了。
花英　　什麼…？

英禓看向白板，上面還留著明錫寫的「積極損害」、「消極損
害」、「精神賠償」。

英禑	損害根據損害三分說可以分為這三種類型，但是也可以分成兩大類，（看著明錫）你知道嗎？
明錫	（慌張）妳現在是在問我嗎？妳怕我不知道嗎？

英禑沒有回答，反而用滿是懷疑的眼神直愣愣地看著明錫。
明錫氣到說不出話來。

秀妍	妳是指「一般損害」和「特殊損害」嗎？
英禑	嗯。（像是要解釋給明錫聽，字正腔圓）「一般損害」是指經認定為一般情況下所發生的損害，「特殊損害」則是非屬一般情況，而是在特殊情況下所發生的損害。以本案的情況來說，婚禮費用屬於一般損害，但是數額只有2億3千萬韓元，無法滿足委託人請求的10億韓元。但是我們現在得知，金花英女士有土地禮物，換句話說，也就是「土地贈與約定」這種特殊事由，這該有多幸好啊？
秀妍	嗯…有道理。這樁婚事並不是普通婚姻，而是附帶土地贈與約定為條件的婚姻。
英禑	如果婚紗沒有滑落，洪真旭的爺爺洪宙明就不會看到金花英的刺青，當然就不會感到失望，那麼他就會履行土地贈與約定。因為大賢飯店的疏失，導致金花英無法得到洪宙明的土地，如果我們主張那些土地的價值為特殊損害，就能請求更多損害賠償數額。
秀妍	最重要的是可以不用再執著於精神賠償，太好了。不管退婚是否有造成金花英精神上的痛苦，都和特殊損害賠償無關。

秀妍因為英禑提出新的可能性而心情浮躁，敏宇則是莫名覺得心情不大對勁。但是，平時笨拙的英禑，現在表現出完全不同、聰明伶俐的模樣…這讓濬浩非常心動。

明錫　禹英禑律師，請妳以剛剛所說的特殊損害論點撰寫律師意見書。因為妳的提議涉及變更訴訟標的，必須先讓代表和會長過目，然後我們再一起討論。

英禑　好，我知道了。

英禑的眼神閃閃發光，相反地，花英面色凝重。
似乎陷入了混亂的煩惱中，表情黯淡了下來。

S#28.　會議室（室內／白天）

宣榮和正久面對面坐著，沙發兩側分別是明錫與新進律師們、花英與朴室長。

明錫　請問你知道洪宙明當初答應贈與的土地價值多少嗎？

正久　當然知道，我有問過跟我合作的不動產估價師。（對朴室長說）確切是多少錢？

朴室長　總共是332億韓元。

宣榮　那麼我們可以向對方求償332億韓元。

正久、花英及朴室長都非常驚訝。

宣榮　因為如果這樁婚事順利，金花英女士將會獲得價值332億韓元的土地，這件事大賢飯店的社長也知道。「價值332億韓元的結婚禮物，因為你泡湯了，給我還來」你們可以提出這樣的主張。

正久看起來聽得一塌糊塗。

宣榮　當然，法院並不會依照這個數額判賠，雖然上述論點在法理上

說得通，但是實際上是不合理的。因為這樣的鉅額，會讓判決的法官倍感負擔，如果你是法官，你會因為搞錯一件婚紗，做成賠償332億韓元的判決嗎？

正久　　那麼事情會如何發展？

宣榮　　如果我們要求賠償332億韓元，大賢飯店一定會主動聯繫我們協議和解，屆時你再以合理的數額跟他們和解就可以了。

正久　　合理的數額？那是多少錢？

宣榮　　我們建議以332億韓元的一成，也就是從33億2千萬韓元開始和大賢飯店協調，你覺得如何呢？

正久的嘴角掛上微笑，英禑將自己寫的律師意見書遞給正久、花英和朴室長。

英禑　　剛剛提到的內容都在這份律師意見書裡。

宣榮此時才第一次見到英禑。
雖然沒有人察覺，但是宣榮看向英禑的眼神非常微妙。
花英翻著律師意見書，呆呆地看著上面那行字「*撰寫人：汪洋法律事務所律師禹英禑*」。

正久　　妳說過汪洋不同於泰山⋯你們的辦事能力果然很出色！
　　　　我提出的要求是討回10億韓元，你們卻幫我求償33億韓元耶？

宣榮微笑，明錫和新進律師們的心情也很好。

花英　　我的意見不重要嗎？這是我的案件耶？

所有人看向花英。

花英	我不同意。
正久	妳安分一點,大人在說話,小孩別插嘴。
花英	我的婚禮因為婚紗滑落而搞砸,有什麼值得炫耀的,何必做到這種地步?拿不到天上掉下來的土地,你覺得很委屈,所以至少要人家賠錢給你嗎?拿到那筆錢能改變什麼嗎?爸,拜託你適可而止。
正久	(不理花英,對宣榮說)請你們依照計劃執行,代表,萬事拜託妳了。

正久起身,宣榮和律師們也紛紛起立。
朴室長看花英的臉色,跟著正久走出會議室。
只留下呆呆地坐在沙發上的花英,面色凝重。

S#29.　法庭（室內／白天）

第二次言詞辯論。
大賢飯店的社長,亦即被告**洪德秀**（58歲／男）坐在證人席上。

明錫	兩家人舉辦相見禮時,你也受邀出席用餐吧?
德秀	對,因為我是大賢飯店的社長,也是真旭的叔叔,我很高興能接待他們用餐。
明錫	相見禮當天,洪宙明先生承諾要送被告一份結婚禮物,請問你記得嗎?
德秀	結婚禮物?這個嘛,我不記得有這件事了耶?
明錫	洪宙明說要把他名下的道谷洞土地送給原告,你聽了之後還稱讚洪宙明:「你果然出手大方。」

政浩向德秀搖頭表示警告,
但是德秀並沒有看到。

德秀　　　那不是稱讚，我只是在陳述事實。就算再怎麼疼愛媳婦，那些土地價值幾百億韓元，要這樣眼皮都不眨一下地送人，那可不容易。

明錫　　　所以你知道洪宙明把價值數百億的土地當作結婚禮物，約定贈與原告嗎？

　　　　　德秀猶豫了。

明錫　　　請問我說得對嗎？

德秀　　　那個，是的…

　　　　　「咕嚕嚕嚕！」秀妍坐在辯護人席，肚子又開始蠢蠢欲動。
　　　　　秀妍按緊疼痛的肚子，悄悄離開法庭。
　　　　　同時，**李靜旻**（31歲／女）走進法庭，坐在旁聽席。花英看見靜旻，心跳加速，呼吸急促。

明錫　　　庭上，對原告而言，這樁婚事是以土地贈與約定的特殊條件為前提，而被告也知情。假使被告沒有過失，原告就能獲得約定贈與的土地，因此，原告以土地估價總金額332億韓元，向被告提出損害賠償請求，請同意我方變更訴訟標的及請求事由。

　　　　　法庭內議論紛紛，德秀和政浩臉色發白。
　　　　　花英看向靜旻，靜旻的眼神給了花英勇氣，但是花英馬上再次陷入不安的情緒裡。

審判長　　這個嘛…我認為沒有理由拒絕，請提交書面變更申請書。

明錫　　　是，知道了。

審判長　　今天還有什麼要說的嗎？那麼…

花英　　我有！

　　　　花英緊閉雙眼，高舉右手。
　　　　就像即將上臺報告的國小生，有點可愛。

審判長　原告，妳有話要說嗎？

　　　　正久坐在旁聽席，訝異地看著花英。

花英　　我想撤回起訴。
審判長　什麼？
花英　　我要撤回起訴。

　　　　法庭內再次議論翻翻，這次輪到正久臉色發白，因為太過緊
　　　　張，花英遲遲沒有放下高舉的右手。
　　　　英禑靜靜地看著花英。

S#30.　英禑的辦公室（室內／白天）- 過去
　　　　幾天前。
　　　　花英站在英禑的辦公桌前，像是在追問咎責。

花英　　我要怎麼做才能終止這件事？

　　　　英禑坐在辦公桌前。
　　　　英禑不知道花英在說什麼，呆呆地看著花英。

花英　　這個告訴，我要怎麼做才能取消告訴？

英禑	「告訴」是刑事訴訟用語，以妳的案件而言，妳應該要說：「我要怎麼做才能撤回起訴？」
花英	（煩悶）那我要怎麼做才能撤回起訴？
英禑	以律所立場而言，撤回起訴視為勝訴，仍須收取高額委託費，妳可以接受嗎？
花英	當然可以，高額委託費是能多高額。
英禑	有兩個方法，其中一個是…
花英	告訴我最簡單的方法。
英禑	「我要撤回起訴」只要說這句話就好，在庭審中直接告訴法官。
花英	就這樣嗎？
英禑	對。
花英	很簡單耶？
英禑	對
花英	（莫名傻眼）我怎麼一直沒想到這麼簡單的方法？

花英是在自言自語，並不是真的在問問題，
但是英禑沒有意識到這件事，還是給出了回答。

英禑	因為妳的心智狀態還沒有脫離父親獨立。

突如其來的一句話，讓花英驚訝地直視著英禑。

英禑	這是權敏宇律師說過的話，在權敏宇律師的眼裡…我看起來應該也是精神狀態沒有脫離父親獨立的人。（思考了一下）金花英女士，妳有親自下廚過嗎？

CUT TO：

再次回到現在的法庭，正久起立大聲喧嘩。

正久　　誰准妳撤回起訴了？妳在胡說什麼！？誰允許妳了！！！

審判長　當然是原告自己的想法，請你保持肅靜回座。原告，一旦撤回
　　　　起訴，就會視同未曾提起訴訟，所有請求都會恢復原狀，這樣
　　　　妳還是要撤回起訴嗎？妳確定嗎？

花英　　是的。

審判長　被告，你同意撤回起訴嗎？

仍坐在證人席上的德秀看著政浩。
政浩用力地點頭表示同意。

德秀　　是，我同意。

審判長　本案因原告撤回起訴，終止審判程序，庭審到此結束。

庭審瞬間結束，法官走向外面，被告方快樂地問候彼此。
相反地，正久火冒三丈，氣沖沖地走向花英，看似就要賞花英
一個巴掌，明錫上前擋住正久。

正久　　妳這是在幹麼？存心要讓妳爸丟臉嗎？

此時，靜旻走向花英，站在花英身旁。
英禑和敏宇看著這個情況，覺得有趣。

花英　　我的刺青，並不是年少不懂事的時候，鬧著玩才去刺的，我是
　　　　佛教徒。

正久　　什麼…？

花英　　我甚至還有法名，叫做普德心，意思是觀世音菩薩的慈悲心。

138

正久	她到底在說些什麼？妳在跟我開玩笑嗎?!
花英	（使勁）這是我的訴訟，我的婚姻，我的人生。
正久	妳這個臭丫頭竟敢…

正久抬起手，作勢要打花英巴掌。
明錫和朴室長阻止正久。

花英	你一定不知道，我為什麼會這麼痛苦，為什麼必須接受精神科的治療吧？你重新投胎也不會懂。我和她10年來形影不離，你卻一點也沒有察覺，她不只是姐姐，不只是我的學姐。

花英看向靜旻的臉龐。

INSERT FLASHBACK：
花英房間裡的那些照片。
現在才發現，有很大部分都是和靜旻的合照。

CUT TO：
婚禮上讓花英停下腳步的「某人」。
果然就是靜旻。

CUT TO：
再次回到現在的法庭，花英緊緊握住靜旻的手。

花英	如果一定要結婚，那我要跟妳結婚，我要跟我愛的人結婚。
敏宇	（小聲地說）天啊…
英禛	（複誦）天啊。

正久血壓飆高，扶著後頸昏倒了。

明錫和朴室長攙扶正久。

英禑看著花英和靜旻向外走出去的模樣。

兩人牽著手走在法庭走道上，就像是婚禮上的新人進場。

兩人踏出獨立的第一步，英禑看著這一幕，表情顯得真摯。

同時，秀妍走進法庭，因為不知道發生什麼事，所以愣在原地。

秀妍	（對英禑說）怎麼了？
敏宇	妳去哪裡了？妳錯過了超級厲害的場面。
秀妍	什麼事？發生什麼事了？
英禑	非常厲害。
秀妍	什麼啦？跟我說啊！！！

S#31.　日式餐廳（室內／晚上）

宣榮走在高級日式餐廳的走道上，前方帶位的店員停在某間包廂門前，推開包廂門。

| 店員 | 妳的包廂在這裡。 |

宣榮走進包廂。

明錫、敏宇、滷浩坐在內側吃生魚片，英禑和秀妍坐在外側，
一個在吃海苔壽司，一個在吃蟹肉粥。

所有人向宣榮打招呼。

明錫	代表，妳吃過飯了嗎？
宣榮	嗯，我吃過了。不過妳們兩個在吃什麼？
秀妍	因為我一直拉肚子，所以在吃蟹肉粥。

英禑	我喜歡吃海苔壽司…所以在吃海苔壽司。
宣榮	就算是這樣，也要吃點好料吧！我難得請大家吃飯，妳們不吃30萬韓元的套餐，居然在吃蟹肉粥和海苔壽司嗎？
明錫	（嘆了一口氣，說反話）我們這個團隊真的是…（挑選單字）各有各的特色，對吧？

和宣榮一樣，明錫也覺得這個狀況太荒謬了，只能乾笑。
宣榮也跟著笑，坐了下來。

宣榮	各位都辛苦了，即使面對荒唐的要求，各位還是全力以赴找出解決辦法。
明錫	要是能進一步促成雙方和解就更完美了…真可惜。
宣榮	那也不是我們的錯，只能怪他女兒改變心意。但是金正久會長似乎對整個過程給予很高的評價，他把新的案件委託給我們了，所以我們以後一定要好好表現。
明錫	是嗎？真是太好了。

明錫笑得燦爛，宣榮也微笑著。對第一次接受代表獎勵的濬浩和新進律師們來說，是個幸福的傍晚。

S#32. 日式餐廳門口（室外／晚上）

英禑準備要外帶回家給光顯的餐點，比較慢走出門口。
濬浩獨自站在日式餐廳門口等待著英禑，開心地走上前去。

濬浩	禹英禑律師！

但是英禑戴著頭戴式耳機，沒有聽到濬浩的聲音，往前走了幾

步，才又回頭看著濬浩。

濬浩的表情開朗了起來，正準備走向英禑，英禑卻向濬浩深深一鞠躬，然後就轉身離開了，英禑的背影越走越遠。

濬浩看著這個情況，感到⋯很可惜。

S#33. 英禑家的客廳 (室內／晚上)

英禑走進客廳，躺在沙發上的光顯坐起身來，歡迎英禑回家。

英禑　　我回來了。

光顯　　回來啦？我都快要餓死了。

英禑把日式餐廳外帶回來的餐點遞給光顯。

絲綢包巾的外包裝華麗得誇張。

英禑　　這間餐廳的套餐，每人要價30萬韓元。

光顯　　真的嗎？唉唷～我們家英禑惦記著爸爸，還外帶食物回來！真不敢相信我也有這麼一天。

英禑　　因為我現在是大人了。

聽著英禑說的話，光顯笑著打開包裝，每個動作都充滿心動。

可是，映入眼簾的卻是海苔壽司。

光顯　　(悶悶不樂) 哇⋯我們家英禑，外帶了海苔壽司啊？

英禑　　對。

光顯　　外帶海苔壽司⋯給一整天都在包海苔飯捲的爸爸啊。

英禑　　對。

光顯　　在個人套餐要價30萬韓元的餐廳，我們家英禑⋯外帶海苔壽

司…

英禔　（打斷光顯說話）對，祝你用餐愉快。

英禔無法理解光顯的心情，但是英禔覺得很高興。
光顯開始吃海苔壽司。

英禔　我很可能結不了婚，因為我有自閉症。

意料之外的一句話，讓光顯停下來看著英禔。

英禔　但是如果我遇到相愛的人，並且舉辦婚禮，我會和那個人同時
　　　一起進場，而不是讓爸爸把我的手交給我的伴侶，因為要結婚
　　　的我，已經是個成熟的大人了。

光顯　喔…這樣啊。

英禔　但是我會把捧花送給你。

光顯　什麼？

英禔　因為你是未婚單親爸爸，沒有結過婚。我結婚之後，與其讓你
　　　一個人生活，我更希望你找個對象結婚。

光顯　（噗哧）我們家英禔…思考了很多事情呢。

英禔　是，我去洗澡了。

英禔起身走進廁所，光顯獨自留在客廳，心情很微妙，突如其
來的情感讓他莫名想哭。
光顯忍著眼淚，繼續吃著海苔壽司。

S#34.　EPILOGUE：守美的辦公室（室內／白天）

「泰山法律事務所」的前任代表暨現任合作律師，**太守美**（50歲

143

／女）的辦公室。

和汪洋法律事務所宣榮的辦公室，是不同的氛圍。

守美和一位**報社記者**（30多歲／女）面對面坐著，正在接受採訪。

守美的臉上掛著淺淺的一抹微笑，看起來既優雅又美麗。

守美　　我很珍惜擔任「泰山法律事務所」代表的這段時間，但是一想
　　　　到要重返現場擔任執業律師，我就感到心跳加速，可以說是有
　　　　種回春的感覺？

記者　　雖然妳輕描淡寫地帶過，但是妳主動請辭代表一職，這個決定
　　　　真是勇敢又讓人尊敬。泰山是國內律所的第一把交椅，太守美
　　　　律師，相信妳這次的決定，能為無法擺脫世襲結構的律所，樹
　　　　立優良的榜樣。

守美　　家父創立了泰山，這讓我非常引以為豪，我也很慶幸自己能追
　　　　隨父親的腳步，成為法律界的一員。但是我不會因此強迫我兒
　　　　子也要走上相同的道路。

記者　　令郎的夢想是什麼呢？

守美　　我不清楚，他應該也正在慢慢摸索他的夢想吧，只是在媽媽看
　　　　來，他只是整天玩著電腦，讓我感到很鬱悶。（微笑）

記者　　（一起微笑）感謝妳今天抽空受訪。

記者起身往外走，守美目送記者離開。此時，守美的**祕書**（40多
歲／女）走進辦公室，開始向守美報告。

祕書　　金正久會長把之前委任我們的所有案件都解除了，聽說全都交
　　　　由汪洋處理了。

守美　　為什麼？因為我們不幫他求償10億韓元的精神賠償慰撫金，所
　　　　以他在賭氣嗎？

祕書　　對，看來似乎是那樣。

守美	那個人也真是的…他就算更換律所也沒用吧，難道汪洋願意幫他求償嗎？
祕書	那個…
守美	什麼？難道他們答應幫他求償嗎？求償10億韓元？
祕書	他們甚至說能幫金正久求償332億韓元。

守美大吃一驚，仔細看著祕書呈遞的英禑寫的律師意見書，視線停留在「撰寫人：汪洋法律事務所律師禹英禑」這行字。

守美	禹英禑？禹英禑是誰？
祕書	是汪洋這次聘任的新進律師。
守美	原來有以結婚為前提的土地贈與約定啊？汪洋基於這一點，主張這樁案件是特殊損害。（輕笑）真有趣，這就是新進律師特有的思維，我們怎麼會錯過這種人才？
祕書	要確認她有沒有來泰山應徵嗎？
守美	（輕笑）不用了，沒有必要。
祕書	金正久會長的事該怎麼辦呢？
守美	既然他想走，那就讓他離開吧，反正哪天他對汪洋賭氣，就會回來找我們了。

和每次提到泰山就會勃然大怒的宣榮不同，守美看起來從容不迫。守美的手指拂過意見書上「禹英禑」三個字，莫名有股涼意。

〈完〉

「自閉症在80年前，都還被認為是不值得活著的
病症，僅僅在80年前，我和金廷勳先生都還是
屬於不值得活著的人。
（…）那就是我們所背負的這個障礙症的重
量。」

第**3**集

企鵝朋秀，
就決定是你了

③

S#1.　PROLOGUE：眞平家的客廳（室內／晚上）**- 過去**

三個月前。

既寬敞又高級的大樓。

金眞平（55歲／男）和**全景熙**（51歲／女）打開門鎖走入屋內。兩人
聽見家裡出現奇怪的聲音，停下腳步，大兒子房間緊閉的房門
裡傳來碰撞聲和急促的呼吸聲。

S#2.　PROLOGUE：尙勳的房間（室內／晚上）**- 過去**

真平和景熙打開房門，嚇了一大跳。小兒子**金廷勳**（21歲／男）氣
喘吁吁地揮動手腳，打著倒在地上的大兒子**金尙勳**（23歲／男）。
尙勳身高一般，體型較瘦，相反地，廷勳身材高大，體型寬
胖。真平試圖阻止廷勳，但是廷勳有著龐大的身軀，加上現在
處於極度激動的狀態，讓真平很難壓制他。

真平　　金廷勳！你清醒一點！

真平賞了廷勳巴掌。

廷動捧著臉頰，停頓了一下，開始發出「嗚噎噎～嗚喔～」的奇怪聲音，並拍打自己的頭。
一看就知道廷動的精神不在正常狀態。

景熙　　尚動！尚動！

景熙搖晃著倒在一旁的尚動並哭喊著。
尚動看起來像吐過血的樣子，身體無力，瞳孔失焦，眼神呆滯。

景熙　　老公，尚動…！尚動不大對勁！

尚動看起來就像已經死亡，這讓真平僵在原地。
廷動的自殘行為越來越嚴重。
廷動用雙手拍打自己的頭，在房間裡來回走著。
用憤怒的語氣對著空氣大喊。

廷動　　找～死！找～死！不可以。找～死！找～死！不可以！

TITLE：
《非常律師禹英禑》

S#3.　英禑的辦公室前（室內／白天）

三個月後的現在。
英禑剛到公司，站在辦公室門前靜靜地看著某個東西。門口原先只有空空的架子，現在有了寫著「律師禹英禑」的名牌。
已經到公司的秀妍看著英禑，走到她旁邊。

秀妍	不錯嘛～妳有名牌了耶！「律師禹英禑～」開心嗎？
英禑	嗯。
秀妍	要不要幫妳拍張照？紀念一下啊？
英禑	好。

英禑把自己的手機遞給秀妍，站在名牌旁邊。
秀妍打開相機應用程式，把英禑和名牌放在構圖的一角。

秀妍	妳在幹麼，為什麼看起來這麼生氣？笑一下啊。

英禑試著微笑，這個微笑就像是把一個上揚的嘴角合成在面無
表情的臉上，十分尷尬。

秀妍	算了…妳還是回到剛剛生氣的臉吧。

此時，英禑的手機震動，畫面上顯示「鄭明錫律師」。秀妍把
手機遞給英禑，英禑接起電話。

英禑	喂？
明錫	（聲音）禹英禑律師，現在請來我的辦公室一趟。
英禑	好。

英禑掛斷電話。

秀妍	下次再拍嗎？
英禑	嗯，下次再拍。

S#4.　明錫的辦公室（室內／白天）

「叩叩，休息一拍，叩。」

伴隨著敲門聲，英禑走進辦公室。

熬夜工作的明錫看起來很疲倦，對著英禑輕輕微笑。

明錫　禹英禑律師，桌上有案件資料，麻煩妳看一下。

英禑坐在沙發上，把桌上的資料擺整齊，開始閱讀。明錫走向
英禑，坐在英禑的對面。

明錫　妳聽過「尚廷藥品」吧？是很有名的製藥公司。

英禑　聽過。

明錫　那間公司的會長，是汪洋長期以來的客戶⋯這次發生了一件憾
事。他有兩個兒子，但是他的小兒子好像動手打死了大兒子，
會長和夫人親眼目睹了那個場面。

明錫內心感到很沉重，嘆了一口氣。英禑看著尚勳房間的照
片，尚勳的血跡留在地板上。

明錫　死因是胸部損傷，肋骨有二十二處骨折，導致胸腔內出血而
死，被害人的頸部好像還有什麼淡淡的痕跡，但是好像不至於
影響他的性命。

英禑　所有的傷都是小兒子動手造成的嗎？

明錫　目前檢方似乎是這麼認為。就算有可能是因為施行心肺復甦
術，造成正面肋骨的骨折，但是剩下的十一處骨折⋯老實說，
除了暴力所致之外，實在難以解釋。被害人死亡當時，他的血
液酒精濃度已經高到可以說是爛醉如泥了，如果他是在清醒的
狀態下跟弟弟打架，應該就不會變成這樣了⋯真是令人遺憾。

英禑　被依傷害致死罪起訴的金廷勳就是小兒子嗎？

明錫　對。這樁案件會由我來負責，但是我希望禑英禑律師也一起加入，因為被告患有自閉症。

英禑感到驚訝。

明錫　後面有金廷勳的精神鑑定報告。

英禑找到廷勳的精神鑑定報告，仔細查看。

英禑　你指定我加入這樁案件，是因為我有自閉症嗎？

明錫　我認為不管怎麼樣，妳應該都比我更瞭解被告吧，不是嗎？而且如果有具備自閉特質的律師一起參與，金會長應該也會比較放心

英禑　自閉症的的正式名稱是「自閉症類群障礙症」。之所以稱之為「類群」，就是因為自閉症各不相同。就像…鯨魚一樣。雖然都是鯨魚，但是藍鯨或長鬚鯨就有著完全不同於大翅鯨的生態系統和社會結構。甚至偽虎鯨…

明錫　（打斷英禑說話）鯨魚的話題到此為止，妳到底要說什麼？

英禑　喔…依照鑑定報告來看，金廷勳是精神年齡大約在6至10歲的重度自閉症人士…我沒有遇過這樣的人。

明錫　我也沒有遇過。但是比起我這個連自閉症正式名稱都不知道的人，妳還是比較好吧。

英禑啞口無言，呆呆地看著明錫。

明錫　先見個面再說吧，妳不要太害怕。

S#5. 會議室（室內／白天）

明錫和英禑走進會議室，提前到的真平和景熙站了起來，夫妻倆因為內心煎熬，臉色憔悴許多。

明錫　我是這樁案件的責任律師鄭明錫。（回頭看向英禑）這位是…

英禑　我是律師禹英禑。（試著忍住但還是說了出來）正著唸、倒著唸都一樣，黑吃黑、多倫多、石榴石、文言文、鹽酸鹽、禹英禑。

英禑奇怪的自我介紹，讓真平和景熙留心看著她。即使場面變得尷尬，明錫卻還是微微笑著，附加說明。

明錫　禹英禑律師具有自閉症類群障礙症，和兩位的小兒子一樣。

這句話讓真平和景熙的表情變得複雜又微妙。
和明錫的預想不同，這對夫妻並不樂見英禑，也沒有覺得放心。所有人都坐了下來。

明錫　根據小兒子在警方那裡做的筆錄來看，他不停重複著「找死！找死！不可以！」的語句。

景熙　不知道那天晚上到底發生了什麼事，不管怎麼問他，他就只是一直說「找死！找死！不可以！」

明錫　請問兩位兒子平常關係如何呢？

景熙　他們感情很好，尤其廷勳很聽尚勳的話，很喜歡尚勳，在尚勳考上醫學院變忙之前，都會照顧廷勳、陪他玩。

真平　尚勳，不是我要自誇，但是他真的完美到無可挑剔。他不僅是以學測滿分的成績考上首爾大學醫學院的菁英，還一直保持著謙虛、溫暖的個性，對弟弟也很好。

真平突然炫耀起自己的兒子，景熙也點頭表示同意，夫妻倆回想起尚勳，心裡又是一陣哀痛。英禑不帶情緒地問了一句。

英禑　請問金廷勳先生平時很常說「找死」這句話嗎？

景熙　沒有，看到廷勳說著這樣的話，對我來說也很陌生。他的身形比較魁梧，容易招人誤會，但是他其實很善良。雖然他有時候會不聽我的話，比較任性一點，但是並不會⋯去攻擊或是威脅別人。

明錫　所以兩位對於小兒子毆打大兒子的原因，也沒有什麼頭緒，對吧。

景熙　對⋯唉，沒想到我這麼不瞭解自己孩子的想法。

景熙的淚水在眼眶裡打轉，真平也嘆了一口氣。

明錫　請問我們可以跟小兒子見一面嗎？

景熙　見面是沒什麼問題⋯但是我不知道廷勳會不會開口。只要他跟陌生人待在一起，就都不會講話。

真平　他們還是得和廷勳見個面，畢竟廷勳是被告。

明錫　是的，但是也不一定，也許他會願意對禹英禑律師敞開心扉。

明錫用「讓我相信妳看看」的眼神看著英禑。
英禑感到很有負擔，表情凝重。

S#6.　**11樓電梯前**（室內／白天）

午餐時間。

在汪洋法律事務所11樓工作的人們等待著電梯的到來，似乎是等太久了，濬浩的上司找濬浩抱怨。

上司	唉⋯電梯要是來得快一點，午餐時間就能多10分鐘了⋯

電梯終於來了，人們進電梯，澔浩看見英禍趕著走來，澔浩最後一個進電梯，緊按著開門按鈕。

澔浩	（對人們說）請稍等一下，不好意思。
上司	為什麼⋯為什麼⋯

澔浩對發牢騷的上司露出不好意思的表情，卻還是堅持等待，英禍剛好來到電梯前⋯她閉上眼睛，在心裡默數「一、二、三」，調整呼吸。

上司	（受夠等待）唉⋯我好餓⋯

英禍進電梯，澔浩這才按下關門按鈕。

S#7.　汪洋法律事務所員工餐廳（室內／白天）

汪洋的員工餐廳既寬敞又舒適。

澔浩拿著餐盤，英禍拿著便當盒，兩人找到一張空桌，面對面坐著。光顯每天幫英禍準備的便當盒裡面，果然裝著禹英禍飯捲。英禍不熟練地動著筷子，把海苔飯捲排放整齊，開始品嚐。澔浩看著英禍的行為，覺得很神奇。

澔浩	早知道妳自己帶便當來，我就先下來盛飯了，妳下次晚一點下來吧。
英禍	「晚一點」的話，準確來說是要晚多久呢？
澔浩	喔⋯大概10分鐘？
英禍	好。（馬上開始聊鯨魚）我們在11樓工作，然後到地下1樓吃飯的時

候，鯨魚會在蔚山近海覓食，然後到日本西海岸睡覺。對鯨魚來說，蔚山近海是牠們的廚房，日本西海岸就相當於牠們的臥室。如果是每年夏天都會遷移到極地的遷移型鯨魚⋯

秀妍和敏宇同時也在員工餐廳吃午餐，秀妍發現陶醉在鯨魚話題裡的英禑，不禁擔心了起來，

秀妍　　唉，禹英禑又開始了，我要不要去阻止她？

敏宇　　（瞥向濬浩和英禑）妳就別管了，他看起來並不討厭啊？

秀妍　　什麼？

敏宇　　濬浩的表情並不像是討厭的表情啊。

聽到這句話，秀妍仔細地看著濬浩，發現聽著英禑聊天的濬浩，臉上的確沒有討厭的表情。
濬浩似乎是覺得英禑很可愛，也跟著微笑，但那個微笑反而⋯
更像是喜歡英禑。這讓秀妍的內心變得複雜。

S#8.　　**會議室**（室內／白天）

比上次更大的會議室。
英禑拉下百葉窗
明錫調整天花板的燈光到柔和的狀態。
哐！哐！走道響起沉甸甸的腳步聲，以及景熙催促的聲音。
想著「廷勳來了啊！」的英禑和明錫急忙坐回椅子上。
叩叩，景熙開門走了進來。

景熙　　你們好。（換成果斷的語氣）金廷勳！進來。

廷動走進會議室，戴著頭戴式耳機和墨鏡，左右搖晃地走著的龐大模樣就像…

明錫　　朋秀！原來廷動喜歡朋秀啊？

明錫的一句話，讓英禚留意地看著廷動。
英禚發現廷動的上衣、背包等物品都是朋秀的周邊商品。景熙拉出一張椅子。

景熙　　坐下。
廷動　　坐下。

廷動把椅子坐得歪歪的。

景熙　　把耳機和墨鏡拿下來。
廷動　　我不把耳機和墨鏡拿下來。
景熙　　聽話！你是不是答應過我了？
廷動　　聽話！我是不是沒有答應妳！
明錫　　我們不介意，耳機和墨鏡很帥。
景熙　　（嘆氣）兩位不介意就好…可能要這樣子談了。
明錫　　是，當然不介意。廷動，你好，叔叔叫做鄭明錫，這位姐姐叫…
英禚　　我叫禹英禚。

明錫把語調提高，像是幼兒園老師一般
與之不同的是，英禚語調非常呆板。
廷動看也不看明錫和英禚。

明錫　　叔叔和姐姐有好多問題想問你，所以今天…

廷勳	嗚嚕嚕嚕嚕～嗚嚕嚕嚕嚕～

廷勳打斷明錫說話，彈著舌
發出很獨特的聲音。

明錫	（小聲地對英禑說）妳知道他在說什麼嗎？
英禑	不知道。
明錫	廷勳，那是什麼？嗚嚕嚕嚕嚕～？
廷勳	（越來越大聲）嗚嚕嚕嚕嚕～嗚嚕嚕嚕嚕～嗚嚕嚕嚕嚕～
景熙	金廷勳！好了！

像是大型犬訓練師一般，景熙把手掌放在廷勳眼前，廷勳馬上
就安靜了。

明錫	（小聲地對英禑說）禹律師，換妳來問吧。
英禑	金廷勳先生，請問你記得金尚勳過世那天嗎？

太過單刀直入的問題與態度，
讓明錫和景熙都打了個冷顫。

英禑	請問你為什麼要打他？

先前像靜止畫面般停止的廷勳，「嗚噎噎～嗚喔～」
發出朋秀的企鵝語般的聲音，開始發作。

景熙	金廷勳！好了！

這次景熙的訓練法並沒有奏效，廷勳用力拍打桌子，使勁踩

腳，不斷說著企鵝語，最後甚至用雙手猛力敲打自己的頭。

景熙和明錫雖然試著一人抓住廷動的一隻手，但是廷動劇烈掙扎，英祵因為眼前的狀況飽受驚嚇。

她不自覺地用右手緊按左手手背。

S#9.　禹英祵飯捲（室內／晚上）

打烊後空蕩蕩的飯捲店。

光顯正在處理菠菜，下班回來的英祵坐在光顯對面。

| 光顯 | 唉唷，我們家的律師小姐！妳回來啦？ |

光顯　　　唉唷，我們家的律師小姐！妳回來啦？

英祵　　　我有事要請教你。

光顯　　　請問。

英祵　　　我必須跟一個21歲的男性自閉症人士對話，但很困難，我該怎麼做？

光顯　　　發生什麼事了嗎？

英祵　　　基於律師的保密義務，我沒辦法告訴你細節，我想你和自閉症人士一起生活，應該很清楚該怎麼做，所以才問你。

光顯　　　那麼在我回答妳的時候，妳要不要幫我一起處理菠菜？

英祵　　　不，我不要。

光顯　　　跟自閉症人士一起生活果然非常⋯

英祵　　　非常⋯？

光顯　　　非常孤獨。

這句話似乎在英祵的意料之外，英祵感到很驚訝，光顯微微笑著。

光顯　　　對我來說，我的世界只有妳和我，可是妳好像一點都不在乎我，雖然現在也一樣，但是妳小時候更嚴重。

S#10.　英禑家的臥室 (室內／白天) **- 過去**

22年前。

31歲的光顯正在和媽媽講電話。

聲音聽起來生氣又激動。

光顯　幹麼要相親，幹麼要結婚？我還有英禑要照顧！（停頓）妳怎麼
可能幫我帶小孩！妳腰不好，連走去上廁所都很困難了！（停
頓）唉唷，我拜託妳！我每天都是咬著牙撐過來的，幫不上忙就
算了，怎麼連妳都要給我添麻煩！

光顯扔下話筒，掛斷電話，努力深呼吸讓自己冷靜。

光顯　（調整聲音）英禑～

光顯走向客廳。

S#11.　英禑家的客廳 (室內／白天) **- 過去**

光顯踩到散落在客廳地板上的樂高積木。

光顯痛到抱住腳，在地上打滾。

光顯　英禑！爸爸好痛！

5歲的英禑熱衷於在地板上把樂高積木排成一列，對旁邊倒地的
光顯漠不關心，重新排列著因自己而倒下的樂高積木。

光顯　英禑，幫——我呼呼，爸爸好痛！

160

英禑依舊一點反應也沒有。

「就算我養的是狗，這種時候也會過來看看我吧？」光顯心想，內心不禁一陣失落。

試著吸引英禑的注意，光顯發出「嗚嗚！」的聲音假裝哭泣，結果真的開始哭了，那是一種比孤單更孤單的感覺，被女兒趕走的感覺，一種這輩子都無法跟女兒相親相愛的可怕預感。光顯就這麼躺在地上哭了一陣子。

光顯好不容易才停止哭泣，看向英禑。

英禑專注於排列樂高積木，嘴巴緊閉，表情慎重。

光顯 英禑，那有那麼好玩嗎？妳長大想做什麼？妳要當把樂高擺在地上的人嗎？

不管光顯說什麼，英禑一點反應和興趣都沒有。

光顯看著女兒，眼眶泛淚。

CUT TO：

現在，光顯的飯捲店。

光顯 該怎麼說呢…可以說是少了那種父女相依為命的感覺吧？好像只要準時餵妳吃飯，任何人代替我，對妳來說都沒有影響，這種感覺吧？

英禑 你現在還會這麼覺得嗎？

光顯 現在當然好多了！我還能像這樣跟妳對話，不是嗎？妳雖然喜歡把樂高擺在地上，但也非常喜歡法律，真是幸好，因為法律是我能一起參與的事情。

S#12. 巷子 (室外／白天) - 過去

再次回到22年前。
和英禑走散的光顥在巷子裡左顧右盼找著英禑。

光顥　　英禑！英禑！

某處傳來英禑的哭聲。
光顥跑向聲音傳來的地方。

S#13. 熊貓超市門口 (室外／白天) - 過去

英禑躺在社區裡一間小超市門口的平床上，用尖銳的聲音哭鬧
著。**超市老闆**（50多歲／男）坐在英禑旁邊。

老闆　　停！妳再哭我就要叫警察叔叔來囉！小心警察叔叔罵妳哦！

聽到這句話的英禑，哭得更大聲。

光顥　　英禑！

光顥氣喘吁吁地跑過來，試著把英禑拉起來
但是英禑抵死不從，繼續躺在平床上大聲哭泣。

老闆　　唉唷，這個小不點嗓門那麼大，我耳朵都要聾了。
光顥　　抱歉、抱歉。

英禑的哭聲沒有要變小聲的跡象，
光顥拿出了安撫英禑的祕密武器。

光顯　禹英禑女士，妳的行為已經妨害社區安寧，如果不立刻停止哭泣，我就要以輕微犯罪以及妨害熊貓超市營業的罪名報警了。

話一說完，英禑就停止哭泣了。
老闆以驚訝的表情反覆看著英禑和光顯。

光顯　英禑，起來，我們回家讀《輕微犯罪處罰法》吧。

英禑乖巧地起來，光顯向老闆鞠躬致意後，牽著英禑的手回家。

CUT TO：
再次回到現在，光顯的飯捲店。

光顯　就像妳喜歡法律一樣，他一定也有喜歡的事物吧？妳要從這一點著手。

英禑　嗯…「要從他喜歡的事物著手」。如果說這是你的祕訣，未免也太普通了吧？

光顯　喂，想要有好成績就要讀書，想要減肥就要運動，想要跟人溝通…就要努力！方法不外乎就是這些，難就難在實踐達成。

英禑　這樣啊…

光顯　（伸手去撿掉到桌下的菠菜）這樣看來，為了跟妳一起生活，我這個爸爸也真是…

光顯低頭撿著菠菜，抬起頭時，看到不想再聽爸爸回憶的女兒走出去的模樣，光顯獨自留在店裡，小聲地自言自語，

光顯　但是要花很長的時間，有些事只要努力就能馬上見效，溝通則並非如此。

163

S#14.　會議室（室內／白天）

會議室內的擺設從硬邦邦的桌椅，換成兩張柔軟的3人座沙發。
英禑、明錫和秀妍並坐在其中一張沙發上。

秀妍　　一定要做到這個地步嗎？

明錫　　就是說啊，這招真的有效嗎？

就在英禑猶豫要怎麼回答的時候，景熙帶著廷動走進會議室，
秀妍和明錫換上開朗的表情，和英禑一起舉起右手，

律師們　朋嗨！

廷動驚訝，暫時停止動作後，稍微舉起右手，

廷動　　朋嗨！

「原來有效！」律師們的臉上寫滿了開心。
廷動和景熙坐在對面的沙發上。
英禑用手機播放朋秀的歌曲《企鵝朋秀，就決定是你了》伴奏
版，像朋秀左右搖擺的步伐般的嘻哈節奏在會議室裡響起。

英禑　　嗚嚕嚕嚕嚕～嗚嚕嚕嚕嚕～

英禑跟著音樂發出彈舌的聲音，這是歌曲中朋秀發出的聲音，
也是上次開會時廷動發出的聲音。這讓廷動再次驚訝，甚至能
感受到墨鏡後面震動的雙眼。被拖來這裡唱歌的秀妍拿起手持
麥克風開始演唱。

秀妍	（唱歌）我們在海中翱翔，一起前往告示牌，感覺截然不同，心情真好，用小小的翅膀在空中游泳，我最優秀，我會拿下第一～

接下來輪到朋秀，秀妍把麥克風遞給廷動。
律師們比手畫腳，發出請廷動收下麥克風的信號，但是廷動沒有反應。
伴奏繼續播放著，突然！明錫握住麥克風。

明錫	（饒舌）讓我介紹一下我自己，我的名字叫朋秀！南極來的朋友，超級優秀，無與倫比的出眾，我是企鵝，皇帝企鵝，企鵝界的首領，向告示牌前進！

明錫比看上去的樣子更會唱饒舌，令人不禁會想「這只是示範給廷動看的嗎？」秀妍拚命忍住呼之欲出的笑聲，繼續唱歌，接下來輪到英禝用平淡無趣的語調，努力跟上拍子的饒舌。

英禝	（饒舌）神祕的朋秀，分享越多得到越多，謝謝你分享愛心，企鵝日是地球上的大事，生日快樂，這是你的生日，只要願意挑戰，這世上沒有吊車尾，眼神笑開，雙手上揚，好耶！前進再前進，企鵝界的首領，我是充滿自信的南極傳說～
律師們	（一起饒舌）G.I.A.N.T！P.E.N.G.S.O.O！G.I.A.N.T！P.E.N.G.S.O.O！

律師們再次把麥克風遞給廷動，發出要廷動一起唱歌的信號，廷動依舊沒有反應。
坐在一旁的景熙嘆了一口氣，最後還是失敗了嗎？
就在伴奏即將結束之際，突然，

165

廷勳	唷雷伊，唷雷伊，唷雷伊，唷雷伊，唷雷伊，唷雷伊，唷雷伊，唷雷伊，唷雷伊，唷雷伊，唷雷伊，唷雷伊，唷雷伊，唷雷伊滴～

廷勳帥氣地演唱出歌曲中朋秀的真假音轉換。
景熙和律師驚訝地鼓掌。
廷勳因此興奮地坐在沙發上蹦蹦跳跳。

廷勳	再來！再來！還要唱！繼續唱！
明錫	要再唱一下嗎？
英禍	不行，你要先回答問題，我們才會繼續唱歌。
廷勳	再來！還要唱！
英禍	請你先回答我的問題，你為什麼要打你的哥哥？

突然出現和哥哥有關的話題，廷勳的表情變了。
似乎是感受到壓迫感，廷勳開始說著「嗚噎噎～嗚喔～」的企鵝語，景熙害怕廷勳發作，介入對話。

景熙	不好意思，律師…
英禍	金廷勳先生！請你回答我！為什麼打你哥哥？
廷勳	（哭喊）找～死！找～死！不可以！找～死！找～死！不可以！！！

廷勳快要喘不過氣，景熙安撫著廷勳使其冷靜。
律師們因為無法從廷勳口中聽到更多線索，感到很失望。
但是此時，英禍的眼神閃閃發光

INSERT：

一隻小海豚用力飛躍至湛藍海面之上。

CUT TO：
現在，會議室。

英禑　　金廷勳先生，請問你哥哥是不是想尋死？
　　　　所有人都因為英禑突然的一句話大吃一驚。

景熙　　什麼？
英禑　　那句「找死！」搞不好⋯不是一句話，而是一個行為。
　　　　不是他哥哥說的話，而是他哥哥的行為。
秀妍　　他哥哥的行為？
英禑　　金尚勳先生身亡時，血液酒精濃度為0.321%，代表生前就已經
　　　　不省人事了，而且相驗報告上也有記錄到「頸部的痕跡」，報
　　　　告上寫說因為痕跡很淡，所以無法確定是否為繩子的勒痕。
明錫　　那個⋯請問大兒子生前，有試圖自殺的前例嗎？
景熙　　沒有！我們家尚勳怎麼可能會自殺。
英禑　　金廷勳先生，你哥哥是不是試圖自殺嗎？
廷勳　　對。

　　　　廷勳突然說出很明確的回答，讓律師們都大吃一驚。

景熙　　不，我們家尚勳不會這麼做。
明錫　　不過妳剛剛也聽到廷勳回答「對」了吧？

　　　　景熙嘆了一口氣。

景熙　　廷勳，哥哥想要自殺嗎？

廷動	對。
景熙	廷動，你想要救哥哥嗎？
廷動	對。
景熙	哥哥沒有想過要自殺吧？
廷動	對。

廷動沒有任何表情上的變化，只是不斷回答著「對」。
律師們的表情再次變得茫然。

| 景熙 | 配合廷動的思維，跟他溝通…對我來說至今都不是件容易的事。
我很感謝你們這麼用心，但是之後你們還是別跟他見面了吧。 |

S#15. 大樓住宅區（室外／白天）

高級大樓住宅區。
英禍和濬浩往真平的家走去。
遠遠地看到兩位工人在進行庭院整修的工程。

| 濬浩 | 妳來這裡是想找出金尚勳試圖自殺的證據，對吧？ |
| 英禍 | 對，但是我不知道現場是否遺留有用的證據，畢竟警方應該都
蒐證過了。 |
| 濬浩 | 不過這樁案件本身的脈絡單純又明確，以警方的立場，他們應該
不需要太認真蒐證，如果金尚勳的遺物能留下一些線索就好了。 |

李佳英（20多歲／女）正要從大樓入口出來，發現濬浩，朝他們走
過來。佳英有著漂亮的外貌，穿衣風格也很有女人味。

| 佳英 | 天啊，濬浩哥！ |

濬浩	嗯？嗨！
佳英	你怎麼會在這裡！你住這棟大樓嗎？
濬浩	沒有，我是來工作的。
佳英	工作啊？什麼工作。

此時，工人開始用鑽土機鬆土，英禑用雙手摀住耳朵，試圖隔絕突如其來的巨響，但好像還是不足以完全隔絕，英禑快速地用雙手，不斷反覆壓住耳朵後放開。

佳英看到這一幕，向濬浩使了眼色，表示自己知道了。

佳英	你還有在當志工啊？
濬浩	志工？
佳英	你現在是在當「分享愛」的志工吧？
濬浩	（慌張）什麼志工，不是妳想的那樣，我先走了。
佳英	喔，好！濬浩哥，很高興遇到你！（對英禑說，像是在跟小朋友說話）加油！

濬浩急忙遠離佳英。

英禑跟上濬浩。

英禑	「分享愛」是專門為身心障礙人士設立的慈善團體嗎？

這句話讓濬浩停佇在原地。

濬浩轉過身來，臉上的難為情一清二楚。

濬浩	禹律師，對不起，她是我大學學妹…實在是太不好意思了。
英禑	喔，沒關係，我有自閉症…她會這麼認為也是情有可原。
濬浩	真的很抱歉。

169

S#16. 尚勳的房間 (室內／白天)

景熙帶英禑和濬浩走到尚勳的房間。
似乎是很久沒人打開房門，空氣有點混濁。

景熙　　我只要看到這個房間就會觸景傷情，所以門一直關著。他的東
　　　　西應該都沒動過，不知道有沒有能幫上忙的東西。

濬浩　　好的，我們可以自己在這裡到處看看嗎？有找到什麼的話再告
　　　　訴妳。

景熙點點頭，關上房門走出去。

濬浩　　如果我要在這個房間上吊自殺…

濬浩環視著房間內部，指出一個地方。

濬浩　　那裡應該是最佳地點。

英禑看向濬浩手指的地方。
天花板某處掛著一個單槓，像是練習引體向上用的。

英禑　　金尚勳倒下的地方就在那個單槓下方。

濬浩　　那應該就是這邊了，妳說金廷勳很高，對吧？

英禑　　對，應該將近二百公分。

濬浩從包包裡拿出數位單眼相機，高舉過頭。

濬浩　　所以視線大概是這個高度嗎？

英祿點點頭，站在濬浩旁邊。
濬浩拿著相機，調整螢幕的角度。
螢幕拍出了廷動視角所看見的世界。

濬浩　　如果他一打開房門，就看到哥哥上吊在單槓上，第一反應應該是去阻止哥哥吧？（拿著相機走向單槓）金廷動很高，應該可以直接伸手扯開繩子，那麼哥哥就會瞬間墜地…

濬浩拿著相機重現廷動的移動路線，英祿站在濬浩旁邊。兩人為了找出只有在身高2m的視野才能看到的線索，緊盯著螢幕，站得很近，他們動來動去的模樣，就像一對正在跳著華爾滋的情侶。

濬浩　　咦？那裡…妳有看到嗎？

濬浩的鏡頭瞄準放在單槓對面的衣櫃上方。
螢幕上看出有什麼東西卡在衣櫃和牆壁的狹窄縫隙裡，濬浩轉動鏡頭放大，是一條繩子。

濬浩　　好像找到了！

CTU TO：
濬浩戴上實驗手套，用力把衣櫃往前拉，夾在衣櫃和牆壁縫隙裡的繩子掉到地上，英祿戴著和濬浩一樣的手套，拿起繩子遞給濬浩，濬浩留意地看著繩子。

濬浩　　繩子上看起來有用力扯斷的痕跡，這會是金尚動用來上吊的繩子嗎？然後金廷動扯斷了繩子？

INSERT：

在濬浩的想像裡，出現了案發當時的情況。

尚勳用濬浩找到的那條繩子在單槓上吊。

廷勳大叫，跑向尚勳並扯斷繩子。

因為喝得爛醉，無法控制身體的尚勳摔到地上

廷勳把繩子丟向單槓的反方向，也就是衣櫃所在的地方。

因此，繩子才會卡在衣櫃和牆壁之間。

CUT TO：

再次回到現在，尚勳的房間。

濬浩　　必須和金尚勳頸部的痕跡比對，才能知道是不是這條繩子。

英禑　　那裡⋯好像有什麼東西。

英禑指向衣櫃後面的地板，有一本筆記本掉落在衣櫃和床的縫隙之間，上面布滿灰塵。

英禑拾起筆記本並翻開。

英禑　　這似乎是金尚勳的日記，是去年的日記。

S#17.　會議室（室內／白天）

英禑和明錫、真平和景熙面對面坐著。

尚勳的日記用保管物證的透明塑膠袋裝著，放在桌上。

明錫　　為了比對大兒子頸部的痕跡，我們把繩子送到國科搜了，等比對結果出來，會再通知兩位。另外⋯我們看了一下大兒子的日記，認為有幾個部分會長和夫人也應該要看一下，另外幫你們

整理了一份。

明錫拿出日記影本。
真平和景熙似乎不大願意讀尚勳的日記。

明錫	根據日記的內容，這樣的事情…去年似乎也發生過幾次，小兒子也有親眼目睹過。
真平	「這樣的事情」…你說的是什麼？
明錫	我說的是試圖自殺這件事。

真平和景熙的表情變得黯淡。

景熙	同樣的話還要我講幾次，我們家尚勳，不會那麼做。
明錫	（看著日記影本）「曾經我最擅長的事就是讀書，但是現在我連讀書是什麼都不知道，難道這樣拚命硬背就是讀書嗎？我是把自己的專長發揮得最差勁的人，簡單來說，就是個失敗者。」（另一部分）「考試會持續下去，而我也會持續失敗，不知道活著和死了有什麼兩樣。」（另一部分）「死掉就好，死掉就會解脫。」
景熙	日記裡哪有說不出口的話？辛苦的時候寫那些負面文字很正常啊，不是嗎？
明錫	重要的是接下來的這個部分。「現在已經變成一種習慣了，被弟弟看到也無所謂，他看到我上吊之後，就常常睡不好，是做惡夢了嗎？每天晚上都來監視我，那個連死亡是什麼都不知道的傻瓜，居然那麼怕我死掉，而這個情況卻…成為了我的安慰。」
真平	你現在是在懲罰我們嗎？你找我們過來，就是為了告訴我們，我兒子不僅死得很慘，還活得很痛苦嗎？
明錫	我想說的是案發當天，小兒子也許是在試圖阻止大兒子自殺，可能是因為屢次看到哥哥自殺，控制不住怒氣才會打哥哥。

真平　那又能改變什麼？一個全國知名的資優生，只因為課業壓力就屢次試圖自殺，這件事情如果傳出去，大家會怎麼看尚勳？這只會讓他在九泉之下丟臉吧。

英禑　和已故金尚勳先生的名譽相比，讓還在世的金廷動先生得以減刑，這應該比較重要吧？他不應該被當成無緣無故毆打哥哥致死的弟弟。當時確實有激怒他的具體原因，我們必須在法庭上證明，排除這個原因後，金廷動先生就不會再使用暴力了。

真平　妳給我安靜一點！！！

真平突然的大喊讓英禑和明錫嚇了一跳。

真平　妳很了不起嗎？憑什麼一直對別人家的寶貝兒子指名道姓、評頭論足？妳不也有自閉症嗎！

景熙　老公…你幹麼這樣？

真平　算了，就這樣吧，我會把案件轉給不會侮辱我兒子的律師，尚廷製藥和汪洋的合作關係也到此結束。

真平起身就往外走出去，景熙也跟上前去。
像是被重重揍了一拳，英禑和明錫呆坐在原地。

S#18.　濬浩／敏宇家的客廳（室內／晚上）

濬浩回到家，從他沉重的表情可以看出他心情不好。敏宇在廚房一邊煮泡麵，一邊讀著資料，回頭看向濬浩。

敏宇　我在煮泡麵，你要來一包嗎？

濬浩　不，我不用。

濬浩走進自己的房間。

S#19. **濬浩的房間**（室內／晚上）

濬浩連外套都還沒脫就坐到床上，

拿出口袋裡的手機，開始編輯訊息。

「禹英禑律師，上次我學妹說錯話」

濬浩把「說錯話」改成「犯的錯」，

「我學妹犯的錯讓我一直耿耿於懷，

我想好好跟妳道歉」

濬浩猶豫地看著訊息內容，打不出下一句話。

濬浩　　（自言自語）想要跟她道歉，然後呢，又能怎樣。

最終濬浩放棄傳訊息。

手機畫面也暗掉了。

S#20. **英禑的辦公室**（室內／晚上）

昏暗的辦公室裡只留了一盞檯燈。

英禑用電腦看著廷勳的相關新聞影片。

「起訴打死哥哥的自閉症人士」的標題底下，影片裡的**主播**（30
多歲／男）正在報導新聞。

主播　　一位毆打親哥哥致死的20多歲男性，被依傷害致死罪起訴，患
有自閉症類群障礙症的21歲A男，於父母外出之際毆打酩酊大醉
的B男，導致其肋骨22處骨折，身受重傷。父母返家後雖立即將
B男送醫，最終仍是回天乏術，B男是在2018年學測獲得滿分，

就讀於首爾大學醫學院的高材生，痛失英才著實令人惋惜。

英禑的視線停在新聞影片底下的熱門留言。

「醫學生死了，自閉兒卻活著，這是國家級的損失吧？」

「看也知道一定又會因為精神耗弱獲判無罪，

自閉症在韓國根本就是殺人許可。」

這些留言被按了數百個「讚」，讓英禑的內心感到沉重。

S#21. 電梯 (室內／白天)

英禑和秀妍，以及敏宇搭著電梯。

敏宇　　（模仿朋秀的聲音）朋嗨！聽說妳們連歌都唱了，卻還是被換掉啊？

敏宇笑出聲來，英禑不發一語地嘆氣。

秀妍　　你應該很常聽到別人說你很討人厭吧？

敏宇　　妳應該很常聽到別人說妳很假惺惺吧？

敏宇和秀妍瞪著對方。

電梯門開了。

S#22. 汪洋法律事務所 1 樓大廳 (室內／白天)

明錫在大廳等著新進律師們。

一看到明錫，敏宇就換上另一張臉。

敏宇　　我聽說了尚廷藥品會長的事，你應該很難過吧。

明錫　　我還好，倒是禹律師為此費了很多心思，很可惜都派不上用場了。

敏宇　就是說啊，禹英禑律師，加油！

敏宇對英禑比出加油的手勢，惹怒秀妍。
敏宇的奸詐狡猾讓秀妍氣到說不出話來。此時，英禑看到廷勳
和**計程車司機**（50多歲／男）在大樓門口爭執。

S#23.　**汪洋法律事務所**（室外／白天）

英禑走到外面，廷勳想要走進大樓，司機抓著廷勳的衣角，廷
勳一看到英禑，就開心地晃動身體。

廷勳　嗚嚕嚕嚕嚕～嗚嚕嚕嚕嚕～
司機　喂！喂！！！你想跑去哪裡！
英禑　請問發生什麼事了？（廷勳一直說著「嗚嚕嚕嚕嚕」吵鬧）嗚嚕嚕嚕
　　　嚕～

司機用「這個人又是怎麼回事？」的表情直視著英禑，並沒有
回答英禑的問題，明錫和秀妍現在才出來門口。

明錫　請問發生什麼事了嗎？

是因為明錫看起來跟英禑不一樣，比較可靠嗎？
司機馬上開始訴苦。

司機　不能怪我～他莫名其妙搭我的車，嘴裡喊著「汪洋！汪洋！」
　　　我猜想他是在說這裡，只好載他來，結果他居然不付錢!?我問他
　　　有沒有錢，他也只會說「對！對！」
明錫　車費我來付吧。

明錫從錢包裡掏出錢遞給司機
和「企鵝朋秀，就決定是你了」三人幫重逢的廷動。
開心地手舞足蹈。

廷動　還要唱！繼續唱歌！

明錫　（對英禍說）打個電話給夫人，請他來接兒子回家，妳先陪著他
　　　等夫人來。

英禍　好，我知道了。

S#24.　汪洋法律事務所休息室（室內／白天）

汪洋的休息室裝潢得很簡約且舒適。
英禍和廷動並坐在沙發上，輪流說著「嗚嚕嚕嚕嚕～」。似乎
是吃了很多零食，廷動的周遭很髒亂，都是零食的包裝和碎
屑。此時，景熙氣喘吁吁地跑了過來。

景熙　廷動！

廷動　媽！

像是失散多年的家人重逢的氛圍，母子激動地擁抱著。

景熙　廷動給你們添麻煩了，不好意思。

英禍　沒關係。

景熙　那個，我想過了，尚動選擇自殺的事，一定要在法庭上公開
　　　嗎？反正廷動不管怎樣都可以減刑吧，因為他患有自閉症，會
　　　被視為精神耗弱酌情減刑之類的。

英禍不知道為什麼景熙再次提起案件的事，沒有接話。

景熙　　我其實還是希望由你們來負責這樁案件，似乎沒有人像你們一樣真心對待廷勳了，只要不公開尚勳自殺的事…我老公那邊我會去說服他。

英禑　　好，我會再轉告鄭明錫律師。

景熙欲言又止，似乎還有話沒說完。
景熙鼓起勇氣。

景熙　　那天我老公口不擇言，真的很抱歉。我知道這麼說很不應該，但是看著妳，我們夫妻倆的心情五味雜陳。妳和廷勳都一樣患有自閉症，但是卻有著天壤之別，我們不禁會拿你們兩個做比較。雖然我們也聽說過有人患有自閉症卻很聰明，但是親眼看到之後，心情還是很難以言喻。妳也知道，大部分的自閉症人士都像我們家廷勳這樣，雖然希望他們能夠漸漸好轉…但需要的時間實在太長了。

S#25.　電梯（室內／白天）
英禑、廷勳和景熙搭著電梯

英禑　　（N）最早的自閉症研究者之一，漢斯・亞斯伯格認為自閉症也有好的一面，他說「不是所有的特立獨行與非常規都一定比較差勁」。他也說過「自閉兒可能會因為新穎的思考模式與經驗，在日後帶來驚人的成果」。

S#26.　汪洋法律事務所1樓大廳（室內／白天）
景熙的手握著左右搖晃走路的廷勳。

英禓跟在他們後面。

英禓　　（N）漢斯・亞斯伯格曾是納粹的幫手，他負責區分值得活下來
　　　　的孩子與不值得活下來的孩子，以納粹的觀點來看，不值得活
　　　　下來的人，不外乎是身障人士、絕症病患，以及包括自閉症在
　　　　內的精神病患等等。

S#27.　汪洋法律事務所（室外／白天）
三人走出大樓。

景熙　　廷勳，跟姐姐說再見。說「今天抱歉給你們添麻煩了，再見。」
廷勳　　（舉起右手）朋拜！

景熙無奈地笑著，英禓也舉起右手。

英禓　　朋拜！

廷勳和景熙離開。
英禓靜靜看著兩人越走越遠。

英禓　　（N）自閉症在80年前，都還被認為是不值得活著的病症，僅僅
　　　　在80年前，我和金廷勳先生都還是屬於不值得活著的人，直到
　　　　現在，還是有幾百個人，在「醫學生死了，自閉兒卻活著，這
　　　　是國家級的損失吧？」這樣的留言下按「讚」。

廷勳回頭看英禓，再次對英禓說「朋拜！」
英禓也舉起手回應「朋拜！」

英禑　　　（N）那就是我們所背負的這個障礙症的重量。

S#28.　**法庭**（室內／白天）

第一審，法官席上坐著**審判長**（40多歲／女）以及3位法官，證人席上坐著精神科**醫生**（40多歲／男），由英禑負責詰問。

醫生　　　我認為金廷勳先生當下的狀況屬於情緒崩潰（Meltdown）。

英禑　　　可以請你說明一下何謂情緒崩潰嗎？

醫生　　　這是自閉症人士常見的症狀，當他們再也承受不了持續壓抑的壓力，情緒就會爆發。這並不是他們故意的，當他們被極度的無力感壓垮，就會無法控制地情緒崩潰。情緒崩潰的類型有很多種，有些人會斷絕一切聯繫，與世隔絕；也有些人會出現非常激進的行為，例如大吼大叫、哭泣、自殘或是暴力行為等等。

英禑　　　依照你的見解，案發當時被告毆打哥哥的行為，是屬於無法自行控制或決定的情緒崩潰，也就是自閉症類群障礙症的症狀嗎？

醫生　　　對，我是這麼認為。

英禑　　　我方詰問完畢。

英禑回到座位上，**檢察官**（30多歲／男）不疾不徐地站起來走向證人席。

檢察官　　證人，你身為精神科醫生，應該非常瞭解自閉症吧？

醫生　　　算是。

檢察官　　請問現在法庭內有幾位自閉症病患？

醫生　　　什麼？

檢察官　　在我看來，除了被告之外，應該還有一位自閉症人士。你覺得剛剛詰問你的辯護人像自閉症人士嗎？

英祖大吃一驚，明錫立刻起立。

明錫　我有異議。檢察官正在用與案件無關，且帶有歧視的言論羞辱
　　　辯護人。

明錫覺得這理所當然必須提出異議，不過審判長猶豫了。

審判長　嗯…駁回異議。
明錫　什麼？駁回異議？
審判長　檢察官的提問或許對辯護人來說有些尖銳，但並非與案件無
　　　關，也並未帶有歧視意味。
明錫　什麼？
審判長　辯護人，請坐下。檢察官，請繼續詰問。

明錫不得已只好坐下。
檢察官像是占了上風般地笑著。

檢察官　請問剛才詰問你的辯護人是否為自閉症病患？
醫生　不是所有自閉症人士都需要接受治療，我認為自閉症「病患」
　　　這個用詞似乎不大恰當。
檢察官　但是她在法庭上…是這個樣子耶？

檢察官用手指著英祖，所有人跟著看向英祖，為了平撫心中的
不安，英祖緊壓自己的手背，身體左右搖晃。那個模樣…就像
一般人眼裡的「自閉症人士」。

明錫　（真心動怒，猛然起立）檢察官！你現在到底在做什麼？
檢察官　你怎麼這麼說？我只是在詢問證人，為被告辯護的禹英祖律師

	是否也是自閉症病患！
醫生	我知道禹英禑律師患有自閉症類群障礙症，但是我只是聽說，並沒有親自為她診斷過。我又不是什麼鑑定師，不可能一看到人就把人分類。
檢察官	請你明確回答我的問題，請問禹英禑有沒有自閉症？
醫生	唉，她有…
檢察官	證人，你認為被告屬於精神耗弱人嗎？
醫生	是。
檢察官	是因為被告患有自閉症嗎？
醫生	是…
檢察官	那麼你認為辯護人也是精神耗弱人嗎？
明錫	我有異議！現在是在審理被告的案件，請問你為什麼一直提到辯護人？辯護人的個人病史，與被告、案件、審理過程完全無關。
檢察官	並非如此，辯方律師主張以被告患有自閉症的論點，來為被告減刑，所以並非無關。如果患有自閉症的被告屬於精神耗弱人，那麼患有自閉症的律師不也相同嗎？
明錫	身為一名檢察官，你不知道什麼是精神耗弱嗎？並非所有精神或心智障礙都屬於精神耗弱，只有因為本身所患障礙，而導致對事物的辨識能力及抉擇能力明顯減低時，才適用精神耗弱的定義。
檢察官	所以你們主張患有自閉症的被告與一般罪犯不同，要求減刑，卻要我們認同，患有自閉症的律師的論點，與一般法律人士無異嗎？

明錫說不出話來，坐在旁聽席的真平和景熙觀察著法官們的表情，現場氣氛似乎被檢察官的說法影響，夫妻倆感到不安。
英禑低著頭，坐在後方的濬浩看著英禑，露出擔心的神情。

S#29. 汪洋法律事務所11樓走道（室內／白天）

瀋浩走在走道上，走到英祺的辦公室門前，內心莫名沉重，在門口猶豫著要不要進去。深呼吸後，叩叩，打開了辦公室的門。

S#30. 英祺的辦公室（室內／白天）

在瀋浩的視角，他看見英祺的身體懸在空中。
英祺在天花板的軌道燈橫桿上綁繩子，吊住脖子。
瀋浩嚇得跑向英祺。

英祺　　禹律師！！！

瀋浩一隻手托住英祺的屁股，另一隻手拉著繩結，讓英祺的脖子離開繩子。
因為瀋浩一直抓著英祺的屁股，英祺的上半身後仰，以背部著地。
瀋浩見狀，趕緊伸手抱住英祺的背部。
「砰！」的一聲，兩人倒地，英祺在地上，抱住英祺背部的瀋浩在英祺之上，兩人面對面，臉靠得很近。

英祺　　你的手還抓著我的屁股。

瀋浩　　喔⋯！

瀋浩趕緊移開手，起身坐在椅子上。
臉微微泛紅。

英祺　　就是因為這樣我才會背部著地。

像是突然領悟了什麼，英裯的眼神閃閃發光。

INSERT：
一隻巨大的鯨魚充滿力量地躍上湛藍的海平面。

CUT TO：
回到現在，英裯的辦公室。
英裯起身往外走。
濬浩跟在英裯後面。

S#31. 明錫的辦公室 (室內／白天)

英裯就算很著急，還是維持「叩叩，休息一拍，叩」的敲門節
奏，用力打開門，面對面坐在沙發上的明錫和真平嚇了一跳。

英裯　　我剛才在上吊，李濬浩救了我。

明錫　　什麼？

英裯　　李濬浩先用右手托住我的屁股，然後想用右手把我頸部的繩子
　　　　解開，結果你們知道發生什麼事了嗎？我的身體後仰，以背
　　　　部著地。

英裯雙手比劃著，重現托住屁股、鬆開繩子的動作，濬浩在旁
邊看著這一切⋯非常害羞。

真平　　妳現在在說什麼？

英裯　　根據相驗報告，金尚勳先生⋯（看了一下真平的臉色），我是說，
　　　　被害人的肋骨總共有二十二處骨折，正面右側肋骨的3號至7號
　　　　肋骨，共5處骨折；正面左側肋骨的2號至7號肋骨，共6處；還

有…（對濬浩說）你的肋骨可以借我指一下嗎？

濬浩　　什麼…？喔，好。

英禑剛剛到處指著自己正面的肋骨說明。
但是英禑沒辦法指到自己背面的肋骨，所以拜託濬浩出借一下
肋骨，濬浩同意後，就把濬浩的身體轉到背面，

英禑　　（指著濬浩的肋骨）背面右側肋骨的2號至12號肋骨，共11處，其他
部位完全沒有骨折，不覺得很奇怪嗎？

明錫有所察覺，陷入沉思。
相反地，真平腦袋還沒轉過來。

英禑　　正面雙側肋骨的骨折，有高度可能是施行心肺復甦術的時候造
成，問題在於背面右側的2號至12號肋骨，這段呈直線排列的骨
折，除非被告是直線重擊被害人背部，不然很難造成這種型態
的骨折。但是如果被告是用剛才李濬浩救我的方式來救被害
人，那就有可能了。因為被告緊抓著被害人的屁股，所以被害
人才會以背部著地。

真平　　（好奇到很著急）然後呢？這樣會改變什麼？

明錫　　這樣一來，你的小兒子就沒有傷害致死的罪嫌了。

真平驚訝。

明錫　　當然傷害罪還是會成立，但是這樣就能洗清小兒子毆打大兒子
致死的嫌疑，刑責也會相對減輕許多。不過，如果我們要用這
個論點主張小兒子無罪，大兒子試圖自殺的事實，勢必就無法
隱瞞了，這需要會長做出抉擇。

真平嘆了一口氣。

真平　　其實這個問題，我也想了很久。到了我這個年紀，孩子就好像
　　　　自己人生的成績單…身為一位父親，我實在不願意承認尚勳過
　　　　得這麼痛苦，但是如果是為了廷勳，哪有什麼我做不到的？就
　　　　照妳剛才所說的做吧。

明錫、英禡和濬浩的表情變得開朗。

真平　　另外…我還有一件事要說，本來我想單獨跟鄭律師說就好，既
　　　　然大家都在，那我就直說了。
明錫　　好，你們兩個坐下吧。

英禡和濬浩在明錫的指示下坐在沙發上。

真平　　我希望之後禹律師不要參與開庭。

除了真平以外的所有人都著實嚇了一跳。

真平　　我當然知道禹律師付出了許多心力，但是上次開庭，你們也有
　　　　聽到檢察官說的話吧？請你們思考一下，怎麼做才是對廷勳最
　　　　好的方法。
明錫　　會長，你剛才不也有聽到禹英禡律師說的內容嗎？我們會用跟上
　　　　次不同的論點來進行訴訟，這次我們不會再強調小兒子精神耗弱
　　　　的部分，而是可以透過相驗的科學證據來主張小兒子無罪。
英禡　　我認為…會長說得沒錯。

英禡突如其來的一句話，讓所有人都看向她。

187

| 英禑 | 我跟李瀁浩走在一起的時候，也會有人覺得李瀁浩是在當志工，為身心障礙人士服務。 |

瀁浩的表情變得凝重。

| 英禑 | 計程車司機緊抓著被告不放的時候，明明我身上也有錢，但是司機並不認為我是有能力解決眼下情況的人。 |

聽出英禑想要表達什麼，
這次換明錫的表情變得黯淡。

| 英禑 | 我與被告的自閉症哪裡相似、哪裡不同，雖然我自己看得很清楚，但是檢察官看不出來，那就代表，法官們也看不出來。我並不是對被告有所幫助的律師。 |

英禑因自己說的話而震懾，安靜地反覆說著這句話。

| 英禑 | 我並不是對被告有所幫助的律師⋯ |

S#32. 宣榮的辦公室（室內／白天）
明錫以悲壯的表情站在宣榮的辦公桌前。

明錫	請妳去說服會長吧。
宣榮	你說什麼？說服他讓禹英禑律師去開庭嗎？
明錫	對，禹律師並不是沒能力，也沒有做錯事。只因為她有自閉症，就認為她的辯護效果不彰，不讓她參與開庭⋯這是歧視。
宣榮	你之前不是說（模仿明錫的聲音）「請問妳看過她履歷第二張的內

容嗎？要我怎麼教這種人？」這段時間是發生了什麼事嗎？

明錫　　當時我們還不是夥伴，但是現在是了啊。

宣榮笑著。

宣榮　　尚廷製藥會長的要求不當，帶有歧視，這點我也同意。但是我
　　　　身為汪洋的代表，只能配合客戶的要求，所以⋯不如你也別出
　　　　庭了。

明錫　　什麼？

宣榮　　你不是說「我們是夥伴」嗎？那你就要展現出「妳不去，我也不
　　　　去」的意志啊。我沒辦法成為一個為新進律師的權利抗爭到底的
　　　　鬥士，所以至少由你來向他們表明，你和禹英禑是一體的。

明錫想了一想，點點頭。

明錫　　好，我知道了。

宣榮　　我會把這樁案件轉給張勝准律師，你直接把案件資料交給他。

明錫　　為什麼偏偏是張勝准⋯？

宣榮　　這點懲罰還是要有的吧，這個行為很可能會讓會長不高興，就
　　　　像在對他的話表達憤怒以示抗議。

明錫的表情變得黯淡，但也別無他法，

明錫　　是的，我知道了⋯

S#33.　勝准的辦公室（室內／晚上）

明錫站在門前深呼吸，像是猶豫了一下後，下定決心敲門，門

內傳來**張勝准**（43歲／男）用悠哉的聲音回答「請進～」明錫打開
門走進去，辦公室裡燈關著，在椅子和沙發上都找不到勝准。

勝准　　這是誰啊？

明錫被這聲從辦公室角落傳來的聲音嚇到。
回頭一看，發現勝准倒掛在倒立機上。
兩人以180度相反的姿勢面對面站著對話的模樣，非常奇怪。

明錫　　代表有通知你了吧？

勝准　　代表當然通知我了～但是你來找我有什麼事？

明錫　　既然代表通知你了，那你應該知道了吧。

勝准　　代表通知我了，我是知道沒錯，我只是想聽你親口拜託我。

明錫　　拜託你。

勝准　　我聽不到，是因為我頭下腳上嗎？聽不到。

明錫聽到勝准這麼說，怒火中燒地躓步走向勝准。明錫按下倒
立機的按鈕，嗡——伴隨著緩慢的機械音，勝准的身體馬上回
到正常方向。
勝准的頭一回到上方，明錫就大聲地說，

明錫　　拜託你。

勝准　　明錫，你是不是不能沒有我？我還要幫你善後多久？

明錫早就知道會聽到勝准這麼說，嘆了一口氣。
勝准咯咯笑了很久。

勝准　　把資料放著，我幫你就是了。

S#34. 法庭 (室內／白天)

正在開庭的法庭。

法醫 (30多歲／女) 剛完成證人宣誓，坐在證人席。

審判長　辯護人，請詰問證人。

勝准起身走向證人席。
英禑和明錫並坐在勝准後方的旁聽席。

勝准　　證人，請問妳從事什麼工作？

法醫　　我是法醫，我在國立科學搜查研究院負責遺體相驗的相關業務。

勝准　　請問被害人的死因是什麼？

法醫　　被害人死於肋骨斷裂導致的胸腔內出血。

勝准　　請問妳認為肋骨為什麼會斷裂呢？

法醫　　正面肋骨的骨折，可以判斷是施行心肺復甦術造成的，因為救護員抵達的時候，被害人已經沒有呼吸，心跳停止，所以應視為死亡後才產生的骨折。問題在於背面肋骨，我們發現背面的肋骨骨折呈斜線狀，考慮到這樣的骨折位置和型態，與其說是各自獨立受到衝擊，判斷為一次性的連貫重擊更為合理。

勝准　　比較不可能是各自獨立受到衝擊，一次性的連貫重擊更為合理嗎？唉唷，這聽起來有點艱深，可以麻煩妳說明得簡單一點嗎？

法醫　　意思是指被害人的肋骨，不太可能是一根一根被分次打斷，因為骨折的斷點是呈一直線，所以骨折的原因更像是受到一次重大的撞擊。

勝准　　一次重大的撞擊？可以請妳舉個例子嗎？

法醫　　案發當時，被害人應該是頸部懸吊在天花板，後來摔落到地上，因為在被害人房間裡找到的繩子和他頸部的勒痕吻合，加上他的血液酒精濃度高達0.3%，摔落時應該無法用手做出支撐

地板之類的反射防禦性動作。從這點來看，背面肋骨的骨折，
很可能是摔落時受到撞擊所致。

勝准　請問有可能是被告暴力毆打，導致被害人肋骨斷裂呢？

法醫　可能性當然有，但是有點說不過去。因為我聽說案發當時，被
　　　　害人非常激動地亂拳毆打被告人。以那樣的狀態，要將被害人
　　　　的肋骨打出一直線的骨折實在有難度。

勝准　好的，我方詰問完畢。

似乎是認同法醫的話，法官們點點頭。
檢察官為了詰問證人站起身，審判長搶先一步說話。

審判長　稍等一下，請讓我先問個問題。（對廷勳說）被告？

坐在被告席的廷勳沒有回憶，眼神呆滯。
坐在旁聽席的真平和景熙甚是緊張。

審判長　（大聲）金廷勳先生？

廷勳　對！

審判長　你剛才有聽到法醫的證詞吧？請問是你讓哥哥摔落地上的嗎？

所有人看向廷勳。

廷勳　對！

法庭內的所有人都因為意料之外的明確回答，議論紛紛。

審判長　請問你是為了救哥哥嗎？

廷勳　對！

審判長	所以繩子不是自己斷掉的嗎？
廷勳	對！
審判長	請你說清楚一點，是不是你讓哥哥摔落地上的？
廷勳	對！

審判長因為廷勳令人混亂的回答直搖頭。

審判長	金廷勳先生，你這樣做是不是為了救哥哥？
廷勳	（暫時停頓）對！
審判長	以上的提問是為了確定被告是否能夠理解問題並回答，以及有沒有辦法描述案發當時的狀況，我想目前能確定的就是，被告現在屬於精神耗弱的狀態。

廷勳依舊以呆滯的表情坐在被告席。
真平和景熙嘆了一口氣。
英禑看著這個情況，內心莫名變得複雜。

S#35. 法庭門口的走道（室內／白天）

訴訟結束後的法庭入口處。
英禑和明錫開門走了出來

明錫	我想判決結果應該會很理想。
英禑	真的嗎？檢察官竟然求處7年有期徒刑，還要求治療監護，這讓我非常驚訝。
明錫	不管檢察官求處多少年，我們都已經清楚證明我們的論點。最重要的是，法官們那邊感覺滿樂觀的，傷害致死罪方面似乎有很高的機率獲判無罪，傷害罪應該也會獲得緩刑，如果沒有，

我們也可以上訴，妳不用太擔心。

英禑　　　好。

此時，勝准從入口走出來，向真平和景熙問候。像是要講給明錫聽一樣，勝准故意扯著嗓門說話。
英禑和明錫往後看。

勝准　　　唉唷，不辛苦啦～能夠親自收尾金會長的案件，是我的榮幸。

明錫看著勝准對著自己擺出笑咪咪的樣子，心裡非常不舒服。
真平和景熙走向明錫和英禑。

景熙　　　兩位為了這樁案件真的付出了很多心力…非常抱歉。尤其是禹英禑律師，妳一定覺得很可惜吧。

景熙拉過英禑的手握住，以示抱歉。
英禑看著景熙的動作，眼神非常平靜。

英禑　　　我沒事。
真平　　　辛苦了。
明錫　　　謝謝會長。

真平和景熙先行離開。
勝准走了過來

勝准　　　（看著英禑）喔，她就是那個…
明錫　　　（怕勝准講出什麼奇怪的話，先行打斷）謝謝妳，禹英禑律師，走吧。

明錫大步向前走，英禑跟在後頭。
勝准微笑，對著明錫的後腦杓大聲地說，

勝准　　喔～You're welcome！

S#36.　燈具行（室內／白天）

展示著各種燈具的燈具行。
澔浩手裡拿著的，與其說是電燈，更像是長得像藍芽音響的小
型電子產品，澔浩把手裡的東西遞給櫃檯**店員**（20多歲／女）。

澔浩　　這個可以幫我包裝嗎？我要送禮用的。
店員　　好的。

S#37.　英禑的辦公室（室內／晚上）

澔浩拿著剛包裝好的禮物，走向英禑的辦公室。
澔浩敲門後開門，裡面一點反應都沒有。
英禑的辦公室清理得過分乾淨，有股空空如也的感覺。
澔浩因為無法送出禮物感到可惜，嘆了一口氣。

S#38.　汪洋法律事務所影印室（室內／白天）

擺放影印機、傳真機等事務機器的影印室。
英禑戴著頭戴式耳機，聽著大翅鯨的歌聲，站在龐大的列表機
面前。
列表機列印出來的是一張紙，一張辭呈。
辭職事由欄寫著「個人因素」。

英禑看辭呈看得出神，眼神裡是前所未有的平靜。

S#39.　英禑的辦公室門前 (室內／晚上)

英禑身穿下班後的服裝，站在辦公室門前。

靜靜地看著寫有「律師禹英禑」的名牌，她把名牌取了下來。

只留下名牌架空虛地留在原地。

〈完〉

「我想跟妳站在同一邊，

　我希望像妳這樣的律師，

　能夠跟我站在同一邊。」

三兄弟
之爭

（４）

S#1. PROLOGUE：同三家（室外／白天）**- 過去**

兩輛轎車停在江華島的某戶農家住宅門口。

董同一（63歲／男）從大型車走下來，從中型車走下來的人則是**董**
同二（60歲／男）。

兩人走進屋子裡，面色凝重。

S#2. PROLOGUE：同三家的庭院（室外／白天）**- 過去**

里長**崔眞奕**（51歲／男）爬上一座長梯，正在修理屋頂，站在梯子
下方的**董同三**（51歲／男）和他的妻子**金恩靜**（40多歲）看到同一
和同二走進大門，著實嚇了一跳。

同三　　這是怎麼回事啊？哥哥們居然來到江華島！

同一　　我們談一下吧。

同一刀刃般無情的嗓音讓同三和恩靜如坐針氈。

僵掉的氣氛讓真奕察覺到，從長梯上爬了下來。

真奕	他的哥哥們久久才來一次,屋頂我下次再來修理吧!
恩靜	好,里長,我再聯絡你。

S#3.　　PROLOGUE:同三家的客廳 (室內╱白天) - 過去

同一和同二坐在沙發上,同三和恩靜坐在對面的地板,同三看著切結書。

同三	這是什麼?
同一	土地徵收補償費,應該要好好分配吧?你該不會以為農地登記在你的名下,補償費就全都是你的吧?
同三	唉唷,沒那回事!如果我心裡面是那麼想,怎麼還會主動聯絡哥哥們呢?這塊農地是爸爸留下來的,補償費當然要公平地和你們平分才對。
同一	就這麼辦吧,長子5成、次子3成、么子2成。

同三與恩靜內心慌亂,但是努力不表現出來,

同三	二哥,你認為呢?
同二	長子多分一點是對的,祭祀父母也都是大哥在處理。
同一	我不是因為貪心才這麼提議,《民法》訂有所謂的《繼承編》,根據那個《繼承編》,長子得到的遺產多於次子,次子多於么子,條文上就是這麼規定的。
同三	法律…是那樣規定的嗎?
同一	怎麼?你信不過我嗎?我是問過專業律師才這麼說的。

同三認為既然法律這麼規定,那他也無話可說。用放大鏡閱讀著切結書,但是紙上的內容卻一個字也讀不進去。

同三	可以讓我考慮一下⋯再來討論嗎？
同一	（輕笑）考慮一下？要考慮什麼？你想找個鄉下律師尋求法律諮詢嗎？還是你要找剛剛那個里長真奕？
同二	你這輩子都在務農，可能什麼都不懂⋯但是大哥在首爾經營大事業，我也在職場上打滾很久了，我們已經盡最大努力四處打聽，而且也考慮了各種情況，才這麼跟你提議。
同一	你趕快蓋章吧！相信爸媽在天之靈，一定也希望我們這麼做。

迫於兄長們強勢的態度，同三別無他法，只好拿出印章。
同三茫然地看著切結書。

同二	（指著切結書的某個部分）這裡，蓋在這裡。

同三用顫抖的手，終究是蓋下了印章。

TITLE：
《非常律師禹英禑》

S#4.　英禑的辦公室門口（室內／白天）

兩個月後的現在。
已經到公司的秀妍站在英禑的辦公室門前，嘆了一口氣。失去了主人姓名的名牌架，看起來甚是空虛，剛到公司的敏宇看到秀妍，上前搭話。

敏宇	禹英禑律師今天也沒來上班嗎？
秀妍	好像是。

秀妍打開英禓辦公室的門。

裡面一個個人物品都沒有，只留下英禓空蕩蕩的辦公桌和椅子。

CUT TO：

濬浩站在剛剛秀妍停留的地方，看著沒有英禓的辦公室。心情
錯綜複雜地嘆了一口氣，拿出第三集想送卻送不出去的禮物，
放在英禓的辦公桌上。

S#5.　明錫的辦公室（室內／白天）

明錫坐在椅子上，看著辦公桌上的某個東西看得出神。那是放
在文件夾裡，英禓的辭呈。明錫深嘆了一口氣後，蓋上了文件
夾的蓋板。

S#6.　禹英禓飯捲（室內／白天）

英禓坐在她的固定座位上吃著海苔飯捲。

今天她沒有穿上班用的西裝，取而代之的全身運動服裝和隨便
盤起的頭髮，誰看都知道是無業遊民的打扮。

客人　　我要結帳。

光顯　　好的！

光顯幫客人刷卡結帳後，悄悄看著英禓。

看著幾天來都沒去上班的女兒，不自覺地嘆著氣。

此時，光顯從窗外看見某人往這裡跑了過來。

那個人的氣勢就像要打破這充滿嘆息的沉默氣氛，

光顯暗自微笑著。

光顯	英禑，妳的朋友來了。

聽到光顯這麼說，英禑抬起頭。
此時格拉米踹開飯捲店的門走了進來。

格拉米	禹英禑英禑！！！
英禑	董董格拉米。

英禑和格拉米做了專屬於兩人的打招呼動作「Dab」。
格拉米坐在英禑的對面。

光顯	格拉米，妳還沒吃早餐吧？叔叔請妳吃海苔飯捲。
格拉米	喔，那我要吃炸豬排口味。
光顯	吃原味就好。
格拉米	好的。
英禑	現在是早上…妳怎麼不睡覺跑來這裡？
格拉米	喔，因為我要被我爸煩死了！聽說我爸被伯父們騙了，在奇怪的切結書上蓋章，我們家徹底完蛋了。
英禑	切結書？
格拉米	嗯，就是領到土地補償費之後，同意分給伯父們的切結書。

光顯把海苔飯捲遞給格拉米
坐在英禑旁邊的位置。

光顯	妳爸能領到土地補償費啊？是在說江華島那塊農地吧？
格拉米	對，那原本是我爺爺的土地，大概有5千坪，爺爺過世之後，那塊地就登記在我爸名下。但是不久前，那裡被指定為開發區域，政府要徵收土地，會核發補償費100億韓元。

光顯和英禑因為這個鉅額大吃一驚。

光顯　　哇～真的嗎?!發大財了！

英禑　　發大財了。

光顯　　我們之前也在江華島住了3年多，當年應該要買地的！唉唷，真可惜！

格拉米　問題來了，我那個笨蛋老爸，答應把錢全部分給他的哥哥們，結果自己留下一屁股債，同一伯父分到5成，同二伯父分到3成，我爸拿2成。

英禑　　妳的伯父們都是單名嗎？「一」跟「二」？

格拉米　不是，他們三兄弟叫做「同一」、「同二」、「同三」，連名帶姓的話就是「董同一」、「董同二」、「董同三」，我爸是董同三。雖然名字是我爺爺取的，但又不是狗的名字，未免也太隨便吧？把兒子們的名字取成這樣，你們知道他本人叫什麼名字嗎？

英禑　　他叫什麼名字？

格拉米　「元斌」，「董元斌」。只有名字帥而已。

格拉米和光顯大笑。
相反地，認真對待每件事的英禑找不到笑點在哪裡。

光顯　　但是為什麼只剩下債務？就算妳爸只分到2成，補償費總額是100億韓元，還是會分到20億韓元啊。

格拉米　笨蛋如董同三先生！甚至還答應要繳所有稅金！他根本不知道稅金是多少錢！前天他才得知金額，受了太大的打擊，現在臥床不起。

英禑　　稅金是多少錢？

格拉米打開手機備忘錄裡寫下的金額。

格拉米	讓渡所得稅加上地方所得稅…總共是22億6千萬韓元。不覺得很荒唐嗎？補償費總共是100億韓元，伯父們分別拿走了50億韓元、30億韓元，只有爸爸多了2億6千萬韓元的債務。哇～世界上還有這種事。

英褀和光顯的表情變得嚴肅。

光顯	但是妳爸怎麼會在對自己這麼不利的切結書上蓋章？
格拉米	因為我爸認為伯父們很有出息，他自己沒讀多少書，這輩子都在務農，但是他總是炫耀哥哥們畢業於首爾的大學。再加上他們年齡差距很大，同一伯父跟我爸差了一輪…所以我爸完全不敢反對伯父們說的話。

光顯心感惋惜，嘆了一口氣。

格拉米	伯父們把我們家當成草包、嫌得一無是處，還篤定我們連一位認識的律師都找不到，所以我就跟他們說，我！有認識的律師！
英褀	誰？
格拉米	（鬱悶）喔，妳啊！
英褀	喔…我現在不是律師了。
格拉米	什麼!?為什麼？
光顯	是啊，也告訴爸爸原因吧，妳到底為什麼不當律師了？

一直還沒從英褀口中聽到辭職的隱情，光顯看向英褀，和格拉米一樣好奇辭職的原因。
英褀面對兩人的視線，欲言又止，遲遲無法回答。

英褀	但是我可以幫妳介紹我認識的律師，那份切結書在妳身上嗎？

格拉米　　沒有，在我爸那邊。

光顯莫名有種預感，認為這件事應該會成為讓英禑回心轉意的
轉機，突然起身像是宣言般的拋出一句話。

光顯　　　那我們去吧！今天不營業，一起去拿切結書吧！
英禑　　　什麼？
格拉米　　太好了！一起去江華島！喔耶！喔～耶！！！

S#7.　　光顯的車（室內／白天）

光顯開著老舊的輕型車，前往江華島。
光顯開車，英禑坐在副駕駛座，
格拉米則坐在後座。

光顯　　　好久沒來江華島了！英禑上大學，我們就搬去首爾了，是7年前
　　　　　嗎？格拉米，妳也是那陣子去首爾的吧？
格拉米　　喔，對。我高中畢業之後搬去首爾的。
光顯　　　怎樣，要去鎮上逛逛嗎？要去妳們以前的學校看看嗎？
格拉米　　為什麼？
光顯　　　嗯？那些都是回憶啊，妳們不好奇母校還在不在嗎？
格拉米　　不好奇耶。
英禑　　　我不好奇。
光顯　　　這樣啊？

光顯自己感到莫名可惜，英禑看向窗外。
睽違7年再次見到江華島的風景，有些陌生。

英禎　　（N）我以前在學校被人欺負，所以爸爸帶著我搬到了江華島，因為他覺得在偏鄉小校上學，情況應該會好一點。

S#8.　和文高中操場（室外／白天）- 過去

10年前。
這間高中全校學生加起來才約一百多人，操場也是小小一圈。
43歲的光顯蹲下身來，看著17歲的英禎說道。

光顯　　人家都說鄉下孩子單純又善良，會沒事的，這裡跟首爾不一樣。
英禎　　好。

英禎看也不看光顯，毫不在意地點了點頭。
和現在的英禎相比，10年前的英禎自閉症狀嚴重許多。
眼神處理、肢體動作、聲音、語調，甚至是不合身的制服，一切都鬆鬆垮垮的。

光顯　　妳直接去教務室，班導師會在那裡等妳。
英禎　　好。

英禎走向學校那棟建築物，步伐比現在更加不協調，她遠去的背影彷彿一隻剛出生的小鹿走向虎穴，光顯甚是心疼。

英禎　　（N）情況並不會因為來到鄉下而有所不同。我在學校被叫做「低能兒」，在同學們之間，流行著一種以我為對象的惡作劇，也就是「喔，抱歉！」的遊戲。

S#9. 和文高中教室（室內／白天）- 過去

下課時間，英禍在座位上打開牛奶紙盒。

正準備放到嘴邊要喝的時候，**同學1**（女）經過英禍，用力撞了英禍，英禍的臉上和身體都灑滿牛奶。

同學1　喔，抱歉！

同學1開心地笑著經過英禍。

S#10. 和文高中走廊（室內／白天）- 過去

英禍走在走廊上，**同學2**（男）伸出腳。

喱嘟嘟！英禍重重摔了一跤。

同學2　喔，抱歉！

同學2和他身邊的男同學噗哧笑著。

S#11. 和文高中學生餐廳（室內／白天）- 過去

英禍拿著餐盤，找到空位正準備坐下時，**同學3**（女）在後面伺機把椅子往後拉。

喱嘟嘟！英禍朝後摔倒，餐盤上的食物也都濺到英禍身上，英禍被熱湯燙到顫抖。

同學3　喔，抱歉～

同學3和她的朋友們看著英禍大笑。

S#12. 和文高中教務室 (室內／白天) - 過去

英禑正襟危坐在教務室飲水機旁的一張小椅子上。

英禑　　（N）我必須找到一個安全的地方，所以下課時間我都躲在教務室⋯

教師1（30多歲／女）走向飲水機這裡，看到英禑嚇了一跳。

教師1　嚇死我了！妳怎麼老是來這裡～坐在那裡不會不舒服嗎？
英禑　　不會，我沒事。

教師1往裝有三合一咖啡的杯子裡押入熱水，英禑熟練地將飲水
機旁邊的茶匙遞給教師。

S#13. 和文高中警衛室 (室內／白天) - 過去

並坐在警衛室板凳上的英禑和**警衛叔叔**（50多歲）。
英禑吃著從家裡帶來的海苔飯捲，警衛叔叔吃著碗裝泡麵。

英禑　　（N）午休時間我則是會逃到警衛室。

S#14. 和文高中教室 (室內／白天) - 過去

教室裡，一位窈窕纖瘦的**實習老師**（20多歲／女）正在上課。

英禑　　（N）但是不管我再怎麼逃，還是無法阻止上課時間在教室裡發
　　　　生的事。

坐在英禑隔壁的**同學4**（女），遞給英禑一張紙條，並對英禑說

了幾句悄悄話，坐在後排的17歲格拉米看著英褚和同學4的互動，同學4推了英褚的背，催促她趕緊行動，英褚舉起了手。

實習老師 有什麼問題嗎？

英褚站起身。
同學4在一旁用眼神表示「加油！」

英褚 是，我有問題。

實習老師 嗯～什麼問題？

英褚 請問實習老師，妳是去哪裡…（看著同學4給的紙條）做雙眼皮手術的呢？

同學們哄堂大笑。
慌張的實習老師氣到臉頰通紅。

英褚 妳好像還開了眼頭，是在同一間診所做的嗎？妳的手術好像做得很成功，同學們都很好奇。

英褚的每一句話都讓同學4與其他人哄堂大笑，只有格拉米沒有笑。
實習老師氣得臉紅脖子粗，走向英褚給了她一巴掌，英褚嚇得摸著自己的臉頰。
學生們安靜下來，實習老師喘著氣走出教室，英褚似乎感到很慌張，左右搖晃身體，並用右手壓住左手手背。
英褚的呼吸漸漸急促。

同學4 喔，抱歉！我以為全校第1名問問題，應該不會被罵～

格拉米突然起身，搶過英禑手上的紙條來看。

上面如塗鴉般寫著「雙眼皮手術、開眼頭、診所」等字眼。

格拉米直接給了同學4一巴掌。

格拉米　　（模仿同學4的聲音）喔，抱歉！我以為妳的腦袋是石頭做的，被打
　　　　　應該也不會痛。

同學4　　妳說什麼！這個神經病般的女人！

格拉米　　（模仿同學4的聲音）妳說什麼！妳這個下輩子會投胎變成鼓被鼓棒
　　　　　瘋狂暴擊的女人！

同學4　　什麼…？

同學5　　妳幹麼幫她出頭？妳們在交往嗎？

同學5（男）的一句話讓全班同學大笑。

格拉米突然搬起椅子，朝著全班同學作勢要砸椅子。

格拉米　　沒錯！我們在交往！低能兒跟神經病交往，有誰不爽，放馬過來！

格拉米的氣勢看起來真的會把椅子摔出去，同學們猶豫著是否
要跟格拉米槓上。

英禑看著這樣的格拉米。

英禑　　　（N）格拉米在學校被稱作「神經病」。

S#15.　KTV走道（室內／白天）- 過去

教師2（40多歲／男）抓住格拉米的後頸，把她從KTV包廂拖到走道上。

格拉米　　啊啊啊啊！很，很痛啦！

教師2要格拉米站在牆邊，準備開罵。

教師2　妳是來KTV上學的嗎？妳以後再有一次上課時間來KTV被我抓到
　　　　就死定了！知道嗎？
格拉米　我知道了啦。
教師2　還敢放肆！老師在問話，學生只能用「請、是、好」回答，知
　　　　道了嗎？
格拉米　是，知道了啦。
教師2　什麼…？妳不好好回答嗎？
格拉米　我就說我知道了嘛！
教師2　妳這傢伙！

教師2大力打著格拉米的背。

英禑　　（N）老師讓董格拉米去不了KTV，於是董格拉米把唱歌的地點
　　　　改到了…

S#16. 和文高中廣播室（室內／白天）- 過去
　　　　廣播室裡的廣播設備一應俱全。
　　　　格拉米走進廣播室，鎖上門

英禑　　（N）學校的廣播室。

　　　　格拉米因為不熟悉廣播設備，一邊摸索一邊開啟麥克風、播放
　　　　音樂，開始演唱2NE1的《I AM THE BEST》。

S#17. 和文高中教室 （室內／白天）- 過去

教師2正在授課的教室裡。

教室廣播系統突然響起了音樂聲，包含英禑在內的所有人都大
吃一驚，緊接著便傳來格拉米宏亮的嗓音。

格拉米　　（聲音）我最棒～我最棒～我最最最棒～

教師2　　那個！那個神經病傢伙！成何體統！

與氣到舌頭打結的教師2相反，同學們笑到無法自拔。
英禑也噗哧一笑。

S#18. 公車站 （室外／白天）- 過去

已經超過上學時間好一陣子的上午
英禑正襟危坐在公車站的長椅上。
格拉米從剛進站的公車走下來，英禑站了起來。

英禑　　嗯…妳遲到了48分鐘。

格拉米　　喔，那又怎樣，我本來高興什麼時候上學就什麼時候來。

格拉米開始往前走，英禑也跟在後頭，這似乎讓格拉米看不順
眼，突然停下腳步，回頭看向英禑。

格拉米　　妳是怎樣，為什麼要跟著我？

英禑支支吾吾，無法好好回答這個問題。
格拉米再次往前走，英禑又跟在後面。

格拉米　喂，妳到底為什麼要跟著我！

英禍　　跟妳在一起的話…我會很安全。

格拉米聽到英禍這麼誠實的回答，莫名不知如何接話。

暫時思考了一下，

格拉米　那我呢？我跟妳在一起能獲得什麼好處？

英禍　　（深思熟慮）我可以成為妳的朋友，妳不是沒朋友嗎？

格拉米　哇～真是讓人啞口無言，我居然從低能兒口中聽到這句話。

　　　　哇～董格拉米還真可憐。

格拉米再次往前走。

走了好一陣子，英禍都還沒跟上，格拉米回頭一看，

格拉米　喂，妳在幹麼？不是說遲到了嗎？

英禍跟上格拉米的腳步，兩人一起走著。

S#19.　同三的家（室外／白天）

十年後的現在。

光顯的車子抵達同三的農家住宅。

英禍、格拉米和光顯下車，走進大門。

S#20.　同三家的客廳（室內／白天）

因心力交瘁而變得消瘦的同三，翻開切結書遞給英禍，英禍仔
細閱讀。

光顯	怎麼樣？
英祿	跟格拉米說的一樣，這份切結書對董同三先生非常不利。尤其是領取補償費時，要由董同三先生全額負擔所課徵的稅金，這部分更是致命性的不利條款。
光顯	（拿過切結書自己看）切結書本身有任何不夠完善的瑕疵嗎？
英祿	沒有，這是一份充分具有法律效力的切結書。

同三和恩靜深深嘆息。

英祿	請問你為什麼會同意簽下這種切結書？
同三	其實，與其說是我自願同意簽名的…
恩靜	他本來就不敢違背哥哥們說的話，跟父母比起來，他好像更害怕他那兩個哥哥，把哥哥的話當作法條來服從。
光顯	請問哥哥們有威脅你嗎？
同三	唉唷，我兩位哥哥不是那種人，他們都是畢業於首爾的大學，跟我不一樣，說話都輕聲細語，很有教養。
格拉米	有教養的人會鬼話連篇，騙走弟弟的錢嗎？
英祿	鬼話連篇？什麼鬼話？
同三	就是…我大哥說法律就是這麼規定的。他說根據《繼承編》，長子得到的遺產多於次子，次子多於么子。
英祿	董元斌是在1991年以前過世的嗎？
同三	不，我爸是在20年前過世的，所以是2001年。
英祿	那麼他說的就並非事實，根據1991年修訂施行至今的《繼承編》條文，繼承不分長幼、性別及婚姻狀況，所有子女都有平等繼承的權利。
格拉米	哇～看妳講得頭頭是道，我朋友就是這麼聰明！
同三	唉唷，我大哥一直說《繼承編》就是這麼規定的，不然我也不會馬上蓋章…

同三的臉上寫滿了後悔。

英禍　　真是幸好。

與當下氣氛相違的一句話，讓所有人看向英禍。

英禍　　董同一先生利用《繼承編》條文說謊，屬於法律上的欺罔行為。
同三　　欺瞞…行為？
英禍　　是…欺罔。意指違反誠實信用原則，把不實的資訊說成真的，
　　　　或是隱匿事實的行為。

同三聽不懂英禍在說什麼，心感混亂，光顯插話。

光顯　　總結來說，就是詐欺。
英禍　　根據《民法》第110條，因被詐欺或脅迫做成的意思表示，是可
　　　　以撤銷的。董同一扭曲《繼承編》條文，這是「詐欺」行為，
　　　　如果考量到董同三先生平常就對哥哥們心感畏懼，甚至還能主
　　　　張你受到「脅迫」，如此一來，就有可能撤銷切結書。

英禍的一席話讓恩靜和格拉米的表情明朗了起來。

同三　　那麼就代表我必須要對哥哥們提起告訴嗎？
英禍　　「告訴」只適用於刑事案件，這種狀況應該要說「起訴」。

同三嘆氣。

光顯　　怎麼了？你有什麼顧慮嗎？
同三　　因為這樣就必須和哥哥們在法庭上對簿公堂。

格拉米　哇～我這個老爸被騙得這麼慘，還是不願意看清耶！那就背債啊！錢都讓伯父們分走，爸媽就負責還一輩子的債吧！

同三　妳這傢伙，怎麼這樣跟爸爸說話！

恩靜　女兒說的一點都沒錯！你只擔心你的哥哥們，都沒為我們著想嗎？

同三嘆氣思考著。

同三　好，那就上法庭吧。現在我該怎麼辦？英褙願意擔任我們的律師嗎？

光顯　當然！你們又不是外人，這可是格拉米家裡的事。（對英褙說）對吧？

格拉米　是啊！妳要眼睜睜看著唯一朋友的爸爸，被他的哥哥們設局騙個精光，最後淪為乞丐嗎？

光顯和格拉米想著「就是現在！」再次進行遊說，但是英褙很頑強。

英褙　不，我已經不再是律師了，但是我可以幫忙介紹律師給你們。

S#21.　汪洋法律事務所（室外／白天）

格拉米一邊和英褙通話
一邊走到汪洋法律事務所的大樓門口。

格拉米　哇——該死！你們公司超大的！

英褙　（聲音）喔，很糟吧，進去的時候要小心。

格拉米雄糾糾氣昂昂地朝著旋轉門前進，「哎唷，該死！」卻

在旋轉門多轉了一圈才好不容易進入大樓，就像怕別人不知道
她是英禑朋友一樣。

S#22. 明錫的辦公室（室外／白天）

格拉米抵達明錫的辦公室門口。

格拉米　喔，找到了！鄭明錫！

英禑　（聲音）走進去，記得敲門。

格拉米在敲門之前已經打開門，停頓在門口。

格拉米　敲門？我沒敲耶。

英禑　（聲音）喔…

格拉米　但是他不在，一個人也沒有。

如同格拉米所說，明錫的辦公室空無一人。

英禑　（聲音）那妳去訟務組找李濬浩。

格拉米環顧四周，發現天花板上懸掛著「訟務組」的標誌。

S#23. 汪洋法律事務所11樓走道（室內／白天）

格拉米走向訟務組，繼續和英禑講電話。

格拉米　但是我要怎麼知道李濬浩是誰？這裡人多到不行。

英禑　（聲音）嗯…李濬浩很受歡迎。

格拉米	唉唷，我要怎麼憑著受歡迎找到人？妳要告訴我他的特徵啊。
英禑	（聲音）他的特徵是人高馬大，還有…
格拉米	人高馬大，還有？
英禑	（聲音）長得很帥。

格拉米看見了兩位在走道上講話的高個子男生，是濬浩和敏宇。

格拉米	咦？找到了！我先掛電話。

格拉米掛斷電話，立刻走向敏宇。

格拉米	李濬浩先生？
濬浩	我是李濬浩。
格拉米	（詫異）咦…？真的嗎？
敏宇	（對濬浩說）那就拜託你了！

那位在格拉米看來，人高馬大而且長得很帥的男生漸漸走遠，
格拉米看著敏宇的背影，表情莫名露出遺憾。

濬浩	請問妳有什麼事嗎？
格拉米	喔，英禑叫我來找你。
濬浩	什麼？
格拉米	英禑，禹英禑。

「禹英禑」這幾個字讓濬浩非常驚訝。

濬浩	妳跟禹英禑律師很熟嗎？
格拉米	對，我們是朋友。

濬浩	禹英禑律師最近過得好嗎？

因為擔心英禑，濬浩的表情變得十分認真。
「什麼啊，這個人對禹英禑有意思嗎？」格拉米留意地看著濬
浩。

格拉米	這個嘛，她過得很好，本來英禑是叫我去找鄭明錫，但是他不在辦公室…

此時，剛外出辦公回來的明錫走向兩人。

濬浩	鄭明錫律師來了。

S#24. 禹英禑飯捲（室內／白天）

英禑穿著繡有「禹英禑」字樣的圍裙，拿著放有飯捲和湯的托盤幫忙送餐。因為湯盛得太多了，英禑害怕翻倒，所以一步一步緩慢地走著，坐在椅子上看著這一切的**客人**（20多歲／男）內心也跟著忐忑不安。英禑好不容易抵達桌旁，徐徐放下托盤。

英禑	這是你點的蟹肉海苔飯捲。
客人	好的。

客人伸手夾蟹肉飯捲的那一刻，
英禑忍不住補了幾句話。

英禑	嚴格來說…這其實不是蟹肉海苔飯捲。
客人	什麼？

英禊　　　蟹肉海苔飯捲是用蟹味棒做的，但是蟹味棒的主要成分是鱈魚肉，並不是蟹肉，所以我建議重新命名為「蟹味棒海苔飯捲」⋯

光顯趕緊跑來向客人道歉，並把英禊支開。
英禊放在櫃檯的手機響起震動。
是格拉米打來的電話。

光顯　　　工讀生，不要多嘴，去接妳的電話吧。

英禊接起電話。

英禊　　　喂？
格拉米　　（聲音）我現在跟鄭明錫，不對，是在鄭明錫律師旁邊⋯但是他說不行。
英禊　　　什麼？
格拉米　　（聲音）他說他不會幫我辯護。

S#25.　明錫的辦公室（室內／白天）

明錫坐在椅子上，濬浩坐在沙發上。
格拉米拿著手機，在她與明錫之間踱步。

明錫　　　我不是不肯幫忙⋯我說過了，這樁案件的勝訴機率微乎其微。
格拉米　　就是那個意思嘛。
英禊　　　（聲音）他為什麼不幫忙？
格拉米　　喔，我不知道，煩死了，他說可能會敗訴。

CUT TO：

飯捲店。

英禑感到慌張，光顯在一旁裝作沒看到，卻悄悄觀察著英禑的
臉色。

英禑	被詐欺或脅迫作成的意思表示是可以撤銷的，妳有跟他說過嗎？還有董同一先生的欺罔行為，妳有告訴他嗎？
格拉米	（聲音）被詐欺或脅迫…什麼？
英禑	根據《民法》第110條啊。
格拉米	（聲音）喔，他說他知道《民法》，但是行不通。
英禑	為什麼？

明錫說話的聲音透過手機窸窣傳進英禑耳裡，格拉米一字一句
完整轉達明錫說的話。

格拉米	（聲音）他說禹英禑律師是…對於實務一無所知的…菜鳥耶？
英禑	什麼？
格拉米	（聲音）你們兩個自己談啦。

CUT TO：

明錫的辦公室。

格拉米把手機轉為擴音模式，放在明錫的辦公桌上。

明錫	禹英禑律師，我光是在汪洋的工作經歷就長達14年了…妳知道是什麼東西，讓擁有14年律師資歷的我感到最為難嗎？
英禑	（聲音）嗯…旋轉門？
明錫	什麼？

與聽不懂英禑在說什麼的明錫不同，瞭解英禑對通過旋轉門很

有障礙的濬浩噗哧一笑。

明錫　　是「委託人已經簽名用印的文件」。法學院畢業證書上的墨水
　　　　都還沒乾的菜鳥是不會懂的，這種切結文件有多可怕。

CUT TO：
再次回到飯捲店。

英禑　　雖然董同三先生的確已經用印了，但是針對他哥哥們的欺罔行
　　　　為和脅迫情事，不能主張適用《民法》第110條的撤銷規定嗎？
明錫　　（聲音）有證據嗎？
英禑　　什麼？
明錫　　（聲音）妳要怎麼舉證欺罔行為和脅迫情事？

英禑無話可說，沒辦法給出回答。

明錫　　（聲音）我不會接手這樁案件，如果妳還有話要說，請妳自己
　　　　來公司。

明錫掛斷電話。
英禑拿著已被掛斷的手機，表情呆滯。

光顯　　不大順利嗎？妳要去公司一趟嗎？
英禑　　嗯，好像要去公司一趟。

光顯像是期盼已久般，
拿出準備已久的英禑外套。

英祻	喔…什麼時候…？
光顯	快去吧。

S#26. 汪洋法律事務所員工餐廳（室內／晚上）

格拉米、瀋浩、明錫與新進律師們一起用餐。

格拉米因敏宇的帥氣心動，食不下嚥。

她發現英祻穿著「禹英祻飯捲」的圍裙，似乎是只套上外套跑出門了，站在員工餐廳入口左顧右盼。

格拉米	（揮手）咦！禹英祻英祻！
英祻	喔，董董格拉米。

英祻的登場，讓在場所有人各懷心思。

看到英祻上鉤，內心感到喜悅的明錫、開心看到英祻回來的秀妍，見不慣英祻突然出現就吸引目光的敏宇，非常開心卻努力裝作若無其事的瀋浩。

格拉米看到瀋浩那樣的表情，更加確定「喔，這個人喜歡禹英祻耶！」

秀妍	（開心地大步上前）禹英祻！妳吃過飯了嗎？
英祻	還沒。
明錫	（看著圍裙）「禹英祻飯捲」？妳遞辭呈也不過幾天，這就去創業啦？
英祻	如果不能撤銷切結書，董同三先生將會背負數億韓元的債務，我不能眼睜睜看著唯一朋友的爸爸，被他的哥哥們設局騙個精光，最後淪為乞丐。

秀妍因為「唯一朋友」這幾個字，莫名有點失落，看向積極點頭附和英禑的格拉米。

英禑　　如果鄭明錫不願意接手這樁案件，那我會拜託崔秀妍或權敏宇律師幫忙。

明錫　　崔秀妍或權敏宇接了也無法勝訴，明知會敗訴的案件，妳應該自己接受委託，為什麼要推給同事？這麼不負責任啊？

英禑　　因為…我已經不當律師了。

敏宇乾笑，覺得英禑的這句話令人無言。

明錫　　為什麼？為什麼不當律師了？再怎麼說，這裡在場的人至少都和你一起…在同一個團隊共事了幾個月，連為什麼辭職都沒跟我們說清楚，只留下一張辭呈就走，這不合理吧？

英禑無話可說，回頭看著不久前還一起共事的同事們，格拉米也跟著看向汪洋一行人。

明錫　　因為我沒有聽到正式的辭職事由，所以還無法受理辭呈，禹英禑律師依舊是汪洋所屬律師，而且無故曠職多日。

敏宇不知為何，對現在這個情況非常反感，無法忍受。
敏宇突然從座位上站起來。

敏宇　　我先離開了。

明錫　　（對敏宇點頭後，對英禑說）既然情況緊急，這樁案件就由妳來負責。我會以資深律師的身分陪同出庭，但是我只會旁觀，不會出手幫忙，也不會干涉，辭職的事之後再說吧。

S#27. 汪洋法律事務所1樓大廳 (室內／晚上)

英禑站在大廳，依然穿著「禹英禑飯捲」的圍裙。
剛才在找英禑的濬浩開心地走近英禑。

濬浩　　禹英禑律師！
英禑　　是。

濬浩喊住英禑後，其實也沒什麼重要的話要說，欲言又止。

濬浩　　很可惜這段時間沒能和妳一起吃午餐。
英禑　　（不知道該怎麼回答，猶豫了一下）是。
濬浩　　妳剛才有進辦公室嗎？我在妳辦公桌上放了個東西。
英禑　　喔？那個…
濬浩　　（期待）妳打開了嗎？
英禑　　那個…我不知道是你給的，直接丟進垃圾桶了。
濬浩　　（衝擊）喔…已經…還真快。

格拉米從1樓洗手間出來，向英禑走去。

格拉米　禹英禑，走吧！
英禑　　嗯。（對濬浩說）再見。

英禑對濬浩鞠躬致意。
濬浩的臉上寫滿了可惜，而格拉米當然沒有錯過濬浩的表情。

S#28. 法庭 (室內／白天)

第一次言詞辯論期日。

包含**審判長**（50多歲／女）在內，法官席共有3位法官，原告席有原告同三、原告代理人英禛和明錫，格拉米和恩靜坐在旁聽席；被告席有被告同二，與被告代理人**李秉周**（50多歲／男），同一坐在證人席。

審判長　原告代理人，請詰問被告。

英禛從座位上起身走向同一。
坐在旁聽席的格拉米以焦躁的表情看著英禛。

英禛　被告曾對原告說「我們以長子5成、次子3成、么子2成的比例分配土地補償費。」這是事實嗎？

同一　是的。

英禛　當原告猶豫不決時，被告說過「根據《繼承編》條文規定，長子得到的遺產多於次子，次子多於么子，我有詢問過專業律師。」這是事實嗎？

同一　不，我不記得了。

同一說謊不打草稿地為自己開脫。
雖然英禛有預料到會發生這樣的事情，但是實際遇到，還是很令人慌張。

英禛　被告，請你據實以告。如果做出虛偽陳述，會受到處罰。

秉周　我有異議，原告代理人以不正確的法律知識威脅被告。

英禛　不正確的法律知識？

秉周　被告身為民事訴訟的當事人，不得作為證人，因此他不會因為做出虛偽陳述而被判偽證罪。這是大法院的判決，我看妳是沒做功課吧？

英褐	請問被告代理人現在是承認被告在說謊嗎？
秉周	不，我是在提醒妳，不要用不正確的法律知識威脅被告。
英褐	即使是訴訟當事人，只要作出虛偽陳述，法院仍得對其裁定處以罰鍰，這是根據《民事訴訟法》第370條第1項規定，你沒有做功課嗎？

現場氣氛白熱化，審判長嘆了口氣。

審判長	好了，請各位冷靜一下。被告，無論處罰與否，既然你都出庭受審，就請務必如實陳述，知道嗎？
同一	是。
審判長	我再問你一次，「根據《繼承編》條文規定，長子得到的遺產多於次子，次子多於么子，我有詢問過專業律師。」你有對原告說過這些話嗎？

同一瞥向同三。
同三迫切的眼神，似乎是希望同一說出真相。

同一	我沒有說過。
格拉米	（突然起身）伯父！不要鬼扯！
審判長	請坐下，董同二先生也在場對吧？你大哥說的是事實嗎？

同二感到很為難，低下了頭。

格拉米	（對同二說）伯父！
審判長	請保持肅靜，要是再喧鬧，我會依程序請妳離開。董同二先生，請回答。
同二	關於《繼承編》條文如何規定…我們沒有說過那些話。我大哥

說的都是對的。

同三把哥哥們厚臉皮說著謊的模樣看在眼裡，哭了出來，英禑
垂下了肩。
在一旁看著這一切的明錫嘆了口氣。

審判長 　原告，我知道這份切結書的內容對你很不利，但是你必須提出
所證資料，來證明這份切結書是在被詐欺、脅迫之下所作出的
意思表示，請你們拿出證據來。

S#29. **法庭門前走道** （室內／白天）

開庭結束後，法庭的門口。
英禑和明錫、格拉米和同三、恩靜出來後，看到同一、同二站
在走道上。

同二 　跟哥哥們打官司開心嗎？你被金錢欲望蒙蔽雙眼了嗎？

同一 　如果父母在天之靈看到這個情況，一定會被嚇到死而復生吧！

格拉米 　他們在說什麼？死而復生可不是太棒了嗎？

格拉米壓不住內心怒氣，對著同一和同二遠遠走去的後腦杓大
喊，明錫看不下去，開口詢問。

明錫 　真的沒有足以作為證據的東西？像是哥哥們傳的威脅訊息，或
是通話錄音檔案，還是看見事發經過的目擊證人…什麼都好。

同三 　當然沒有，他們突然闖進我家門，不由分說地拿出切結書…

恩靜 　那個，說不定…里長會不會有聽見什麼？

同三 　真奕嗎？哥哥們來家裡的時候，真奕不是離開了嗎？

恩靜	以里長的個性…他會直接離開嗎？他應該會很好奇你跟哥哥們在聊什麼吧。
同三	話是這麼說沒錯…以真奕的個性，不可能直接走掉，他一定會躲起來偷聽！

找到新希望，所有人的表情都開朗了起來。

S#30.　**真奕家的庭院**（室外／白天）

江華島的農家住宅。
哐哐！哐哐！聽到大門外傳來敲門聲，真奕走出家門。

同三	真奕！真奕！

真奕打開大門，看見同三、恩靜、格拉米、英禍以及瀋浩站在門外，嚇了一跳。

S#31.　**真奕家的客廳**（室內／白天）

一行人以真奕為中心圍坐，客廳裡擠滿了人。

同三	你那天不是有來我們家修補屋頂嗎？
真奕	嗯，有啊。
同三	我哥哥們突然來訪，你沒能完成工作。
真奕	嗯，對啊。
同三	那你當時直接回家了嗎？
真奕	什麼？
同三	你沒有稍微聽一下我跟哥哥們的對話嗎？

真奕驚訝到眼神閃爍。

格拉米　拜託！拜託你說你有偷聽，求求你！
真奕　　唉唷，你在說什麼，我不是那種會偷聽的人。

除了真奕以外，所有人都感到失望的此時，

真奕　　但我當時剛好在重新綁鞋帶，稍微聽到裡面的聲音，我認為你
　　　　們家天花板沒什麼問題，反而是隔音比較有問題。
同三　　這樣啊？你綁鞋帶的時候聽到我們的對話了嗎？有沒有聽到關
　　　　於《繼承編》條文的內容？
真奕　　唉唷，我聽到那一段，差點氣到衝進來，你都沒在看電視的
　　　　嗎？怎麼這麼好騙啊？

開心之餘，同三緊緊握住真奕的手。
所有人的表情都開朗了起來。

同三　　謝謝！謝謝你！感謝你重綁鞋帶！

S#32.　真奕的家（室外／白天）

真奕家門口。
英禔和格拉米準備坐上潗浩開來的汪洋公務車。
同三和恩靜站在一旁送行。

同三　　開到首爾這麼遠，應該很辛苦，路上小心。
英禔　　再見。

232

格拉米突然想起了什麼，關上已打開的車門。

格拉米 （大聲地像是故意要講給誰聽）喔，我明天再回去！今天要跟我爸媽住。

恩靜 （開心）唉唷，妳要留下來啊？

格拉米搭住濬浩的肩膀，開始竊竊私語著什麼。

格拉米 落日村距離這裡半小時車程，那裡以夕陽聞名。

濬浩 什麼？

格拉米 江華島約會、落日村，我就不當電燈泡了。

濬浩 什麼？

格拉米 加油！

格拉米拍拍濬浩的肩膀。
濬浩愣在原地。

S#33. 車（室內／白天）

開往汪洋的車內。
濬浩開著車，偷偷瞥著坐在副駕駛座的英禑。

濬浩 我第一次來江華島。

英禑 （不知道要回答什麼，停頓了一下）是。

兩人陷入了沉默。

濬浩 妳今天還有其他行程嗎？

英禑   沒有。

        濬浩欲言又止、猶豫不決，終於鼓起勇氣，

濬浩   那麼…要去落日村嗎？

S#34. 江華島落日村 (室外／晚上)

傍晚，江華島長花里的落日村。
潮汐灘以外就是一望無際的大海。
英禑和濬浩走在堤路上。

英禑   西海常見的鯨豚類是「印太江豚」，牠們通常生活在淺海，印
        太江豚的嘴巴又粗又短，背部的曲線微微隆起，臉型看起來就
        像在微笑一樣…很可愛。
濬浩   （微笑）禹律師，妳親眼看過鯨魚嗎？
英禑   不，我沒有看過。
濬浩   （訝異）這樣啊？妳沒有去過水族館嗎？

        英禑像是聽見了不該聽的話，突然停下腳步。
        濬浩還搞不清楚狀況，也跟著站在原地。

英禑   （悲壯）對鯨魚來說，水族館就是監獄。牠們被關在狹小的水槽
        裡，只能吃冷凍魚類，被迫全年無休地不斷表演，那是奴隸制
        度。海豚的平均壽命多達40年，但是在水族館裡卻普遍活不過4
        年，你知道牠們承受多大的精神壓力嗎？
濬浩   喔…是啊，我都不知道。

濬浩多此一舉地提起水族館的話題，被罵得很難為情。
英禑再次往前走，濬浩緊跟在後頭。

英禑　聽說如果去西歸浦市大靜邑，經常能看到三腳、春三和福順，
　　　跟海豚寶寶們一起游泳的模樣。
濬浩　三腳、春三和福順嗎？
英禑　牠們都是印太瓶鼻海豚，曾被圈養在水族館裡表演海豚秀，後來經
　　　大法院判決，放歸濟州島大海。總有一天…我一定會去看牠們。

夕陽西下，兩人都暫時不說話，安靜地走著。
被日落染紅的神祕天空籠罩著英禑和濬浩。

濬浩　那個，禹律師，如果妳不介意，我可以請問妳為什麼不當律師
　　　了嗎？
英禑　喔…
濬浩　妳經過上次案件後就遞了辭呈，我很擔心，常常想起那次我們
　　　去現場調查，我學妹對妳說錯話的事…我內心很沉重。
英禑　因為當我身為「律師禹英禑」工作時，在人們眼裡，我似乎依
　　　舊只是…「自閉症人士禹英禑」。

超乎預期的直率回答，讓濬浩大吃一驚，看向英禑。

英禑　自閉症人士禹英禑…就是個邊緣人，跟我站在同一邊會輸的，
　　　我還是自己退出比較好。
濬浩　我想跟妳站在同一邊。

這次則是英禑大吃一驚，看向濬浩。

235

| 濬浩 | 我希望像妳這樣的律師，能夠跟我站在同一邊。 |

濬浩的帥氣臉龐對著英禑微笑。
英禑有一點心動。

S#35.　明錫的辦公室（室內／晚上）

敏宇站在明錫辦公桌的正對面。
似乎有點猶豫，卻又下定決心，

敏宇	我有件事想請教。
明錫	嗯，你說。
敏宇	禹英禑律師會受到懲處嗎？
明錫	懲處？
敏宇	她無故曠職很長一段時間，據我所知，她目前也還沒來上班。她不但沒有落實基本的差勤管理，也只挑自己想接的案件負責，同樣身為新進律師，這讓我看了很不是滋味。
明錫	（點頭）我能理解你的想法，不過這是因為我還沒處理禹英禑律師遞出的辭呈，才會暫時出現這種狀況，我會抽空盡快處理。
敏宇	請問為什麼還不處理她的辭呈呢？

稍微越界的提問，讓明錫直視著敏宇，敏宇像是要辯解自己提問的動機，多補充了幾句話。

| 敏宇 | 當然，我可以理解因為禹英禑律師是身心障礙人士，所以她享有特別待遇，但是… |
| 明錫 | （打斷）這不是特別待遇…在我看來，禹英禑律師的工作表現很好啊？我很欣賞她對案件執著的態度，以及極具創意的思維， |

仔細觀察的話，我相信禹英禑律師身上一定也有你能學習的地方，本來同事之間就是要相互學習、切磋砥礪嘛。

「禹英禑律師身上一定也有你能學習的地方」這句話讓敏宇的表情僵硬。

S#36. 法庭（室內／白天）

第二次言詞辯論期日。

真奕穿著過季的西裝、梳起頭髮，坐在證人席，英禑詰問真奕。

英禑　　當兩位被告拜訪原告家，導致你無法繼續修補屋頂時，請問你有馬上回自己家嗎？

真奕　　沒有。

英禑　　那麼請問你在哪裡，做什麼呢？

真奕　　我坐在同三家門口的石階上重綁鞋帶。

英禑　　在你重綁鞋帶的這段時間，請問你有聽到原告和兩位被告在屋裡的對話嗎？

真奕　　沒有。

英禑　　什麼？

真奕　　我說我沒有聽到。

英禑　　沒有聽到嗎？

真奕　　照常理來說，我在屋外，同三和他哥哥在屋內，怎麼可能聽得到嘛。

看到真奕泰然自若地說著和先前不同的說詞，同三和格拉米大吃一驚，同一和同二咯咯笑著。

英禑	證人，之前原告問過你相同的問題，你明明說你有聽見對話內容，為什麼突然改變說詞？
真奕	不是嘛～當時是因為同三希望我往那個方向回答…我感受到他想要我回答什麼，所以就那麼說了，其實我什麼都沒聽到。

真奕以「我表現得不錯吧？」的眼神看向同一。

同一的臉中藏不住微笑，微微點頭。

同三看著這一切，察覺到真奕和同一之間似乎進行了某種交易，暗自嘆息。

英禑	我方詰問完畢。

英禑拖著搖搖晃晃的背影走回原告代理人席。

S#37.　毛怪家餐酒館（室內／晚上）

今天依舊沒有客人的毛怪家餐酒館。

英禑和格拉米並坐在吧檯座位。

格拉米拿起放在英禑面前的啤酒大口大口地喝著。

敏植	唉唷，不要喝了啦～哪有工讀生一直搶客人的啤酒喝？
格拉米	反正她也不喝，我是在提高營業額！
敏植	（對英禑說）要倒一杯新的啤酒給妳嗎？
英禑	不用了沒關係。
格拉米	天啊，我要被氣死了！一個鬼話連篇、一個信口胡謅，這個該死的只有鬼扯才能存活的美麗生態系…
英禑	對不起，我沒想到會有人在法庭上撒謊，我應該要先找到確切的證據…
格拉米	妳要怎麼找到不存在的證據？錯就錯在我爸媽完全沒有錄音，

唉，該死的證據！我又不能自己製造證據。

英禑　　嗯…製造證據？

英禑靈光一現，眼神閃閃發光。

INSERT：
三隻海豚充滿力量地躍出湛藍的海面。

S#38. 同一家的客廳（室內／晚上）

元斌的祭祀當天，在大樓住處客廳正中間擺設了祭桌，同二在倒酒，同一行禮。
同一和同二的家人穿著正式服裝，在後方排列站著。
此時，哐哐哐哐！眾人聽見玄關門外傳來的敲門聲。

格拉米　　（聲音）爺——爺——！！！孫女來囉！

同一的妻子打開玄關門。
格拉米、同三及恩靜走進屋裡。
格拉米拿著一大瓶清酒，大口大口地喝著。
渾身酒味，濃重刺鼻。

同一　　妳這是在幹麼？今天是爺爺的祭祀！

格拉米　　喔，抱歉～

同一　　真是有其父必有其女，沒教養的傢伙們！

格拉米　　果然！真不愧是我的伯父！非常有教養的董同一先生！我很尊敬您！您是我的人生導師！（誇張地模仿同一的聲音）「法律本來就是這樣規定的～《繼承編》就是這樣寫～這是專業律師告訴我

的～」結果呢，一上法庭（誇張地模仿同一的聲音）「這個嘛，我不記得了。」人生只活那麼一次！就要像董同一這樣厚臉皮地活著！這樣才能賺到50億韓元！

格拉米的挖苦讓同一氣得臉紅脖子粗。
站在後方的其他家人全都驚訝到瞠目結舌。

同二　妳瘋了嗎？妳現在到底在搞什麼？

格拉米　喔，我知道了～小的遵命～（誇張地模仿同二的聲音）「我大哥說的都對！大哥是正確的！」（假裝拿著麥克風遞給同二）我說大！你說哥！大！哥！大！哥！

這次換同二氣得臉紅脖子粗。

同一　（盡力壓抑怒火）董同三！把你女兒拖走，立刻！

同三　為什麼？格拉米有說錯什麼嗎？

同二　喂！董同三！

格拉米　伯父們！你們詐騙我爸是事實啊，你們欺負他是個只懂種稻的農夫，把他當作草包，嫌棄得一無是處！100億韓元的補償費，你們分別拿走50億和30億韓元，我爸卻還要扛2億6千萬韓元的債務，世界上哪有（發音像髒話）這種狗屁不通的《繼承編》法條？唉唷，該死的贈～與！

同一走近格拉米，用盡全力呼出巴掌。
不知道打得有多大力，格拉米被打到臉轉了半圈。
但是格拉米的臉上並沒有被打的人特有的慌張和憤怒，反而覺得一切都在計劃之中，盡力忍住嘴角邊快要忍不住的笑意。

240

同三　　你算哪根蔥，憑什麼打我女兒?!你憑什麼！！！

同一　　你說什麼？你竟敢用那種口氣跟我說話？

同三　　對！我就是說了，你們這群混蛋！你們還配當我哥哥嗎？

同三的話讓同一和同二同時翻白眼，不由分說地衝上前去毆打老么。

格拉米.　不要對我爸動手！！！

格拉米加入戰局，跟爸爸一起挨打，其他家人試圖上前阻攔，但是哥哥們的狂毆並沒有這麼容易平息。
哐啷！祭桌被翻倒，在這一片混亂中，恩靜沉穩地拿起電話報警。

恩靜　　112緊急報案中心嗎？我的大伯們正在毆打我的老公和女兒！對！現在！

S#39.　法庭（室內／白天）

第三次言詞辯論期日。審判長驚訝地看著同三的臉。
同三的臉滿是腫塊和瘀青，頭上還纏著繃帶。

審判長　原告，你受傷了嗎？

同三　　喔，是的…

坐在後方旁聽席的格拉米，狀態也是不遑多讓，雖然沒有傷得像同三那麼嚴重，但是也有多處瘀青和傷口，臉上滿是OK繃。

審判長　你的女兒也受傷了耶？

英禠 　庭上，關於他們兩位受傷一事，我方想補充提交書面資料和證據。

　　英禠起身將書面資料交給審判長。
　　同一、同二和秉周略顯緊張。
　　此時，敏宇悄悄地走進法庭，坐在旁聽席。

英禠 　前陣子兩位被告對原告及原告女兒董格拉米施暴致傷，他們的傷勢分別需要養傷兩週及一週才能痊癒。我方提交原告與董格拉米女士的診斷證明書，以及事發當時的報案紀錄作為證據。

秉周 　這場審判是為了瞭解原告與被告之間的贈與契約及其衍生問題，診斷證明書和報案紀錄與本案無關。

英禠 　並非毫不相關，在《民法》條文中，針對撤銷贈與的情況訂有明文，其中之一是…

　　已經知道「其中之一」是什麼的格拉米，安靜地在後方笑著。

英禠 　《民法》第556條第1項第1款規定，當受贈人對於贈與人或其直系血親做出犯罪行為時，贈與人得撤銷贈與契約。受贈人被告對於贈與人原告及其直系血親董格拉米女士施暴，這是被告兩人的共同行為，屬於《暴力行為等處罰相關條例》第2條第2項所規定之犯罪。因此，原告主張撤銷與兩位被告的贈與契約。

　　審判長看著書面資料，點了點頭。

審判長 　那麼意思是原告要變更請求理由嗎？

英禠 　我方維持原本的請求理由「撤銷因被詐欺或脅迫作成的意思表示」，並依據《民法》第556條第1項第1款規定，另將「撤銷贈與契約」增列為本案主要請求理由。

秉周突然起身。

秉周　等等，是原告為了撤銷贈與契約故意誘使被告施暴吧？

英禑看也不看秉周，毫不在意且冷淡地說，

英禑　你有證據支持你的論點嗎？

秉周無話可說。
明錫安靜地看著一切，嘴角不自覺地上揚。

審判長　本庭同意變更請求理由，後續將依據新增的內容進行判決。
同一　（小聲地只讓秉周聽到）這是怎麼回事？現在情況怎麼樣？
秉周　（小聲地說）搞砸了…

同一和同二表情僵硬，同三和格拉米笑咧嘴。
滿是傷痕的笑容讓他們父女倆看起來像傻瓜般開朗。
同時，來看英禑有多厲害的敏宇，看到英禑的確表現很好，內
心甚是難受，心想「薩列里[6]的心情就是這樣嗎？」
敏宇深深嘆了一口氣。

S#40.　汪洋法律事務所大會議室門口走道（室內／白天）
英禑和濬浩走向大會議室。

註釋6：薩列里：安東尼奧·薩列里（Antonio Salieri，1750年8月18日～1825年5月
7日），義大利作曲家，是與莫札特同時代的傑出音樂家。因電影《阿瑪迪斯》
（Amadeus），讓世人誤以為薩列里曾因妒忌莫札特的才華而陷害他。

濬浩　妳第一次去大會議室，對吧？

英禵　對，但是今天開會地點並不是大會議室，我不明白為什麼要去
　　　那裡。

濬浩　喔，是因為我有東西一定要給妳看

濬浩笑著打開大會議室的門。

英禵一邊好奇著「到底想要給我看什麼？」同時也一如平常，
緊閉雙眼，在心裡默數「一、二、三」調整呼吸。

S#41.　汪洋法律事務所大會議室（室內／白天）

英禵走進名副其實的大會議室。

隔著玻璃窗可以一眼眺望首爾市區內的景象。

英禵　嗯，風景很不錯。

濬浩　我要給妳看的東西在妳背後。

聽到濬浩這麼說，英禵轉向後方。

牆壁上掛著一幅相當於大會議室寬度的藍鯨畫作，濬浩想詢問
英禵的感受，看向英禵，卻發現英禵的眼神充滿了驚訝和激
動，眼裡也噙著淚水。

看到這樣的英禵，濬浩也充分理解英禵的感受，不發一語地一
起看著藍鯨，那一刻，雖然兩人都沒有看見，但是有一隻藍鯨
緩緩經過汪洋建築物外。

S#42.　汪洋法律事務所會議室（室內／白天）

不久後。

同三、格拉米和英禍並坐在一般會議室裡。
叩叩，伴隨著無力的敲門聲，同一和同二走進會議室。
囂張的氣焰消失，取而代之的是抬不起頭的狼狽模樣。

同一 同三！

同一走向同三，突然跪下。
同二也跟著大哥一起跪下。

同一 對不起。
同二 對不起，我們很抱歉。
同一 其實我們…只是虛有其表，實際上生活得並不富裕，我還在償還事業上的債務，同二也只是個領月薪的上班族，過一天是一天。當我聽到能得到數億韓元的補償費時…人心真是難以預料，對吧？我感激的心意在那瞬間消失得無影無蹤，只覺得很捨不得，我捨不得跟弟弟們平分，也捨不得拿去繳稅…所以才鬼迷心竅。
同二 格拉米…妳一定也很痛吧？伯父們對不起妳。
格拉米 是，知道了。
同三 你們起來坐著吧。

同三扶起同一和同二，請他們坐在對面的椅子上。
格拉米聽到了遲來的道歉，心裡似乎不那麼介意了，看向伯父們。

同三 （指著英禍）我們的律師說，如果依法處理，這100億韓元都是我的，有了那些錢，我們家格拉米這輩子都不用受苦了，我這個爸爸總算可以讓她過上好日子。
格拉米 你要做到啊！要讓我過上好日子啊！

同三看著格拉米，露出微笑。

| 同三 | 但是我跟你們不一樣，原本就不屬於我的錢，我絕對不會貪求，我相信父母在天之靈，也不希望我這麼做。 |

同一和同二重新燃起希望，表情也再次變得開朗。

同三	繳完稅金後剩下的錢，我們三個人平分吧，長子、次子、么子，平均分成三等分，你們覺得怎麼樣？
同一	同三，謝謝你。
同二	我們會一輩子感謝你。
英禍	我已經試算過了，原本的100億韓元核發給董同三先生時會課稅一次，其中部分金額分配給董同一和董同二先生時，會再課稅一次。100億韓元扣除所有稅金後，餘額是60億4百萬韓元，考量到實際上會有誤差，結論是董同一、董同二與董同三先生大約各可獲得20億韓元。
同一	是…謝謝。
同二	謝謝。
英禍	這是協議書，請兩位詳閱後，謹慎地簽名蓋章。

英禍將協議書遞給同一和同二，在他們簽名時，格拉米對英禍
說悄悄話。

| 格拉米 | （小聲地說）妳看這個。 |

格拉米捲起一隻手臂的袖子，手臂內側有個刺青寫著，
「《民法》第556條第1項第1款規定，當受贈人對於贈與人或其
直系血親做出犯罪行為時，贈與人得撤銷贈與契約。」

格拉米　(小聲地說) 這是拯救我們家逃過一劫的法條，我會一輩子記住！

格拉米以有刺青的手抱住英禍，用力摟緊，英禍在格拉米的懷
裡，心中滿是幸福。

S#43. 明錫的辦公室（室內／白天）

「叩叩，休息一拍，叩」這是英禍特有的機械音般的敲門聲。
熬夜工作到迎接早晨的明錫有點驚訝。

明錫　是，請進。

穿著上班服裝的英禍開門，一如往常地緊閉雙眼，在心裡默數
「一、二、三」調整呼吸後進入辦公室。

英禍　鄭明錫律師，請問我的辭職申請處理好了嗎？

明錫　還沒，我還沒處理。

英禍　那麼我可以從今天開始重新回來上班嗎？

明錫呆呆地看了英禍好一陣子。

明錫　好，就這麼辦吧。

英禍　是。

明錫　不過妳接下來都不能請特休了，因為妳曠職已經預先用掉了。

英禍　嗯…我本來就不能請特休。

英禍在這個當下，還是有餘力掌握實際狀況，對明錫行鞠躬注目
禮之後，就離開了明錫的辦公室，獨自留下的明錫噗哧一笑。

S#44.　英禍的辦公室門口（室內／白天）

英禍站在辦公室門前。

摸著從包包裡拿出，寫有「律師禹英禍」的名牌，

放上原先空蕩蕩的名牌架。

S#45.　EPILOGUE：禹英禍飯捲（室內／晚上）- 過去

幾個月前。

宣榮走進飯捲店裡。

光顯正在收班打掃，驚訝地像個石頭愣在原地。

宣榮	光顯學長，好久不見。

宣榮對光顯露出微笑。

光顯看著這個微笑，表情微妙。

光顯	韓宣榮…？

光顯認出宣榮，馬上轉變成開心的表情。

CUT TO：

光顯拿著放滿小吃和啤酒的托盤，

走向宣榮所在的位置。

宣榮	學長的女兒，有來汪洋投履歷吧？
光顯	（略有不悅）嗯。（馬上提高語調）妳怎麼連這點小事都知道？汪洋果然不一樣～公司代表還親自過目新進人員的履歷。
宣榮	就是說啊，我稍微一個不注意，他們就把學長的女兒刷掉了耶？

真是沒有挑選人才的眼光，雖然晚了點，但是請讓她來汪洋吧。

光顯甚是驚訝。
努力不因為平白無故的希望而感到開心，

光顯	妳為什麼要找已經被刷掉過一次的人⋯？你們的新進人員甄試不是結束了嗎？
宣榮	我說過了，我才一個不注意，我們人資組就出錯了。奇怪，首爾大學法學院第一名畢業，律師考試逼近滿分的律師，汪洋不錄取她，難道要讓其他律所搶走嗎？
光顯	宣榮，我女兒雖然很聰明⋯但是她有自閉症。所以才會都從法學院畢業半年了，還是待業中。
宣榮	我知道，這表示其他律所現在也做了錯誤的判斷。

聽出宣榮的提議是認真的，光顯的眼角噙著淚水。

S#46.　EPILOGUE：車 (室內／晚上) - 過去

禹英禑飯捲門口。
宣榮接受光顯的送別，坐上司機開過來的車子，宣榮一出發就用手機看著新聞報導。
在「大韓民國首位自閉症律師禹英禑」的標題之下，宣榮看見了一張照片，畫面中英禑戴著學士帽，尷尬地笑著。

宣榮	她長得很像媽媽呢。

〈完〉

「妳要成為一心只想勝訴的萬能律師，

　還是想成為揭開真相的優秀律師？」

第5集

冒失魯莽
對上
權謀詭計

S#1. **PROLOGUE：銀行總行會議室**（室內／白天）

屬於第一金融圈的某家銀行總行會議室。

業務部長**黃杜庸**（46歲／男）在五位銀行員面前簡報，投影幕上出現斗大的現金自動存提款機（以下簡稱ATM）照片，這是杜庸任職的公司——梨花自動櫃員機推出的新產品。

杜庸 梨花ATM所研發的2022年機型ATM的最大優點！

身為經驗老道的業務部長，杜庸熟練地暫停簡報，在時間上留白，但是底下的銀行員反應冷淡。

杜庸 …在說明優點之前！我想先讓各位看一些，也許會讓你們有些難為情的新聞報導。（像是準備幫病患打針的護理師）來，請看這邊～可能會有點刺痛喔。

這時候銀行員們才稍微恢復專注。

好奇到底是什麼新聞報導，紛紛看向投影幕。

杜庸按下投影機遙控器，依序跳出了三、四篇新聞報導。

「大膽銀行員，透過自動櫃員機挪用10億韓元現金」
「內部人員動鬼腦筋，監守自盜層出不窮」
「揪出行員挪用公款…各家銀行手忙腳亂地監察」
每跳出一篇報導，在場銀行員的表情就更加黯淡。

杜庸 今年光是和ATM有關的侵占案就有42起，損失金額超過一百億韓元，媒體總是批評銀行疏於管理和監督，監察體系有問題…但是有人蓄意欺騙，我們怎麼看得出來？俗話說「知人知面不知心」。

幾位銀行員紛紛點頭表示認同，嘆著氣。

杜庸 就讓梨花ATM來為各位解決煩惱。

杜庸按下遙控器。
投影幕上出現ATM背面的內部照片。

杜庸 這是所有銀行員都認得的ATM內部，而其中的這個是存放現鈔的「鈔匣」。

杜庸按下遙控器，投影幕上出現鈔匣的特寫照，鈔匣是長方體的鈔票保管箱，上面裝了一個綠色的手把。

杜庸 如果補鈔員在鈔匣裡放了5千萬韓元，而後在系統中記錄為1億韓元，那麼我們會知道嗎？當然不會。我們會被蒙在鼓裡。梨花ATM自然有想到這一點，我們要製造出全新的鈔匣，要做出一種不會因謊言和騙術而上當的老實鈔匣。

杜庸拿出實體鈔匣，親自示範給銀行員看。
綠色手把的旁邊，有著長得像計算機的小型數字鍵盤。

杜庸　鈔票的重量是固定的，除非嚴重毀損，不然重量都會差不多。梨花ATM就是著眼於這一點，所以補鈔員不只要在系統中記錄他們放了多少張現鈔，還要在這個數字鍵盤上輸入，如果補鈔員輸入的鈔票數是1萬張，實際上卻只放5百張，會發生什麼事呢？鈔匣的門就不會關上，因為這個老實的鈔匣會自動計算鈔票的重量，精準到連一張鈔票這麼微小的誤差都不容許。

銀行員們仔細端詳著鈔匣，搖了搖頭。

銀行員1　這個…就是你所說的優點嗎？
杜庸　是的！這是運用梨花自動櫃員機獨家技術的新產品。
銀行員1　「金剛」也有運用這項技術啊？
杜庸　什麼？
銀行員2　「領袖」的產品也有使用這項技術，就是他們去年全數回收的型號，那個鈔匣就有用到這項技術。
杜庸　這是我們自己的技術，我們在兩年前就成功研發，也申請了實用新型專利…
銀行員4　實用新型專利？你說的是類似發明專利的東西嗎？
杜庸　是的，這項技術雖然沒有發明專利那麼偉大，但畢竟也是我們絞盡腦汁研發的，申請實用新型專利當之無愧。
銀行員3　唉唷，那麼你們的技術是不是外流了？黃部長，你可能要去瞭解一下喔，看「梨花」研發的技術是不是被其他地方偷走了。
杜庸　好…我會確認一下。
銀行員1　其實對銀行來說，最重要的還是價錢。不管技術有沒有被剽竊，「金剛ATM」的產品就有使用相同技術，而且機器價格更

便宜，那我們能怎麼辦？當然也只能跟金剛簽約。因為這項技術的原始研發者是誰，對我們來說一點也不重要。

銀行員一的話，讓杜庸稍稍嘆息。
無力地垂著肩，看起來甚是可憐。

TITLE：
《非常律師禹英禑》

S#2.　汪洋法律事務所休息室（室內／白天）
秀妍正在沖咖啡，英禑走進休息室。

秀妍	禹英禑～早安！！
英禑	喔…崔秀妍，早安。
秀妍	妳聽權敏宇律師說了嗎？
英禑	什麼？
秀妍	唉，他還沒告訴妳嗎？我就知道會這樣。

英禑從冰箱拿出瓶裝水。
試著用不熟練的手部動作轉開瓶蓋，但是力氣不夠。

秀妍	ATM公司的案件，交由妳和權敏宇律師一起負責。
英禑	喔…
秀妍	鄭明錫律師本來要打電話告訴妳，但是被權敏宇攔住了，他說他會親自告訴妳。我就覺得事有蹊蹺，果然…他沒有跟妳說。

如果不幫英禑的忙，她似乎真的會喝不了水。

看不下去的秀妍從英禑手中搶過瓶裝水，幫英禑打開瓶蓋。

秀妍　　這是我某個讀河那大學法學院的朋友告訴我的⋯妳知道權敏宇律師唸法學院的時候綽號叫什麼嗎？

英禑　　不知道。

秀妍　　愛出權謀詭計的權敏宇。

英禑　　愛出權謀詭計的權敏宇？

秀妍　　妳小心點，好像已經開始了，權敏宇的權謀詭計。

英禑　　真的嗎？

秀妍　　是啊，不然他明明跟妳負責同一樁案件，為什麼到現在都還沒告訴妳？

S#3.　敏宇的辦公室（室內／白天）

叩叩，休息一拍，叩。

英禑的敲門聲比平常多了一些魄力。

敏宇正在翻閱辦公桌上堆積如山的資料，用應付的口吻答道。

敏宇　　請進——

即使是來算帳的，英禑還是緊閉雙眼，在心裡默數「一、二、三」調整呼吸，才走進辦公室。

英禑　　權敏宇律師，我們負責同一樁案件，你為什麼沒有告訴我？

敏宇　　我沒有告訴妳嗎？

英禑　　你沒有告訴我。

敏宇　　喔，抱歉，可能是我忘了吧。

一句抱歉讓英禑說不出話來。

學生時期因為同儕的「喔，抱歉」遊戲受了很多苦，現在又再次遭遇了這種情形。

敏宇起身，把貼滿在白板上的ATM設計圖和照片拿下來。

敏宇 這樁案件需要瞭解ATM的構造，要事先閱讀很多資料。（噗哧一笑）不過這對妳來說根本是小菜一碟吧？因為妳是天才。

敏宇把剛才拿下來的設計圖和照片，以及桌上的資料堆全都丟給英禑。

資料太多太重，讓英禑稍微踉蹌。

敏宇 喔，對了！我有說過嗎？今天要跟委託人見一面。
英禑 什麼？
敏宇 今天下午2點。

英禑看向掛在牆上的時鐘，距離下午2點只剩下5分鐘。

這麼多的資料不知何年何月才能看完，英禑不知如何是好。

敏宇看著英禑的反應，暗自笑著。

S#4. 會議室門前走道（室內／白天）

敏宇以充滿自信的步伐走向會議室，雙手抱滿資料的英禑在後頭以小碎步跟上，英禑的視線無法離開資料，在跟委託人見面之前，能多看一個字是一個字，兩人的模樣看起來就像從容不迫的老手律師和莽撞糊塗的新進祕書。

明錫從對面走來。

明錫提前一些抵達會議室，站在門口等待兩人。

明錫　　有稍微看過資料了嗎？

英禑　　喔…

敏宇　　（打斷英禑，快速接話）有，有很多我不瞭解的專業術語，非常困
　　　　難，但我還是有細讀過一遍。

明錫　　好，進去吧。

S#5.　　會議室（室內／白天）

明錫、敏宇和英禑走進會議室。
提前進到會議室的杜庸從座位上起身。

明錫　　你好，我叫鄭明錫，負責這次的案件。

英禑　　你好，我叫禹英禑，正著唸、倒著唸都…

敏宇　　（故意打斷）我叫權敏宇。

英禑像是在自言自語般，把被打斷的「黑吃黑、多倫多…」說
完。杜庸稍微愣住，明錫和敏宇趕緊笑著打圓場，並遞上名片。
結束自言自語的英禑晚了一步拿出自己的名片。
四人坐在位置上，杜庸將小瓶裝的桑椹汁分送給律師們。

杜庸　　一人拿一瓶桑椹汁吧，這是楊口的桑椹，100%有機種植。

敏宇　　喔，楊口，我好久沒有去楊口了，我之前就在楊口當兵。

杜庸　　喔？我也是耶？

敏宇　　你也是白頭山部隊嗎？

此時，伴隨柔和的敲門聲，濬浩拿著資料進來會議室。

258

同時，敏宇站起來向杜庸喊了「忠誠！」並敬禮。

杜庸也站起來喊了「忠誠！」並敬禮。

濬浩把資料放在會議桌上。

杜庸	唉唷～那你應該鏟了不少雪吧！
敏宇	刀槍也許會生鏽，但是鏟子永遠會發亮。
杜庸	啊哈哈！（站著對明錫說）鄭律師是在哪個部隊服役呢？
明錫	我是在七星部隊服役，（起立敬禮）團結！我們可以的！
杜庸	唉唷～是頂尖師團出身的耶！
明錫	對，我就是出身於傳說上輩子要犯七條罪，才能抽到的第七師團。
杜庸	（開心地問濬浩）那這位是在哪裡服役的呢？我看這個體魄…難道是海軍陸戰隊嗎？
濬浩	喔…我不是。（露出不失禮貌的微笑，對明錫說）我先離開了。

明錫以眼神對濬浩示意。

杜庸、敏宇和明錫開懷大笑，再次坐下。

杜庸	唉唷，應該要一起喝杯酒～雖然很可惜，但我們就以桑椹汁代替酒，乾一杯吧？
敏宇	好啊？
明錫	好，沒問題。

杜庸、敏宇和明錫同時打開桑椹汁的瓶蓋。

英禓也試著打開，但是力氣不夠。

杜庸、敏宇和明錫對英禓打不打得開瓶蓋一點興趣都沒有，自顧自地乾杯。

英禓晚了一步才拿著桑椹汁瓶子參與乾杯。

但是男生們已經結束乾杯，把桑椹汁當作啤酒灌入喉中，濬浩

看著英禑支支吾吾的模樣，嘆了一口氣，走出會議室。

明錫　黃先生的訴求是希望能對金剛ATM申請禁止銷售假處分嗎？

杜庸　對，我們梨花ATM和金剛ATM，該怎麼說呢…以法律事務所來比喻的話，就像汪洋和泰山的關係吧。

明錫　（微笑）像是實力不相上下，命運之中的宿敵嗎？

杜庸　是啊！因為勢均力敵，所以很難選出一個。就像是要選山還是選海？

明錫　選炸醬麵還是炒碼麵？

敏宇　選淋醬吃還是沾醬吃？

英禑　選藍鯨還是大翅鯨…？

杜庸、敏宇和明錫看向英禑，覺得英禑的比喻不是很恰當。
氣氛有點僵掉，但是英禑完全沒有察覺到。

杜庸　總之梨花和金剛就是那樣的關係，本來還有一間叫做「領袖ATM」的新生代公司，但是他們去年倒閉了。

敏宇　原來是這樣，這些事聽起來很有趣。

杜庸　我想趁這次機會，給金剛的員工們一點教訓，我們嘔心瀝血把技術研發出來，結果他們二話不說就撿現成的拿去用，也不只是一次兩次了，就連這個鈔匣也是。

明錫　（小聲地對英禑說）鈔匣是什麼？

英禑　喔…

英禑因為剛剛才拿到資料，不知道怎麼回答，慌張地翻找資料。

杜庸　喔，鈔匣就是…

敏宇　鈔匣，我知道，就是放鈔票的盒子吧？前面會有個手把，跟部

長開會之前，我有先預習一下。

杜庸　　果然…真不愧是權律師！

　　　　杜庸對英禑比了個讚。
　　　　這個畫面讓明錫也跟著微笑。
　　　　另一邊，英禑為了找出鈔匣是什麼，依然還在翻找著那一大疊
　　　　資料。

杜庸　　那款鈔匣是我們研發的，也有申請實用新型專利。

明錫　　所以目前只有申請實用新型專利，還沒註冊嗎？

杜庸　　對，申請後還有很多審查之類的流程，我們不久前才請求審
　　　　查，現在還在專利廳那裡審查中。

明錫　　真可惜，如果完成審查並已註冊，狀況會明朗許多。

敏宇　　我看你申請實用新型專利時提交的資料並不多，請問可以多提
　　　　供一些嗎？

杜庸　　喔，當然。我會提供我手上所有的資料。

敏宇　　寄到我名片上的聯絡方式就可以了，謝謝。

杜庸　　好，我今天其實只是過來跟各位打聲招呼，我可以先離開嗎？

明錫　　當然，沒有問題。

　　　　四人再一次紛紛起立。
　　　　目送杜庸離開後，律師們才走出會議室。

明錫　　剛才我也說過，這樁案件主要是由禹英禑律師和權敏宇律師兩
　　　　位一起負責，我只會在旁邊指導。

敏宇　　是。

英禑　　是。

英祿和敏宇的表情就像接獲命令的軍人般毅然決然。

明錫　雖然可能會有很多陌生的專業術語，但是一樣要把資料讀熟。
　　　（對英祿說）這椿案件的核心就是鈔匣的實用新型專利，連鈔匣
　　　是什麼都不知道，這像話嗎？

英祿　喔⋯

英祿慌張地欲言又止。
敏宇站在一旁，害怕自己較晚才給英祿資料的事被說出去，稍
微有點緊張。

英祿　不像話。

明錫　不要再有下次了。

明錫留下要兩位律師好自為之的眼神，走出會議室。

英祿　沒能事先閱讀案件資料讓我很不方便，下次請你不要再忘記，
　　　記得和我共享資料。

敏宇　嗯⋯我不要耶？

出乎意料的一句話讓英祿感到慌張。

敏宇　我為什麼要跟競爭對手共享資料？不是只有汪洋和泰山、梨花
　　　和金剛是競爭關係，我們之間也是。妳和我都是一年一聘的約
　　　聘律師，如果想獲得續聘，就要有良好的考核成績，我們的一
　　　舉一動、接手的每一椿案件都會列入計分，不過妳應該也不大
　　　在意吧？不然怎麼會理直氣壯地無故缺勤？

英祿　那是⋯（支支吾吾地說明，最後放棄）我當然也想獲得續聘。

敏宇 那我們的確是競爭對手呢，雖然我好像又贏過妳了。

英禑 什麼？

敏宇用下巴比出杜庸坐過的位置。

杜庸似乎是無意識中忘記帶走，獨留英禑的名片躺在會議桌上。

敏宇 該怎麼辦呢？妳下次又收不到資料了。

敏宇噗哧笑著走出會議室。

英禑看著自己的名片孤伶伶地被留在空著的座位上，嘆了一口氣。

S#6. 法庭（室內／白天）

第一次審判期日。

包含**審判長**（50多歲／男）在內，共有3位法官坐在法官席，原告席有債權人梨花ATM的杜庸，以及債權人代理人明錫、敏宇和英禑；被告席有債務人金剛ATM的社長**吳振宗**（50多歲／男），以及債務人代理人**金宇盛**（30多歲／男）。

審判長 債務人代理人，你們今天呈交了補充資料呢。

宇盛 是的，庭上。這份資料是用來申辯梨花ATM申請的實用新型專利根本就是子虛烏有，請看一下投影幕。

宇盛得意地起身。

法庭裡那面大投影幕顯示出宇盛呈交的資料，繃緊神經的明錫和新進律師們看向投影幕。

宇盛 2020年10月，梨花ATM以「現金自動存提款機鈔匣安全裝置」的

名字，申請了實用新型專利。但是這項技術，是剽竊來的。

英禑驚訝地看著坐在一旁的杜庸，
但是她無法看出杜庸的表情是驚訝、被說中，還是委屈。

宇盛　每年4月，美國都會舉辦「芝加哥國際工程博覽會」，由於博覽
會上也會介紹許多有關ATM的技術，所以也有許多韓國的ATM
公司慕名前往。庭上，請比對一下投影幕上的兩張設計圖，其中
一張是在2019年的博覽會上，由一間美國公司公布的設計圖，另
一張則是梨花ATM主張他們在2020年自行研發的產品設計圖。

美國公司和梨花ATM的兩張設計圖並列在投影幕上，兩者的相
似程度，說是只有把零件的英文名稱換成韓文也不為過。

宇盛　美國公司將這項技術公開作為開源技術，任何人都能在不受特
殊限制之下，自由使用或修正。不過梨花ATM原封不動地複製
這項技術，並聲稱是自己研發的，為了不讓其他公司使用這項
技術，甚至還去申請實用新型專利。

英禑　嗯…梨花並沒有原封不動複製美國公司的技術，這兩張設計圖
乍看之下雷同，但是仍然有不同之處。梨花ATM鈔匣安全裝置
中的紙鈔重量感測器，比美國公司的版本分類更加精細，他們
並沒有原封不動地剽竊開源技術，而是添加新技術使其更加進
步，因此申請實用新型專利的根據充分…（想到不夠充分，停頓了一
下）也許不夠充分，但仍然是有憑有據。

英禑在短時間內就分析完設計圖並提出指責，這讓審判長再次
看向資料，振宗煩悶地插了話。
滿頭白髮的振宗給人的感覺是粗獷的技術員社長，與杜庸西裝

筆挺的業務部長形象形成對比。

振宗　唉唷，律師，妳所說的分類任何人都做得到，韓國跟美國的紙鈔不一樣，我們的一萬韓元、五萬韓元等，每個面額的紙鈔大小都不相同，所以才需要分類。明明核心技術是美國公司研發的，如果因為增加這麼一點分類技術，就要申請實用新型專利，那才是真的沒良心。

杜庸　什麼沒良心！包括我在內，我們公司的員工根本沒有人參加過博覽會。（指著美國公司的設計圖）我甚至是現在才知道他們也有這項技術。

敏宇　金剛ATM是在2021年首次製造鈔匣安全裝置，相反地，梨花ATM早在2020年就提出實用新型專利的申請。雖然債務人主張梨花使用了美國公司的開源技術，但是事實應該是梨花的技術被剽竊了吧？

振宗　不，如果要那樣追究製造年度，領袖ATM應該才是元祖吧。領袖自動櫃員機是在博覽會結束就馬上製造出這種安全裝置了，早在2019年！如果你們看到領袖的產品，就會知道那和梨花的一模一樣。

審判長　（稍微感興趣）是嗎？你有辦法證明剛才所說的話嗎？

似乎是早已料到這種狀況，
振宗和宇盛的表情變得黯淡。

宇盛　庭上，我們也很努力尋找資料，但是很遺憾，領袖ATM已經在去年倒閉，原因是由於產品出現瑕疵，必須全數回收，所以市面上已經沒有領袖製造的產品了。

審判長嘆氣，相反地，原先如坐針氈的杜庸、明錫與新進律師們放心地鬆了一口氣。

審判長　　單憑目前雙方呈交的這些資料，很難斷定這項技術究竟是梨花
　　　　　ATM自行研發，或只是以開源技術為基礎，做出些許更動。再
　　　　　加上負責審理實用新型專利的專利廳也尚未給出審核結果，讓
　　　　　這樁案件更是難上加難，雙方沒有其他補充資料了嗎？

明錫　　　庭上，債務人在審判期日當天，也就是今天才主張債權人的技
　　　　　術剽竊，並遲交資料。

宇盛　　　那是⋯芝加哥博覽會較晚才給我資料，我才只好這麼晚交。

明錫　　　（像是打斷宇盛說話，直接接話）如果要證明梨花ATM申請實用新型
　　　　　專利的新穎性，我們也需要一些時間準備資料。

審判長　　我同意，那麼就另外再擇日開庭，今天先到此為止。

　　　　　法官們紛紛起身向外走，英禍擺出很困惑的表情，向杜庸詢問。

英禍　　　金剛ATM的主張是事實嗎？

　　　　　杜庸因為突如其來的提問而感到慌張。
　　　　　就這麼剛好，杜庸的手機響了。

杜庸　　　喔，我先去接個電話。

　　　　　杜庸拿著手機走出法庭。
　　　　　明錫似乎在趕時間，看了手錶後急忙起身。

明錫　　　我還有其他行程，就先離開了，你們收一收就回去吧。

英禍　　　好的。

　　　　　明錫向外走，敏宇也收拾著自己的東西。

266

敏宇	我也要先走了，還有很多事要忙。
英禑	什麼？我們不是應該先向委託人確認事實與否嗎？
敏宇	想要確認事實與否，也得要他先跟我們說實話啊。
英禑	那麼你認為黃杜庸部長在說謊嗎？
敏宇	我不知道，搞不好是金剛在騙人，做生意的人不是都這樣嗎？
英禑	我們的辯護方向會根據梨花ATM是否自行研發技術而改變，所以必須確認真相為何。
敏宇	那麼妳去確認啊，我會照我的方式做，不過妳可不要像審問犯人一樣，跑去問委託人真相是什麼，免得連我也被換掉。
英禑	什麼。
敏宇	委託人是甲方，我們是乙方，這妳知道吧？這麼一想，妳從來沒有風平浪靜地解決過案件，尚廷藥品那次也是因為妳講話冒犯到會長才會被換掉，又不是什麼冒失魯莽的禹英禑。
英禑	（憤怒）冒失魯莽的禹英禑？你…你這個…愛出權謀詭計的權敏宇，還說別人啊？

曾經的綽號久違地被強制召喚，敏宇也感到很憤怒。
此時，法庭外傳來急急忙忙的吵雜聲音。
敏宇和英禑走到法庭外。

S#7. 法庭門前走道（室內／白天）

雙手扠腰的杜庸正在和振宗吵架。
地上散落著似乎是兩人摔出去的手機和公事包，叫罵聲不斷來往，讓經過的人們停下腳步圍觀。

振宗	你少騙人了！韓國有哪間ATM公司沒有參加過芝加哥博覽會？每次芝加哥博覽會發表新技術，大家不都會跟著做嗎！

杜庸	看來金剛都是這麼做的啊！我們梨花可不是，我們的技術都是研究開發部的員工拚死拚活，花了好幾年的心血研發出來的，你們剽竊技術還不夠嗎？為什麼要糟蹋別人的努力，為什麼！
振宗	努力？什麼努力？使出骯髒手段來搞垮其他公司的努力嗎?!
杜庸	你這老頭怎麼從剛才就不說敬語？社長很了不起嗎！
振宗	什麼？你說我是老頭？老頭?!

兩人的爭吵漸漸變得幼稚，英禑和敏宇嘆著氣。

敏宇	（小聲地對英禑說）妳看，妳看得出來他們兩人之中誰在說謊嗎？

敏宇的一句話，讓英禑再次留意地看著兩人。
堅持自己說的屬實，用力跺腳的杜庸，以及要杜庸別再說謊，鬱悶地捶胸的振宗。
無從得知任一方是真是假。

敏宇	看不出來吧？這樣妳還想問出什麼？連事實跟謊言都分不出來。

S#8. 毛怪家餐酒館 （室內／晚上）

英禑和格拉米並坐在吧檯上，兩人面對面正在玩「黑白配」的遊戲，英禑出乎意料地擅長這個遊戲。

格拉米	黑白⋯配！

讓格拉米煞費心思吸引英禑視線的努力黯然失色，英禑用機器人般的沉著表情，看向格拉米手指的相反方向。

格拉米　　唉唷，可惡！

格拉米拿起放在吧檯上的鎳銀鍋遮住頭，英禑靜靜地等待格拉米
完成動作，而後才用肉錘敲打格拉米頭上的鍋子。明明是處理豬
排肉的時候在用的肉錘，但因為是木製，乍看就像是法槌一樣。

格拉米　　哇──可惡，妳怎麼那麼厲害？乾脆去參加黑白配大賽吧。
英禑　　　不過會玩黑白配，跟會不會分辨實話和謊話，真的有關聯嗎？
格拉米　　妳現在是在懷疑我教的方法嗎？那些書是怎麼說的？

格拉米指向躺在吧檯上的三、四本書。
《你已經被看透了》、《FBI行動心理學》、《揭穿你的謊話》
等，都是英禑覺得有助於分辨實話和謊話所讀的書。

英禑　　　嗯…人在說謊時會分泌一種叫做兒茶酚胺的化學物質，導致鼻
腔內部組織膨脹，所以《木偶奇遇記》是有事實根據的童話故
事。還有，說謊時血壓會升高，導致鼻尖神經組織受到刺激，
鼻子會很癢。
格拉米　　聽妳這麼一說，我的鼻子突然好癢。（揉著鼻尖）妳覺得我現在
說的是實話，還是謊話？
英禑　　　嗯…
格拉米　　喂，哪有人會因為撒了一點謊，鼻子就變大或變癢？我從來沒
看過這種人，那些理論都不重要，只要記得黑白配就好，好好
盯著對方的眼睛。
英禑　　　好好盯著對方的眼睛，對自閉症人士來說是世界上最困難的事。
格拉米　　喔，對耶，那妳就看對方的眉心，反映真實的眉心。

英禑努力看著格拉米的眉心。

雖然這還是很不容易，但是和盯著對方的眼睛相比，痛苦程度
　　確實減輕許多。

格拉米　　盯著眉心看，妳就會有所感覺。如果對方說的是實話，妳就會
　　　　　感受到「這是實話…」；如果對方說的是謊話，那麼說謊的感
　　　　　覺就會油然而生，懂了沒？
英禑　　　嗯。
格拉米　　好，那我先來猜猜看，妳隨便說句話。
英禑　　　嗯…

　　英禑苦惱著要說什麼話。
　　格拉米盯著英禑，像是要把英禑看穿似的。

英禑　　　我不想輸給權敏宇律師。

　　突然聽見「權敏宇」這個朝思暮想的名字，格拉米大吃一驚。

格拉米　　權敏宇…？那個帥哥？
英禑　　　咦？不是吧？我說的不是李濬浩，是權敏宇。
格拉米　　好，不是李濬浩，是權敏宇，那個帥哥。

　　英禑從來沒有覺得敏宇帥過，搖了搖頭。

格拉米　　不過權敏宇怎麼了？
英禑　　　這樁案件是由我和權敏宇律師一起負責，嗯，權敏宇律師他…
格拉米　　權敏宇律師他怎樣？
英禑　　　很討人厭。
格拉米　　這是實話，妳現在極度想要打敗權敏宇。

英禑	嗯…沒錯。
格拉米	好,這次輪到妳了,專注一點!拿出黑白配的精神。
英禑	專注一點!拿出黑白配的精神。

英禑以黑白配的精神盯著格拉米的眉間。

格拉米	李濬浩喜歡禹英禑。

意料之外的一句話讓英禑的注意力渙散。

英禑	這是什麼啦。
格拉米	妳猜猜看啊,我知道正確答案。
英禑	妳怎麼會知道?
格拉米	你們有沒有去落日村?
英禑	落日村?(思考了一下)有去。
格拉米	來,李濬浩喜歡禹英禑,這是實話還是謊話?

格拉米以無比認真的神情向英禑提問。
英禑看著這樣的格拉米,表情呆滯。

S#9.　露天籃球場（室外／晚上）

濬浩和敏宇在家附近的露天籃球場打籃球。
敏宇的手機響起,他比出要濬浩稍等一下的手勢,接起電話。

敏宇	(通話)是,張律師!(停頓)禹英禑律師嗎?我知道啊,我目前和她一起負責同一樁案件。(停頓)嗯…你也知道…禹律師有先天性的障礙嘛,這也沒辦法,我只能多負責一些了。(停頓)唉

271

唷，不辛苦啦～有些人甚至會花時間去當志工，這點小事也算
是我應該做的！

敏宇似乎是聽到「禹英禑律師怎麼樣？」的問題，而列出了以
上那些答案。「先天障礙？只能多負責一些？做志工？」這些
語句讓澔浩有些不悅。
敏宇掛掉電話，回頭找澔浩繼續打藍球。
澔浩運球跑向籃框，敏宇擋住澔浩的去路。
澔浩以激烈的肢體動作把敏宇推到地上。
在敏宇後仰摔倒時，澔浩趁空投籃。
敏宇爬起來，凶猛地抓籃板球，澔浩再次衝上前去搶球，每次
敏宇一湊上來，澔浩就用蠻力推開敏宇，堅決要投進籃框。

| 敏宇 | 欸，你是怎樣？公平競爭，照規則打球！ |
| 澔浩 | 公平競爭？ |

澔浩無言地噗哧一笑。
用力地把球丟向敏宇。

| 澔浩 | 你自己先做到，再來跟我談公平競爭！ |

接球接到很痛的敏宇。
敏宇愣在原地，不知道澔浩為何那麼激動。

S#10. 禹英禑飯捲 (室內／白天)

禹英禑飯捲店一早就有很多客人熙熙攘攘。
光顯馬不停蹄地包著飯捲，有一位**客人**（50多歲／女）走進店裡，

看著菜單。

客人　　唉唷，是什麼海苔飯捲要賣到3500、4000韓元啊？貴到我都快不敢吃了！

光顯　　（包著飯捲回答）最近物價上漲，食材成本也很高啊。

客人　　食材成本再怎麼高，也不過是拿來做海苔飯捲！海苔飯捲怎麼會賣那麼貴…唉唷～貴死了。

英禑坐在她的專屬位置，一如往常地吃禹英禑飯捲當早餐，她從公事包拿出豬肉錘走向光顯。
光顯回頭看著英禑，英禑以黑白配的精神盯著光顯的眉心，

英禑　　剛才你心裡是不是覺得那位女客人在耍無賴？

光顯　　什麼？

客人　　妳在說什麼？妳現在是說我很無賴嗎？

英禑　　（對光顯說）請回答，這樣我才知道你是不是在說實話…

客人　　（勃然大怒）奇怪！海苔飯捲就是那麼貴，我只是說出事實！一大早就被人說成無賴，真是烏煙瘴氣！

光顯　　抱歉。

客人　　你們兩個是怎樣？她是你女兒嗎？你現在是藉由女兒來罵客人嗎!?

光顯　　唉唷，她不是我女兒。（對英禑說）客人，請妳吃飽就離開吧？

「居然說我不是他女兒，這確實是謊話…為什麼要說謊…？」
英禑思考著，隱約知道了光顯的意圖。

英禑　　是的，大叔。

273

英禑對光顯深深一鞠躬，走出飯捲店。

S#11.　車（室內／白天）

開往京畿道金浦市梨花ATM總公司的車內。

澯浩開車，英禑坐在副駕駛座。

澯浩　訟務組有一位同事之前當過刑警，他總是這麼說：「人的身上最誠實的地方是腿，再來是手。」

英禑　腿，再來是手？

澯浩　對，他說離腦袋越遠的地方，就越難徹底控制。就算臉上的表情可以故作鎮定，但是腿抖和手汗是很難控制的。他好像還說過，坐姿不放鬆，好像隨時都想逃離現場，或是像被綁在椅子上一樣，雙臂緊貼身上，還有手不停地搓大腿…他說這些都是對方可能在說謊的信號。

英禑　（嘆氣）董格拉米叫我盯著對方的眉心，曾經當過刑警的人說腿跟手最重要…到頭來不就等於全身都要看嗎？太強人所難了。

澯浩　還是就輕鬆地和對方聊天呢？相信妳自己的直覺。

英禑　我的直覺簡直糟糕透頂，自閉症人士以容易受騙、不會說謊而聞名，如果有比誰最容易上當的比賽，那自閉症人士一定會拿第一名。

澯浩　是嗎？為什麼？是因為有自閉特質的人都很單純嗎？

英禑　與其說是如此，應該說…人們通常都活在由「自己和別人」構成的世界裡，但是自閉症人士更習慣活在「自己」構成的世界。別人的想法也許和我不一樣，別人也許是另有目的地欺騙我，雖然理性上可以理解這些事情，但是卻常常忘記。如果不想被謊言欺騙，就必須時時刻刻有意識地努力保持警覺。

英禑平心靜氣地說出自己的故事。
瀋浩看著英禑的側臉，露出溫暖的眼神。

瀋浩　這些故事…很有幫助。

英禑　很有幫助…？

瀋浩　對，可以幫助我更瞭解妳。

車子在不知不覺間抵達了梨花ATM總公司正門口。
瀋浩按下車窗，對著**警衛大叔**（50多歲／男）說。

瀋浩　我們來找業務部黃杜庸部長。

警衛點了點頭，瀋浩把車子開進門內，英禑看向窗外。
寬闊的腹地上，龐大的工廠類建築物鱗次櫛比。
瀋浩在停車場停車，身體轉向面對英禑。

瀋浩　禹律師，我們要來練習一下嗎？從現在開始，我來當黃杜庸部
　　　長，妳問問題，我來回答，然後妳猜猜看我說的是不是實話。

英禑答應練習，從公事包裡拿出豬肉錘。
英禑用和格拉米訓練黑白配時的認真神情，盯著瀋浩的眉心。

英禑　那我用黑白配的精神試試看。

瀋浩　黑白配？

英禑　李瀋浩喜歡禹英禑，這是事實嗎？

瀋浩的眼神因為突如其來的一句話而動搖。
瀋浩的臉紅得不像話。

澔浩	那個…

像是靜止畫面般，兩人動也不動地看著彼此。
兩人之間像是連空氣都停止流動。
澔浩好不容易才打破沉默。

澔浩	這個問題對黃杜庸部長來說，好像太難回答了。
英禑	喔，對，這是練習用的問題。

兩人依舊無法停止注視對方。
英禑從澔浩身上感受到的是「真實」還是「說謊」呢？英禑的
表情微妙，無從得知。

S#12. 咖啡廳（室內／白天）

一位**男生**（30多歲）走進咖啡廳，左顧右盼，提前入座的敏宇起身。

敏宇	請問是領袖的員工…
男生	喔，對。
敏宇	謝謝你願意來，我是致電給你的權敏宇。
男生	唉唷，你怎麼會有我的電話？

敏宇和這位男生在咖啡廳用餐區面對面坐著。

敏宇	我輾轉問了很多認識的人，好不容易才問到你的電話，你們公司的人不知道都去了哪裡，很難找到人。
男生	因為公司背了一堆債，破產了，大家都是亡命之徒。我接到你

的電話，嚇了好大一跳，你說「請問你曾在領袖工作吧？」我心想：「現在討債討到我頭上來啦？」

敏宇　驚擾你了，我很抱歉。

男生　不會啦，你就說重點吧。

敏宇　你知道鈔匣安全裝置吧？長這樣。

敏宇把手機裡的照片拿給男生看。
這是梨花ATM的新產品，前面裝有數字鍵盤的鈔匣。

男生　我知道，這是梨花的產品吧？

敏宇　對，據我所知，領袖也做過類似的鈔匣。

男生　與其說是類似⋯根本是一模一樣吧，一模一樣的鈔匣。

敏宇　這是利用2019年芝加哥博覽會的開源技術做出來的嗎？

男生　對，當時我們為了拚業界第一，真的是嘔心瀝血地工作，芝加哥博覽會是在4月舉辦，我們在同年10月就開始生產這個產品了，也就是說，引進美國技術後，半年內就完成了商品化。現在想想，當初不應該操之過急⋯我很後悔。

敏宇　怎麼說呢？

男生　我們當時太拚了，每天在工廠熬夜趕工，結果在最重要的地方出了差錯，我們的產品在鈔票辨識功能上有漏洞。就因為這件事，我們滿懷雄心壯志產出的新產品，通通都回收處理了⋯最後公司也因此倒閉了。

敏宇　那麼現在市面上完全沒有領袖的產品了嗎？

男生　因為已經全數回收，有裝鈔匣安全裝置的產品應該都不在市面上了。

敏宇　那麼那些回收處理的機器在哪裡呢？

男生　當然都報廢了，世界上已經不存在這項產品了，莫名有點悲傷呢，我們當時真的很努力⋯

男生的眼眶變得濕潤。

相反地，敏宇的臉上悄悄地浮現了一抹放心的微笑。

S#13. **梨花ATM** （室內／白天）

英禍和濬浩在一位**員工**（20多歲／男）的指引下走進梨花ATM總公司內部，如同大部分的中小企業，梨花ATM的生產工廠、辦公室、研發室都在同一棟建築物，一進到建築物裡，就能看見有十多位員工在組裝零件。

員工　　黃部長的辦公室在那裡。

濬浩　　好的，謝謝。

英禍和濬浩走向員工手指的地方。

S#14. **杜庸的辦公室** （室內／白天）

英禍和濬浩走進辦公室裡。

他們看見杜庸的模樣，嚇了一大跳。

杜庸的眉心貼著OK繃，其中一邊的手臂和腿都有打石膏。

所有能觀察杜庸的部位都被遮了起來，英禍陷入巨大的衝擊。

英禍　　眉心、腿，甚至連手都…

杜庸　　都受傷了，我出了車禍。

濬浩　　看起來傷得很重耶，這樣工作不要緊嗎？

杜庸　　不要緊，禹律師和汪洋的員工都親自來一趟我們公司了，我怎麼能躺在醫院裡。

英禍　　（依然陷在衝擊中，呆滯地）眉心、腿，甚至連手都…

濬浩	（怕杜庸覺得奇怪，趕緊接話）都受傷了，一定很難受吧。
杜庸	唉唷，是啊，你們是說要來問有關產品研發的問題，對吧？但是我現在受傷，再加上我是業務部員工，也不大清楚詳情，我帶你們去見負責人吧。

S#15. **梨花ATM研究開發室** （室內／白天）

杜庸帶著英禍和濬浩走進研究開發室。

在這個充滿設計圖、電腦、樣品零件的地方，有5個人正在工作。其中，**裴聖哲**（38歲／男）原先縮著腰，而後站起身來。胖乎乎的身材，戴著黑色粗框眼鏡，身穿格紋襯衫的模樣，任誰看都是工學院出身的研發人員。

杜庸	這是研究開發部的裴聖哲組長，是研發出我們新產品的主力人員。
聖哲	唉唷，你過獎了啦。
杜庸	這是汪洋的律師和員工，他們是來瞭解新產品研發的事。

杜庸和聖哲、英禍和濬浩圍坐在研究開發室的一張桌子前，英禍留意地看著聖哲。

聖哲的一舉一動，完美地呈現出前刑警所說的謊話信號。雙腿朝門，就像是要奪門而出一般，雙手像是被綁在椅子上的人，貼緊身體。

英禍	請問你們在什麼時候研發出鈔匣安全裝置？
聖哲	什麼？喔，妳問我什麼時候啊？喔…2019年底？2020年初？大概是那時候吧。
英禍	請你說清楚一點。
聖哲	2019年底！是2019年底。

英禑	請問是什麼契機讓你們研發出這項產品？
聖哲	契機？
澹浩	我們當然知道梨花ATM的員工沒有直接複製國外的技術，而是自行研發，但是畢竟有人對此表示存疑，如果可以詳細敘述研發的契機或過程，會更有可信度，所以律師才會提出這樣的問題。
聖哲	喔，契機嗎？契機…

緊張的聖哲開始用雙手搓著大腿。
手掌似乎濕濕的，聖哲的棉褲上出現了汗水的痕跡。

杜庸	裴組長，你今天怎麼這麼害羞啊？說話啊。（對英禑和澹浩說）他原本不是這樣的人，你們知道他來我們公司之前是做什麼的嗎？（停頓一下，像是公布正確答案般）演舞臺劇！他可是演員呢。
澹浩	舞臺劇演員？哇～好厲害喔。
聖哲	喔，我以前當過一陣子的演員，只是演一些小配角而已啦。

因為澹浩的感嘆，聖哲尷尬地笑著。
好不容易舒緩聖哲的緊張感，英禑單刀直入的問題打破已緩和的氣氛。

英禑	裴聖哲組長，你有參加2019年舉辦的芝加哥國際工程博覽會嗎？

這一刻，桌上瀰漫著一股寂靜。
是因為身體裡分泌出兒茶酚胺嗎？
聖哲突然用力地揉著鼻尖。

杜庸	唉唷，禹律師，妳太像檢察官了吧，一直逼問人，搞得好像我們才是犯人，妳應該是站在我們這邊的，對吧？

此時，杜庸的手機響了。

杜庸　咦？是權敏宇律師耶？我就直接在這裡接電話了，反正一定是公事。

杜庸接起電話，切換成擴音模式。

杜庸　忠誠！

敏宇　（聲音）忠誠！

敏宇　（聲音）黃部長，你給我電話的那個人，我剛才見過他了，他是領袖ATM的前員工。

杜庸　這樣啊？

敏宇　（聲音）對，他說領袖的產品確實都已經全數回收並報廢，市面上一定找不到了。所以請不用太擔心，就算金剛再怎麼想挑毛病，他們也找不到能夠呈交法庭的證據。

杜庸　果然是我們的權敏宇律師，你真的是最棒的！

敏宇　（聲音）那麼我們之後再聯絡。

杜庸　好！再見！

似乎是心情很好，杜庸掛斷電話後，仍然呵呵笑著。
和剛才不滿意英禑像檢察官在審問的模樣，可說是截然不同。

濬浩　真是個好消息。

杜庸　對啊，那麼禹律師，我們可以停止審問了吧？權敏宇律師都叫我不用擔心了。

杜庸直視著英禑。
杜庸更信任敏宇的態度顯而易見，這刺激了英禑的好勝心，英

禑的眼神突變。

英禑　　幸好金剛ATM沒有可以呈交的證據，但是我們依然必須證明我
　　　　們的主張是事實。如果裴聖哲組長可以親自口述研發過程，會
　　　　對審判帶來正面的效果。

聖哲　　什麼？妳要我去當證人嗎？

杜庸　　（嘆氣）這個，有經過其他律師同意嗎？還是我先打通電話給權
　　　　敏宇律師…

　　　　杜庸拿起手機，打算撥通電話給敏宇，英禑打斷杜庸說話，並
　　　　對聖哲說，

英禑　　這樁案件是審理假處分裁定，所以用語會有點不同。原告改稱債
　　　　權人，被告改稱債務人，證人則改稱為關係人。而且關係人…

　　　　英禑陷入了猶豫，不知道該不該說完接下來的話。
　　　　最後英禑下定決心說出來。

英禑　　不需要進行證人宣誓，也就是說，即使作偽證，也不會因偽證
　　　　罪而受罰。

　　　　「現在是要梨花說謊，才說出這些的嗎？」
　　　　濬浩驚訝地看著英禑。
　　　　杜庸也停頓了一下，放下剛才拿在手上的手機。

英禑　　用手摩擦大腿的動作，看起來就像在說謊。

　　　　聽到英禑這麼說，原本正在用手摩擦大腿的聖哲停下動作。

英禑	有研究結果指出，陪審團不喜歡證人把手放在證人席桌底下。雖然假處分審理案件不會有陪審團，但是同理可證，法官應該也不會信賴把手藏在桌面以下的關係人。

話一說完，聖哲打了個冷顫，把手放到桌面上。

英禑	最重要的是請不要揉鼻尖。看起來就像是分泌兒茶酚胺的皮諾丘一樣。
杜庸	天啊～我們的禹律師，妳真會教，裴組長，好好聽進去！
英禑	既然你曾經當過舞臺劇演員，我就期待你的好表現了。
聖哲	喔…！好。

這番話刺激了聖哲拋諸腦後已久的演技本能，決然的眼神閃閃發光，潘浩看著這個情況，靜靜地嘆了口氣。

S#16. 法庭（室內／白天）

法庭內正在進行第二次審判期日。
格拉米進到法庭內，左顧右盼找著敏宇在哪裡，敏宇突然回頭一看，與格拉米四目交會。
格拉米因敏宇的帥氣外貌感到害羞，乖巧地坐在旁聽席。

審判長	關係人請上前。

坐在格拉米旁邊的聖哲起身往前走。
聖哲身穿乾淨整潔的西裝，脫下眼鏡，把頭髮全數梳到後面，露出大部分的額頭，聖哲的形象從「工學院出身的研發人員」成功變身為「成功的資訊科技企業家」，很有自信地走向證人

席並坐下。

審判長　債權人代理人，請詰問關係人。

英禑起身走向聖哲。

英禑　關係人，請自我介紹。
聖哲　我的名字是裴聖哲，是梨花ATM研究開發部的組長。

聖哲過度自信的舞臺劇語調，聽起來稍嫌油膩。

英禑　梨花ATM所製作的現金自動存提款機，其2022年機型的核心技術，是裝有安全裝置的鈔匣，請問是否正確？
聖哲　對，是我用這雙手親自研發出來的鈔匣。
英禑　請問最初研發的時間點是什麼時候？
聖哲　在2019年的冬天，11月非常寒冷的某一天。
英禑　請問有什麼特別的契機，讓你研發出這個鈔匣安全裝置嗎？
聖哲　那年冬天利用ATM挪用公款的案件尤其氾濫，於是我們公司的上層就下達指令，要我們製造出新的鈔匣，製造出一種不會因謊言和騙術而上當的老實鈔匣。
英禑　可以請你說明研發的過程嗎？
聖哲　這個鈔匣安全裝置，無疑是梨花ATM研究開發部人員的血淚，還有什麼比這個形容更加貼切呢？直到隔年2020年10月，以鈔匣安全裝置申請實用新型專利，我們都不曾感到疲憊，持續挑戰著。

振宗聽著聖哲所說的話，越聽越生氣。
不自覺地勃然大怒。

振宗	你現在是在演什麼舞臺劇？你們明明就複製了別人的技術！
審判長	債務人，我會給你足夠的發言機會，詰問過程中請勿插話。
英禑	關係人，我就開門見山地問你了，請問你有去過2019年在美國舉辦的芝加哥國際工程博覽會嗎？

也許是因為剛才振宗的大聲喝斥，聖哲又回到了那個畏畏縮縮的「工學院出身的研發人員」，聖哲支支吾吾的模樣，讓英禑不禁緊張了起來。

英禑	關係人？

聖哲緩緩地揉著鼻尖，英禑擔心著聖哲會不會變得用力搓揉，就在這一刻，

聖哲	庭上！

聖哲開始哭泣，審判長慌張地看向聖哲。

審判長	關係人？
聖哲	梨花ATM真的只是一間小公司，雖然稱作研究開發部，實際上也只有5個人。這5個人集思廣益，同心協力，花上許多歲月，不斷研究開發，但我們卻遭受誣陷，說我們複製別人的技術，對此我為我們的努力感到非常不值。人們的想法都很相似，在相似的時候推出相似的產品，這也是有可能的吧，但是我們絕對不是那種剽竊別人的東西，還大言不慚謊稱是自行開發的公司，無論是我，或是坐在那裡的黃部長，我們都不是那種人！

聖哲懇切的控訴，讓杜庸的眼眶泛紅。

285

兩人的眼淚和迫切的表情，讓目前為止都還覺得兩人在說謊的
英禑再次陷入混亂中。
「他們所說的話…真的屬實嗎？」

振宗　　庭上，複製別人的技術，當然也需要日以繼夜的努力，大家都
　　　　是這麼做的，這很正常。
審判長　我剛才也說過，現在是關係人的詰問時間…

宇盛坐在一旁，拉著振宗的衣角試圖阻止，但是振宗固執地打
斷審判長說話。

振宗　　他現在根本就是在作秀，這哪是什麼關係人詰問!?為了揭穿他們
　　　　瞞天過海的謊言，我現在正在盤查全國的回收場找尋證據，只
　　　　要找到領袖所生產的那個鈔匣…
審判長　所以你有找到嗎？

審判長打斷振宗說話，用挖苦的方式詢問振宗。
振宗這才打了個冷顫。

審判長　我問你，所以你有找到證據嗎？
振宗　　我有試著找，現在正在盤查全國…
審判長　那麼等你找到再來談吧，現在請你先坐下，債權人代理人，還
　　　　有要詰問的嗎？
英禑　　沒有了，我方詰問完畢。

振宗虛脫地癱坐。
坐在旁聽席的格拉米，朝著正要走回座位的英禑比了個讚。

明錫　（小聲地只讓英禑、敏宇聽到）做得很好，現場氣氛對我們很有利。

敏宇　謝謝，我為了詰問關係人做了許多準備，幸好有發揮出效果。

本該屬於英禑的稱讚，被敏宇不動聲色地攔截。
面對這個無論是委託人、關係人，甚至連同事敏宇都無法信任
的情況，讓英禑感到非常混亂。

S#17.　英禑的辦公室（室內／白天）

叩叩！伴隨著輕快的敲門聲，杜庸走進辦公室。
英禑原先縮著腰在辦公桌前工作，站了起來。

杜庸　禹律師！妳有聽到消息吧？假處分已經裁定了！

英禑　喔，有聽說。

杜庸　金剛那些人，現在應該陷入麻煩了吧？他們的產品製作和銷售
　　　全都被禁止了！謝謝妳，這些都是託妳的福。

杜庸笑開懷，拿出一個包裝好的禮物，要送給英禑。

杜庸　這是我們梨花ATM要送給妳的禮物！拆拆看吧。

英禑拆著包裝。
是一幅有著黃色向日葵的畫作。

杜庸　說到「招財的畫」，一定是向日葵吧？
　　　祝妳像亭亭玉立的向日葵，工作扶搖直上！

英禑　好…謝謝。

杜庸拿著畫，環視了一遍辦公室，找到牆壁上的一個釘子。

杜庸 這裡不錯！禹律師，掛在這裡還行吧？

杜庸也不等英禍回答，逕自掛上畫作，往後站一步欣賞畫作，
像是非常滿意似的，笑得像向日葵一樣陽光燦爛。

杜庸 禹律師，祝妳賺大錢變富翁！

英禍以呆滯的表情來回看著杜庸和畫框裡的向日葵，此時，伴
隨著敲門聲，英禍的負責**祕書**（20多歲／女）走進辦公室。

杜庸 禹律師，那麼我就先走了。
英禍 是。

杜庸一離開，祕書就遞給英禍一疊信件。

祕書 這些是寄給妳的信。

英禍看著這疊信件中最上面的信封，停下動作。
信封外有著粗糙的筆跡，寫著「金剛自動櫃員機社長，吳振宗」。

S#18. **明錫的辦公室門前走道（室內／白天）**

英禍一手拿著信封，急忙走向明錫的辦公室，敲門後打開，卻
發現裡面空無一人。英禍不知所措，停在原地了一下子，然後
馬上關起門，掉頭往回走。

288

S#19.　敏宇的辦公室 （室內／白天）

叩叩，休息一拍，叩。敏宇總是以敷衍的「請進——」回應敲門聲，英禑開門走了進來。

杜庸看似也來過敏宇的辦公室了，這裡的牆上也掛著和英禑辦公室內一模一樣的向日葵畫作。

英禑　　權敏宇律師，你有收到信嗎？

敏宇　　什麼信？

英禑把剛才收到的信遞給敏宇。
敏宇從信封裡拿出信，並將其攤開。
那是一張裝載著振宗用力書寫字跡的信紙。

敏宇　　（朗讀信件內容）禹律師，請妳看看這封信。

S#20.　金剛ATM辦公室 （室內／白天）

畫面上是振宗茫然若失的臉龐。
振宗原本就白髮蒼蒼，現在看起來更是老了10歲。
振宗讀著信件的聲音浮現在畫面上。

振宗　　（旁白）禹律師，請妳看看這封信。

振宗坐在金剛ATM辦公室內的社長辦公桌。
除了振宗以外的員工，都馬不停蹄地忙著接電話，因為假處分的判決，擔心自己利益受影響的投資人們打來的電話。

振宗　　（N）如同我在法庭上說過無數次的內容，那是美國公司研發並

在博覽會上公開的開源技術，無論是金剛或梨花，都是用那項技術來製作產品，梨花ATM為了壟斷市場，故意去申請實用新型專利，妳為什麼要對真相視而不見？

一位**員工**（40多歲／男）以手足無措的表情走向振宗。

員工　　社長，禁止銷售假處分的消息傳得太快，好像有幾位投資人會馬上闖進這裡⋯你要不要先去避避風頭呢？

振宗臉上寫滿無神和空虛，從座位上起立，走了出去。

S#21. **金剛ATM工廠**（室內／白天）

辦公室門外連接著製造產品的工廠。

比梨花自動櫃員機還要小型的規模，裝備和設施相較於梨花也都更為落後。

因為假處分判決，機器都停止運轉，看著這一切的振宗，內心崩潰瓦解。

振宗　　（N）如果這次的假處分，讓我們被禁止製造和銷售的期間拉長，我們這間規模比梨花還要小很多的公司，很快就會關門倒閉。

此時，哐哐哐！幾位投資人們用力敲著工廠緊閉的門，像是要把門摧毀似的，因為沒人應門，投資人們開始在外頭大聲喝斥。

投資人1　（聲音）開門！我知道你們都在裡面！

投資人2　（聲音）社長給我出來！吳振宗！出來！

員工們開始聚集到振宗的身旁。

在所有人兵荒馬亂之下，振宗凍結在原地。

畫面上是振宗絕望的臉龐，同時浮現振宗閱讀著信件最後部分的平靜聲音。

振宗　　（N）妳要成為一心只想勝訴的萬能律師，還是想成為揭開真相的優秀律師？

CUT TO：

敏宇的辦公室。

敏宇讀完信，還給英禑，聳了聳肩。

敏宇　　他怎麼不寄給我？是我沒有存在感嗎？

英禑　　萬一這封信的內容屬實，我們是不是應該做點什麼？

敏宇　　要做什麼？我們站在委託人的立場，好好為他辯護，替他爭取到假處分裁定就好，我們還需要多做什麼嗎？

英禑　　萬一這封信的內容屬實…

敏宇　　禹英禑律師，妳要執著是否屬實到什麼時候？妳不就是為了搞清楚真相，才親自去了一趟梨花總公司嗎？

英禑　　還是我們讓梨花ATM的人看看這封信，然後說服他們怎麼樣？請他們申請取消假處分。

敏宇　　什麼…？到底為什麼要這麼做？

英禑　　因為這封信的內容有可能屬實。

敏宇　　妳有證據嗎？

英禑一時語塞，支支吾吾。

敏宇　　奇怪，如果妳無法相信委託人，一開始就不該接手這樁案件，

現在因為一封信就內心動搖，還想推翻整樁案件，這合理嗎？真是的，妳是怕別人不知道妳是冒失魯莽禹英禑，才一天到晚想闖禍嗎？

英禑　　請不要叫我冒失魯莽的禹英禑，我如果叫你愛出權謀詭計的權敏宇，你會開心嗎？

敏宇　　愛出權謀詭計的人…應該是妳吧？

英禑　　什麼？

敏宇　　關係人證詞，是妳教他怎麼說話的對吧？我還以為我在看美劇呢，我看關係人真的是有備而來耶？提問和回答都像有劇本一樣完美。

英禑啞口無言。

敏宇　　禹英禑律師，妳才應該老實說，妳覺得關係人說的是實話嗎？不覺得吧？妳就是不覺得他在說實話，才幫助他以假亂真，不是嗎？妳的所作所為就是權謀詭計。

面對敏宇的指控，英禑猝不及防，表情呆滯。

敏宇　　不管妳是否認為那是事實，既然妳選擇相信委託人，就要相信到最後，那才是一個律師對委託人該有的尊重。

S#22.　汪洋法律事務所11樓走道（室內／白天）

英禑離開敏宇的辦公室，兩眼無神地走著。
遇見正對面邊看著手機邊走過來的明錫。

明錫　　禹英禑律師，妳有打電話找我嗎？什麼事？

英禑　　喔…

英禕的手摩擦著振宗的信件，也就是她打電話給明錫的原因，英禕苦惱著該不該開口，最後決定閉口不提，緊握手上的信封，像是要把信封藏起來似的。

英禕　　剛才有事想要請教你…
明錫　　剛才有事？
英禕　　現在沒事了。
明錫　　（微笑）好。

明錫經過英禕，繼續往前走。

S#23. 英禕的辦公室 （室內／白天）
英禕回到辦公室。
來回看著牆上掛著那幅向日葵和手中拿著的振宗寄來的信，最終把信件放到抽屜深處。

S#24. 汪洋法律事務所員工餐廳 （室內／晚上）
秀妍一個人吃晚餐，英禕端著餐盤坐到秀妍的對面。

秀妍　　禹英禕是怎麼回事啊？居然會吃員工餐廳的飯耶？
英禕　　因為今天的晚餐是海苔飯捲。

秀妍看著英禕餐盤裡擺放得井然有序的海苔飯捲，噗哧一笑。

秀妍　　看來以後有海苔飯捲的日子，我就得通知妳了。

英祹吃力地開著瓶裝水。

秀妍習以為常地接過英祹手上的瓶裝水，輕鬆地打開。

秀妍　　妳是不是把那件事告訴權敏宇律師了？

英祹　　什麼？

秀妍　　權謀詭計權敏宇。

英祹　　喔，因為他一直叫我冒失莽撞禹英祹。

秀妍　　什麼啊，你們才一起負責一樁案件，就熟到可以互取綽號啦？

英祹　　冒失莽撞禹英祹不是我的綽號。

秀妍　　也幫我想一個那種綽號。（思考了一下）「極致童顏崔秀妍」怎麼樣？還是「極致美女崔秀妍」？

英祹　　都不對。

秀妍　　不對？

英祹　　嗯，妳不適合那種綽號。

秀妍　　（有點生氣）那我適合什麼？

英祹　　妳…

秀妍　　（期待）我怎麼樣？

英祹　　妳就像春天的陽光。

意料之外、過於認真的文字表達讓秀妍大吃一驚。

秀妍　　什麼？

英祹　　從在法學院的時候，我就一直這麼覺得了，妳都會告訴我教室位置、有沒有停課、考試範圍異動，妳很努力讓我不被同學欺負、欺騙、排擠。現在也是如此，妳幫我打開瓶裝水，還說之後員工餐廳有海苔飯捲會通知我。妳是開朗又溫暖、善良且溫柔的人，妳是「春日暖陽崔秀妍」。

英祦平靜地說完這整段話，秀妍莫名熱淚盈眶。此時，敏宇發現英祦坐在這裡，走了過來。

敏宇	禹英祦律師，妳知道金剛ATM有針對假處分，提出異議吧？
英祦	知道。
敏宇	他們現在提出現場驗證的要求，金剛社長之前說他在盤查全國的回收場找尋證據，結果好像真的被他找出什麼了。
英祦	現場驗證？
敏宇	對，他們通知我們到中浪區忘憂洞的一間銀行。

S#25. 銀行ATM使用空間（室內／白天）

位於中浪區忘憂洞，隸屬第二金融圈的「重賢儲蓄銀行」，在設有三、四臺ATM的狹窄空間裡，聚集了許多西裝筆挺的人。和平常的穿著不同，3位身穿西裝的法官分別站在兩側，杜庸的旁邊站了明錫與新進律師們，振宗的旁邊站了宇盛。杜庸的手腳仍舊是纏著石膏的狀態，雖然還杵著拐杖，但整體而言已經康復許多。

審判長	現在開始針對2022年第1547號民事案件，侵犯智慧財產權假處分之異議程序，進行現場驗證。債務人代理人，你申請進行現場驗證，可以讓我們看看驗證標的物嗎？
宇盛	是的，庭上。

宇盛走向一臺ATM。
是一臺相對老舊，有點破舊痕跡的ATM。

宇盛	這是領袖ATM製造的現金自動存提款機，同一型號的產品大多已經報廢，幸好還有這一臺留在忘憂洞分行。（對銀行員說）可以

請你們打開機器，讓我們看看鈔匣嗎？

銀行員（40多歲／男）和**銀行警衛**（40多歲／男）一起把ATM轉至背面，露出ATM的內部構造，法官們和律師們第一次看到這幅景象，內心感到新奇並專注地觀看著。

銀行員2　這就是鈔匣。

銀行員取出鈔匣，拿到法官們面前，
宇盛拿出另外準備的鈔匣，放在旁邊。

宇盛　這是梨花ATM主張為他們自行研發的鈔匣，請你們比對一下兩個鈔匣。這兩個鈔匣和其他舊式鈔匣的不同之處，在於它們的正面都有數字鍵盤，以及內部下方都有紙鈔重量感測器。

法官們隨著宇盛的解說移動目光，比對眼前的兩個鈔匣。綠色手把旁的數字鍵盤、內側底部的紙鈔重量感測器，無論從外觀或大小來看，幾乎可以說這兩個鈔匣是同款機型。

宇盛　這兩個鈔匣不只有外觀相似，請看兩間公司的鈔匣設計圖，內部的設計果然也非常雷同。

英禍比對著梨花和領袖的鈔匣紙本設計圖。
實在難以找出不同之處，英禍不自覺嘆息著。
英禍看向站在一旁的杜庸。
她依舊無法看出杜庸的表情是驚訝、被說中，還是委屈。

宇盛　梨花ATM是在2020年10月申請實用新型專利，那麼領袖ATM是在什

麼時候製造出這項產品的呢？請各位確認內部標示的交貨日期。

審判長走向ATM，為了看交貨日期，跪在地上。
宇盛把放大鏡交給審判長。

審判長　交貨日期是…2019年10月23日耶？
宇盛　沒錯，這項產品足足比梨花ATM早了一年生產。

明錫、英禑和敏宇的表情一致變得黯淡。
相反地，杜庸依舊維持著無表情的面孔。

宇盛　註冊實用新型專利，最重要的條件就是新穎性，也就是不能與
既有的技術相同。因此，根據《專利法》第29條規定，梨花
ATM沒有資格以這項技術獲得實用新型專利，請撤回對金剛
ATM裁定的禁止製造及銷售假處分。

審判長點了點頭，表示瞭解。
英禑看著宇盛和振宗，與想著勝訴、十分神氣的宇盛不同，振
宗看起來非常平靜且沉穩。
不知道振宗是不是因為艱難的鬥爭終於看到盡頭而鬆一口氣，
他只是靜靜地嘆息著。

S#26. 馬路 （室外／白天）

銀行門口的馬路。
現場驗證結束後，人們紛紛離去。
杜庸、明錫、英禑和敏宇站在一起。

明錫　　這樣下去，假處分應該會被撤回。

杜庸　　喔，對啊。

明錫　　實用新型專利的審核也很可能不會通過。

杜庸　　對，我想也是。

明錫對杜庸不以為意的反應感到錯愕。

明錫　　你不介意嗎？

杜庸　　不介意，裁定假處分的時候，我已經跟大部分銀行都簽好供貨
　　　　契約了，現在被撤回也不會有太大影響。

　　　　「果然是那樣啊…」
　　　　杜庸的話給了英禑一記重擊，英禑的表情變得茫然。

英禑　　你從一開始就是計劃著這個結局嗎？你說的自行研發技術都是…

英禑看似要向杜庸追究，在她說出「都是謊言嗎」的前一刻，
敏宇阻止英禑，轉移話題。

敏宇　　幸好你不介意，畢竟最後是由金剛勝訴，我們有點擔心。

杜庸　　唉唷，勝訴有什麼用？現實上他們還不是吞了敗仗，金剛的社
　　　　長應該也知道，我們拿下了大多數銀行的訂單，他只是氣不
　　　　過，所以才想爭到底。這次的事應該會讓金剛受到不小的打
　　　　擊，唉唷～不知道金剛接下來會不會步上領袖的後塵耶？哈
　　　　哈！這些都是託律師們的福！

杜庸開懷大笑，明錫和敏宇回以不失禮貌的商用微笑，英禑甚
是慌張。

英禑突然和站在遠處的振宗四目交接。

振宗沒有說話，面無表情，動也不動，只是靜靜地站在那裡，但是英禑的耳邊卻清楚地聽見振宗那封信的最後一段。

振宗　　（N）妳要成為一心只想勝訴的萬能律師，還是想成為揭開真相的優秀律師？

內心的混亂想法，讓英禑緊緊閉上眼睛。

S#27.　汪洋法律事務所休息室 (室內／晚上)

英禑走進休息室。

為了拿出瓶裝水，英禑手握著冰箱的手把，卻一動也不動。

各種想法和情感突然席捲而來，英禑的身體像是故障的機器，僵在原地。

潓浩來到休息室，看到英禑這副模樣，擔心地走向英禑。

潓浩　　禹律師？

英禑　　我最終還是成為了梨花ATM利用法律的幫手。

潓浩　　什麼？

英禑　　申請實用新型專利、申請假處分，這些都只是為了壟斷市場所做的假動作，我不但沒能阻止這些假動作，反倒還成為幫兇。

潓浩理解英禑在說什麼，嘆了一口氣。

英禑　　而且我⋯好像早就知道這件事了。

英禑終於放開冰箱手把，轉身面向潓浩。

英禑	我們去拜訪梨花ATM的時候，你認為黃杜庸部長和裴聖哲組長有說實話嗎？
澹浩	嗯，我…
英禑	（不聽回答，自顧自的說著）不可能，你回想看看裴聖哲組長當時的行為，坐在椅子上的雙腿像是隨時都想逃離現場，像是被綁在椅子上的人，雙手緊貼身體，不停用手摩擦大腿，還有搓揉鼻尖的動作…這一切都表示他在說謊。
澹浩	是啊。
英禑	結果我明知真相，卻還裝作不知道，我欺騙了我自己，只因為我想贏。

澹浩早就知道英禑為什麼會這麼做，靜靜地回答。

澹浩	是啊。
英禑	我很羞愧。

英禑低著頭，澹浩本來打算走近英禑，最後他決定站在原地看著英禑。

S#28. 英禑的辦公室（室內／晚上）

英禑獨自回到辦公室。

看著牆上掛著的那幅向日葵畫作，英禑似乎下定決心，拿出放在抽屜深處，拿著振宗的那封手寫信以及膠帶，走向牆壁。英禑拆下那幅向日葵畫作，在相同的位置，貼上振宗的信。

「妳要成為一心只想勝訴的萬能律師，還是想成為揭開真相的優秀律師？」

英禑平靜的眼神似乎在說著，她不會成為一位愧對於這封信的

律師。

英禍走回辦公桌。

突然，澔浩那份乏人問津，已經被丟在辦公桌下方垃圾桶的禮物映入眼簾，英禍從垃圾桶拿出禮物，拆開包裝。

「是什麼？」一個小小的白色電器，無從得知它到底為何物。

英禍按下了電器的按鈕。

電器發出藍色的光，讓整個辦公室都被染成海洋的顏色。

發出光線的那一刻，英禍驚訝地打了個冷顫。

但是馬上就像身處深海裡一樣，身體和心靈都變得放鬆。

搖晃的光暈在辦公室裡的每一面牆上閃爍不已，令人著迷。

過去這些日子，英禍都只顧著和敏宇競爭，現在是英禍找回自我的時間，大翅鯨的歌聲彷彿在英禍的耳邊環繞。

S#29.　EPILOGUE：守美的辦公室（室內／白天）

叩叩的敲門聲。

守美坐在辦公桌前回答。

守美　　是，請進。

辦公室的門被打開，青瓦臺公務員紀律祕書處的行政官**金英日**（40多歲／男）走了進來。

軍人般的平頭短髮，有分寸的動作給人剛正不阿的感覺。守美一如往常地用她最從容不迫的微笑迎接英日。

行政官　　太守美候選人，初次見面，我是跟妳通過電話的青瓦臺公務員紀律祕書處行政官金英日。

301

守美　　我是太守美，請坐。

守美和英日面對面坐在沙發上。

英日　　由衷地恭喜妳成為法務部長候選人。

守美　　我只是成為候選人而已，我對往後的艱難關卡甚是擔心呢。你今天是來收文件的吧？

守美將事先準備好的文件信封遞給英日。
英日取出文件，一一確認。

守美　　我在寫這份自我檢視報告的時候，竟然有些激動，雖然我總是自詡這輩子活得比誰都正直，但是突然要被人檢視，難免還是會緊張。

英日　　畢竟韓國從來沒有頂尖律所的前任代表被列為法務部長候選人的先例。既然是前所未有，我們也會更謹慎地審核，再寫成報告，最重要的目標還是順利通過人事聽證會。

守美　　好的，那就麻煩你了。

英日把確認過的文件再次放回信封裡，有點欲言又止。

英日　　有件事…想要請問妳。

守美　　請說。

英日　　在檢視候選人的時候，我們無法忽略風評。

守美　　風評？請問是指我的名聲嗎？

英日　　是的，我們發現在妳的大學同學之間，有個謠傳許久的傳聞。

守美　　這樣啊？是什麼傳聞呢？

英日　　是一個關於妳未婚生子的傳聞，妳有聽說過嗎？

守美的表情微微僵硬，但馬上就恢復平常的笑容。

守美　（微笑）我還以為是什麼大事呢，這種小八卦應該不用太過在意吧？

英日　這的確只是一個小八卦，但是妳也知道，能擊垮公職人員的，往往都是這些雞毛蒜皮的小事。

守美　這明明聽起來荒謬至極，怎麼總是會出現這種謠言呢？也許真的有個人和我很像吧。

英日　我可以相信妳沒有未婚生子嗎？

守美　當然。

守美朝著英日，擺出一個無聲的微笑。
藏在這抹微笑背後的眼神，蘊含著微妙的緊張感。

〈完〉

「希望妳們不要認為這只是『區區一樁公益案

　件』、『區區一個脫北者』。

　就算這不是數十億韓元的案件⋯

　總之還是認真處理案件吧。」

如果
我是鯨魚…

⑥

S#1.　PROLOGUE：育幼院辦公室（室內／白天）- 過去

一個月前。

位於首爾近郊的某間育幼院辦公室。

容貌年輕的**季向心**（31歲／女）坐在**員工**（30多歲／女）的辦公桌對面，向心的懷裡抱著女兒**季霞允**（8歲）。

霞允睡得很沉，全身放鬆，她的身體對於身形嬌小的向心來說看起來似乎很沉重。

員工　請問妳的大名是？

向心　季向心，「季節」的季。

員工　女兒的名字呢？

向心　（一字一字唸清楚）季——霞——允。不覺得她的名字很美嗎？聽說在韓國這個名字很受歡迎，所以我就把她的名字取為霞允。她的姓氏比較少見，我想至少幫她取個常見的名字，讓她可以好好融入群體生活。

與說自己名字的冷漠態度不同，

向心一聊到女兒就聊得很起勁。

向心說了許多員工並沒有提問的內容，表情甚是燦爛。

員工　　（看著霞允）不重嗎？要不要讓她躺在那張沙發上？

向心　　不用、不用，我要抱著她。

好像深怕有人搶走女兒，向心緊緊抱著女兒。

員工　　她睡得很沉呢，都正中午了。

向心　　我餵她吃了藥。

員工　　（訝異）餵藥？餵妳女兒嗎？

向心　　如果霞允醒著，她絕對不想跟我分開。

向心以開朗的表情，說著餵女兒吃藥的事。
向心靜靜地看著女兒深深熟睡的臉龐。
一想到會有好一陣子看不到這副可愛模樣，向心甚是心痛。

員工　　請問妳家住址是？

向心　　我並沒有要拋棄霞允，不可以讓她被領養，我一定會回來接走她。

員工　　喔，好。但是請先告訴我地址…

向心　　妳把我的話當耳邊風嗎？我沒有要拋棄霞允，只是我必須去一趟勞改營，才先來把霞允暫時託付在這裡。

員工　　勞改營？

向心　　喔，我說的是監獄，監獄。

員工　　霞允媽媽，請問妳是脫北者嗎？

向心　　請不要因為霞允是脫北者的女兒就歧視她，我一定會回來接走霞允。

向心無心好好聽員工說話，只是不斷威脅恐嚇。

向心堅定的眼神比起可怕，看上去更顯得令人憐憫。

S#2.　PROLOGUE：育幼院廣場（室外／白天）- 過去
向心搖搖晃晃地走出育幼院門前的廣場。
睡醒的霞允衝出建築物外，員工趕緊跟上攔住霞允。

霞允　媽媽！媽媽！

向心驚訝地回頭看。

霞允　媽媽！不要走！媽媽！

霞允被員工攔住，嚎啕大哭，使勁掙扎。
向心看到這樣的霞允，撕心裂肺。

向心　媽⋯媽媽⋯

雖然試著說些什麼，但是向心哽咽到說不出話來。
向心強忍衝動背過身，倉促地逃離育幼院。
向心悲傷的雙眼流下眼淚。
霞允不斷蹬腿掙扎，用盡全身力氣呼喊著媽媽。

河允　媽媽！媽媽！！！

TITLE：
《非常律師禹英禑》

S#3. 汪洋法律事務所走道（室內／白天）

一個月後的現在。

英禑站在會議室門前的走道。

會議室內傳來了人們的笑聲。

叩叩，休息一拍，叩。英禑敲門後靜靜地等待。

稍後，剛才在開會的明錫走了出來。

英禑　　鄭明錫律師，你找我嗎？

明錫　　對，崔秀妍律師負責了一樁公益案件，是依強盜傷害罪遭起訴的脫北者案件。

英禑　　依強盜傷害罪遭起訴的脫北者案件。

明錫　　在我看來，這樁案件律師能做的事其實很有限，該怎麼說崔秀妍律師呢…好像有點過於熱情了嗎？我感覺她對被告投射了太多的情感，所以我希望妳共同負責這樁案件，讓她「吁吁」，不要讓她衝過頭。

英禑　　吁吁…？像這樣嗎？

明錫　　不要讓崔秀妍律師過於感情用事，讓她冷靜下來處理案件。（舉起雙手，做出把東西往下壓的手勢）吁——吁。

英禑　　（跟著做明錫的手勢）吁——吁。

明錫　　（再做一次手勢）吁——吁。

明錫和英禑面對面做著相同的動作，喊著「吁吁」，路過的祕書用詫異的眼神看著兩人。

S#4. 秀妍的辦公室（室內／白天）

英禑走進秀妍的辦公室。

秀妍的辦公室擺放著花、蠟燭、娃娃等各種可愛的物品裝飾，同時卻又充滿散落的衣物、高跟鞋，還有讓辦公室看起來十分

髒亂的零食碎屑。

秀妍的瀏海捲著髮捲，身穿睡衣褲，坐在辦公桌前，像顆化石一樣工作著。

英禑　嗯…妳是還沒上班，還是沒有下班？

秀妍　下班？下班是什麼？是指那種「有夜生活的人生」嗎？只存在在幻想中，實際上根本不存在的那種東西？

英禑　（不知道該怎麼回答，支支吾吾）嗯…

秀妍　妳沒事嗎？工作不多嗎？

英禑　工作…很多。昨天打字超過10小時，手腕好痛。我已經患有亞斯伯格症候群了，再這樣下去，很快就會再患有腕隧道症候群。

秀妍　我已經開始長白色鼻毛了，因為睡眠不足。

秀妍起身走到衣櫃前面，把身上這件寬鬆的衣服換掉，英禑為了不要看到秀妍換衣服，微微轉過身。

英禑　妳負責的公益案件，我被指派和妳一起負責，依強盜傷害罪遭起訴的脫北者案件。

秀妍　什麼，向心姐的案件嗎？

英禑　向心姐？

秀妍　那樁案件的被告名叫季向心，我見過她一面，她的個性非常瀟灑，就像個霸氣的大姐頭一樣。

英禑　鄭明錫律師認為妳對那樁案件太過於熱情了，他說妳對被告投射太多情感。

秀妍　（有點敏感）嗯，是嗎？

英禑　嗯，他叫我來讓妳「吁吁」冷靜下來。（做出把東西往下壓的手勢）吁——吁。

換好西裝的秀妍看到在「吁吁」的英禑，噗哧一笑。

秀妍　　禹英禑，妳去過看守所嗎？
英禑　　沒有，我從來沒去過。
秀妍　　快去申請律師接見，我們去見向心姐吧。

S#5.　看守所（室內／白天）

以無數個鐵窗與外界隔絕，看守所裡充滿嚴肅的氣氛。
秀妍和英禑脖上掛著出入證，與監所管理員一同前往接見室。
英禑的表情看起來有點緊張。

S#6.　看守所接見室（室內／白天）

監所管理員一開門，就能看見一間間用玻璃牆隔開的狹小接見
室，兩人所來到的接見室因為是律師專用，所以沒有安裝玻璃
隔板等裝置。向心身穿女生未決犯的淡綠色囚服，坐在椅子
上，她看見秀妍，開心地站起身來。

向心　　唉唷，律師妹妹妳來啦？
秀妍　　對啊～妳過得還好嗎？
　　　　兩人親暱的氣氛連親姊妹都自嘆不如，英禑驚訝地看著兩人。

秀妍　　這位是禹英禑律師，她會和我一起負責這樁案件。
英禑　　妳好，我是汪洋法律事務所的禹英禑，正著唸、倒著唸都一樣的
　　　　禹英禑、黑吃黑、多倫多、石榴石、文言文、鹽酸鹽、禹英禑。
向心　　嗯？禹向禑？
英禑　　什麼？不是…

秀妍　　我們…要不要先坐下再聊？

在稍微有些混亂的氣氛下，仨人決定先坐下。

秀妍　　妳在這裡過得怎麼樣？一定很難受吧？

向心　　這裡的生活嗎？喂，這裡供吃供住，可以說是飯店水準了！只
　　　　是我很想念霞允…那是唯一讓我心痛的事。

聊到對女兒的思念，向心的表情變得黯淡。
秀妍看見向心這副模樣，臉上滿是心疼。

英禑　　季向心女士，聽說妳是脫北者，為什麼妳不說北韓方言呢？

面對英禑突如其來的提問，向心面無表情地直視英禑，氣氛驟
降，秀妍正準備要收拾場面，

向心　　禹向禑同志！我脫離北韓都多久了，妳怎麼還這麼說？「唉
　　　　唷～南朝鮮連看守所都跟飯店一樣舒適～」要這麼說才像個脫
　　　　北者嗎？

似乎是在捉弄英禑，向心嘴裡說著浮誇的北韓方言。
與在一旁笑著的秀妍不同，英禑十分慌亂。

英禑　　喔，抱歉。

秀妍　　我們來談談案件吧？禹英禑律師是第一次參與，我們就從頭開
　　　　始吧。妳和被害人李順英本來就認識嗎？

向心　　不，李順英不是脫北者，我從來沒有跟她有所往來，那天我去收
　　　　錢，是第一次見到她，因為媽媽提到她，我才知道她的存在。

英禑	「媽媽」嗎？（看著資料）妳說的是脫北掮客崔榮熙嗎？
向心	她不是我的親生媽媽，是我的養母，大家都直接叫她「媽媽」。（嘆氣）要是她有把欠我的錢還我…
秀妍	我來總結一下，5年前妳要求媽媽，也就是脫北掮客崔榮熙，償還她欠妳的一千萬韓元，但是崔榮熙並沒有直接還妳錢，而是告訴妳李順英欠她一筆錢，叫妳直接去找李順英收錢。
向心	對，媽媽把李順英欠她的一千萬韓元，轉讓給我跟庭希。
英禑	「庭希」嗎？妳說的是共犯金庭希嗎？
向心	（再次使用浮誇的北韓方言）禹向禑同志，登場人物很多，讓妳很頭痛嗎？
英禑	（再次慌張）喔，不是的。
秀妍	妳跟金庭希是朋友吧？
向心	其實並不算是真正的朋友，我們是透過媽媽介紹才認識的，只是口頭上互稱朋友，庭希也是脫北者，年紀跟我一樣大。
秀妍	如果李順英還錢，妳原先是打算和金庭希對分嗎？
向心	對，問題就出在李順英都不還錢給媽媽了，怎麼可能會乖乖把錢交給我們。為了避免她用沒錢當藉口賴帳，我跟庭希就勢必要展現出氣勢。

S#7.　順英家巷口（室外／晚上）- 過去

5年前。

26歲的向心和庭希站在一棟老舊殘破的兩層樓單戶公寓前面，2樓的玄關門被打開，**李順英**（33歲／女）把垃圾放在門口，走回屋內。

向心	那女人甚至連門都不鎖。
庭希	她還真是勇敢。
向心	妳要搞清楚狀況，她絕對不會輕易還錢，她連媽媽的錢都敢私

313

吞，想必是個狠毒的女人。

庭希　妳管好妳自己吧，要論狠毒，在朝鮮半島我說第二，沒人敢說
第一。

庭希撿起被丟在巷口的方形木材，走向順英的家，向心被這樣
的庭希刺激到了。
向心也拿著一塊碎裂的磚頭，跟上庭希的腳步。

S#8.　順英家的客廳 (室內／晚上) - 過去

庭希像是要破壞玄關門一樣，大力地踹門，走進順英的家，向
心也壯起膽來跟在後頭。

庭希　李順英！趕快給我出來！

向心　出來！

在廚房做事的順英驚訝地走到客廳。
近距離看著順英，發現她的臉和手腳布滿發黑的瘀血和傷口。
順英的狀況和預料中的不同，向心有點猶豫。

庭希　交出媽媽的錢！

順英　什麼？什麼錢？

庭希　妳還問我什麼錢?!妳欠了媽媽一千萬韓元不還！

庭希手上的方形木材重重地敲在玻璃製的沙發桌。哐啷啷！桌
面上的玻璃碎裂。
向心走進臥室。

向心　妳把錢藏在哪裡？妳鎖在房間裡了嗎？

順英快速跑去擋住向心，跪在向心面前求饒，向心試著推開順英，但是順英死命硬撐。

順英　這次就先饒過我吧，我手頭有點緊。

庭希　喂，妳這光天化日之下的強盜！難道我們就手頭闊綽嗎？

庭希把方形木材丟在一旁，衝上前抓住順英的頭髮，在一陣爭吵中，兩人的角力之戰也開始。
向心看著這個情況，稍有猶豫，卻也馬上丟開手中的磚頭，跑向順英加入肉搏戰。

S#9.　順英家1樓（室外／晚上）- 過去

順英居住的單戶公寓一樓的玄關門被打開了。
房東（60多歲／女）拿著手機往樓上看。
似乎是對這種吵鬧聲很熟悉，一邊大口喘氣，一邊報警。

房東　是警察吧？這裡是冬柏街52號，樓上又吵個不停了，我要被煩死了，唉唷。

CUT TO：
5年後的現在，接見室。
秀妍聽著向心的故事，忙碌地做著筆記。

秀妍　住在被害人樓下的房東報案，警察來了…妳和金庭希就當場被逮捕，對吧？

向心	說真的，我們下手並沒有很重，但是在警察看來，滿地的碎玻璃、木棍和磚頭，他們就會覺得場面很嚴重吧。
英禑	（看著資料）妳當時和金庭希一起申請了國民參與陪審，金庭希出庭受審，依強盜傷害罪處4年有期徒刑，但是妳卻在開庭前逃跑了，為什麼那麼做呢？
向心	4年有期徒刑…（嘆氣）那麼庭希應該已經出獄了吧？
秀妍	對，我想應該是吧。
英禑	妳為什麼逃跑？

向心準備回答，但是內心沉重，深深地嘆了一口氣。

向心	庭希沒有小孩，但是我有女兒，當時我家霞允才3歲，如果我進了勞改營，霞允就等於被拋棄了，因為我是脫北者…沒有人可以幫我照顧霞允。我的媽媽不是親媽媽，那些朋友也不是真正的朋友，霞允的爸爸在她出生不久後，就出車禍離開人世了…如果我不在霞允身邊，根本沒有人能夠幫我照顧她。
秀妍	現在呢？霞允現在在哪裡呢？
向心	我把她送去育幼院之後，我就去警察局了。
英禑	如果妳選擇把女兒託付給育幼院，5年前不也能這麼做嗎？
向心	如果當時就把霞允送去育幼院，她之後一定會忘了我，因為年紀太小了。現在她8歲了，等我去接她，她應該會認得我吧。

向心的一句話，讓英禑有點訝異。

英禑	妳是為了等女兒長大到足以記得媽媽，當時才逃跑的嗎？
向心	嗯，加上霞允現在要上學了，不能讓她一直當逃犯的女兒，我應該盡快服刑，快去快回。
英禑	（像在自言自語）就像鯨魚媽媽。

向心	什麼？
英禑	鯨魚以犧牲奉獻的母性聞名，牠們必須那麼做才行，因為大海裡幾乎沒有能安全扶養小鯨魚的育兒空間。

英禑想鯨魚想得出神。
雖然向心的母愛似乎觸動了英禑的內心，但是英禑臉上天生就沒什麼表情，並沒有顯露出英禑的心思。

秀妍	妳逃跑後是怎麼生活的？這5年來，妳無法領取國家補助金，應該也很難找到工作。
向心	我在汽車旅館當清潔工，和霞允兩個人一起住在剩下的一間空房裡。一想到那些日子，我心裡就覺得很難受，別人的小朋友都是去幼兒園、托兒所，霞允卻遇到沒出息的媽媽，整天被關在汽車旅館裡…唉唷。
英禑	（突然想到）但是待在媽媽身邊，她應該還是開心的。
向心	是嗎？是那樣嗎…？
英禑	（堅定）對，一定是的。

向心欲言又止，像是要說出難以啟齒的話。

向心	如果我也跟庭希一樣被判4年有期徒刑…律師妹妹，妳可以來面會一次嗎？我知道妳一定很忙，但是請妳帶著霞允來面會一次吧…
英禑	請別說那種軟弱無能的話，妳絕對不會被判4年有期徒刑！

英禑的大聲喝斥，讓向心和秀妍驚訝地看著她，英禑毅然決然的眼神無比堅定。

S#10. 明錫的辦公室 (室內╱白天)

英禑　季向心一定要獲判緩刑。

秀妍　我們會盡全力讓被告獲判緩刑。

英禑和秀妍並排站在明錫的辦公桌對面。

她們兩人以熾熱的眼神面對明錫。

「過度熱情的律師」從一位變成兩位，明錫不自覺地嘆息著。

明錫　難道被告…有什麼令人著魔的魅力嗎？為什麼只要跟被告見過面都會變得這麼…熱血？我交代給妳的「吁吁」任務呢？

明錫看向英禑。

但是英禑一如往常地無法讀出明錫眼神裡蘊含的意義。

明錫　對律師來說，為強盜傷害罪辯護的難度絕不亞於殺人罪，妳們說為什麼？

秀妍　嗯…因為法定刑太高嗎？

明錫　沒錯，強盜傷害罪的法定刑是怎麼規定的？

秀妍　無期徒刑或是7年以上的有期徒刑。

明錫　也就是說至少要判7年，以本案來說，法官從輕量刑的最大減刑幅度是多少？

英禑　審酌減刑不得超過法律所定之減刑範圍，以有期徒刑來說，得減輕至其刑期的二分之一，也就是至少要判3年6個月。

明錫　但是必須被判3年以下有期徒刑，才能獲得緩刑。因此不僅要主張審酌減刑，還要盡可能地找出全部的法定減輕事由，爭取再減輕刑度，否則不可能獲判緩刑。所以強盜傷害罪的案件總是會處以實刑，更何況被告曾有逃逸行為，別說減刑，搞不好她

的刑責還會加重。

英禍和秀妍嘆了一口氣。
明錫雙眼無神地看著辦公桌上的案件資料。

明錫	（沉思中，像在自言自語）這樁案件很奇特，我們都還沒開始行動，答案就已經呼之欲出，就像被告的判決結果已經確定了一樣。
英禍	是因為有共犯嗎？
明錫	是啊，季向心女士和金庭希女士，這兩個人的爭點幾乎相同，金庭希女士先前接受審判的過程中，已經盡力提出所有主張，會被駁回的部分也全被駁回了，最後的答案就是4年有期徒刑。
英禍	季向心女士表示案發當時，她只有抓住被害人的衣角，動手打了她幾下而已，如果主張使用暴力的程度輕微，不構成法定傷害要件呢？

聽英禍這麼說，明錫翻著資料，找出順英傷口的照片。照片裡順英身上發黑的瘀血、傷痕以及裂開的傷口看起來甚是嚴重。

| 明錫 | 她傷得這麼重，妳在說什麼？ |
| 秀妍 | 嗯…話說回來，現在再次看到這些照片…我覺得她的傷勢好像太嚴重了。 |

似乎是獲得了什麼靈感，秀妍的眼神閃閃發光。

| 秀妍 | 被告的身型瘦小，當然，共犯的身材也許比較高大，但是即便如此，兩位女性都是徒手打人，而且她們去被告住處沒多久，就被警察抓走了，應該也沒有多少時間，有辦法讓被害人傷得那麼重嗎？ |

明錫	好，看來我們有必要確認一下當時的情況。
秀妍	是，我也打算跟當時為金庭希辯護的律師見一面，也許先前的審判有留下遺憾或是疏漏的地方。
明錫	嗯，想法很不錯…（堅定）但是對律師而言，時間是最重要的資源，別在單一案件耗上太多時間，要保持平衡。
秀妍	喔，好，我知道了。
英禍	好，我知道了。

S#11.　濬浩／敏宇家的客廳（室內／晚上）

濬浩和敏宇坐在客廳地板，把泡麵當作下酒菜，兩人喝著酒。
似乎是喝了很多，兩人都喝醉了。

濬浩	有一個人，有那麼一個人…但是我好像讓那個人…誤以為我不喜歡她…我好像讓情況變成那樣了耶？
敏宇	但是你其實喜歡那個人嗎？
濬浩	（稍微停頓）嗯。
敏宇	那就跟對方說啊。
濬浩	那個…並沒有那麼簡單。
敏宇	為什麼？（想了一下）是辦公室戀情啊？

面對敏宇即使喝醉依然直覺敏銳的提問，濬浩啞口無言。

敏宇	汪洋的人氣男有什麼好煩惱的?!直接發號碼牌，照順序交往就好啦！
濬浩	唉唷～真是的！算了，我不說了。
敏宇	是律師嗎？
濬浩	是不是律師很重要嗎？總之是很常見面的關係。

敏宇　　我想——到了！是訟務組吧！讓我猜猜～總不會是禹英禑，那麼…

濬浩　　（聽到「禹英禑」，身體一震）喔，算了！你是笨蛋，連我喜歡誰都猜不到的笨蛋。

濬浩直接躺在客廳地板上。

敏宇　　奇怪～我是在幫你想辦法耶～我總要知道是誰才幫得上忙吧～

敏宇也醉得無法挺身，像濬浩一樣躺下，與馬上入睡的敏宇不同，濬浩的臉上寫滿了擔心。

S#12. 法庭門前走道（室內／白天）

庭審結束後的法庭門前走道。

公設辯護人**權柱浩**（40多歲／男）和**被告**（50多歲／男）走在走道上，被告是一位遊民，身上散發出不好聞的味道，令經過的人皺起眉頭，等待柱浩已久的秀妍和英禑走上前去。

柱浩　　你剛剛有聽到法官怎麼說吧？兩週後要再來這裡。

被告　　你有零錢的話就給我吧，我沒錢叫車回家。

柱浩　　唉唷，你怎麼又這樣，你明明無家可歸，要什麼回家的車錢，請慢走。

柱浩拍拍被告的肩膀，被告要賴無果，先行走遠。

秀妍　　權柱浩律師？我是和你通過電話的崔秀妍。（指著英禑）這位是禹英禑律師。

柱浩　　喔，汪洋？

秀妍　　對，我是因為5年前由你負責的金庭希和季向心案件才會聯絡你。

柱浩　　我趕著參加下一場庭審，我們邊走邊談吧？

柱浩、秀妍和英禑一起走著。

柱浩　　季向心女士又出現了嗎？當時她沒有出席受審就逃跑了。

秀妍　　是，沒錯。

柱浩　　不過我不確定我幫不幫得上忙，畢竟這是5年前的案件，我也沒
　　　　什麼印象了，再加上公設辯護人本來就負責很多案件，我的生
　　　　活就是日復一日地消化堆積如山的案件。

秀妍　　你應該常感到遺憾吧？雖然想更加深入瞭解案件，但是情況不
　　　　允許，所以有些部分就只能略過。

柱浩　　也許有吧。

英禑　　季向心女士的體型偏瘦小，那麼金庭希女士呢？

柱浩　　體型嗎？在我的印象中，她們兩位的體型都滿瘦小的。

秀妍拿出順英傷口的照片給柱浩看。

秀妍　　這是案發當時被害人李順英女士的傷處照片，你還有印象嗎？
　　　　體型瘦小的兩位女性，在短時間內施加暴行，會造成這麼嚴重
　　　　的傷勢嗎？

柱浩　　嗯，妳這麼說也有點道理，不過妳們應該也知道吧？在刑事審
　　　　判中，最有力且最難推翻的證據就是…

英禑　　就是？

柱浩　　醫生的診斷證明書。可是仔細想想，刑事審判中，絕大多數呈
　　　　交的診斷證明書，都是醫生根據傷患的片面之詞而寫的臨床推
　　　　定，基於客觀檢查結果的診斷證明書為數並不多，所以就算一
　　　　定有令人懷疑或模稜兩可的部分，但是通常難以反駁。

柱浩在下一場庭審的法庭門前停下腳步。

柱浩　喔！現在回想起來⋯那位醫生好像有點偏頗。

秀妍　那位醫生？

柱浩　為被害人開立診斷證明書的醫生。庭審結束後過了好一陣子，我偶然在報紙上看到那位醫生寫的專欄文章，內容跟脫北者有關，但是該怎麼說呢⋯該說是會讓我感覺到他對脫北者的偏見嗎？

英禍　你還記得那篇專欄文章的標題嗎？

柱浩　（拿出手機搜尋）等我一下，我找找看。喔，在這裡。

柱浩把手機遞給秀妍和英禍。
手機螢幕上顯示著**權炳吉**醫生（50多歲／男）刊登在某份報紙的專欄文章。
在名為〈正在形成犯罪集團的脫北者們〉的標題旁邊，可以看到炳吉的醫生形象照。

柱浩　（朗讀專欄文章第一句）「一名遭脫北者們施暴的韓國女性來找過筆者」就是在說這樁案件吧？讀了這篇專欄文章，我有點無奈，這樁案件的被告都是脫北者，我心想怎麼偏偏是這種人為被害人開立診斷證明書。

秀妍和英禍看著手機裡的專欄文章。
有了不同方向的資訊，她們的眼睛炯炯有神。

S#13. 順英家巷口（室外／白天）

5年前的案發現場，那棟兩層樓的單戶公寓前面的巷口。
向心和庭希站過的位置，現在英禍、秀妍和濬浩站在同樣的地方。

自從英禑問濬浩是不是喜歡她之後，
濬浩面對英禑總是很不自在。
因此就連在這裡，濬浩也當英禑不存在，
只對著秀妍說話。

濬浩　　李順英女士住在2樓對吧？
秀妍　　對，我們上去看看吧。

仨人移動腳步時，
順英的**老公**（42二歲／男）大喊並用力打開2樓的玄關門，濬浩和
秀妍驚訝地一人伸出一隻手保護英禑。
濬浩和秀妍的手觸碰到彼此，四目相接。
秀妍心跳加速。
同時，突如其來的巨大聲響，英禑比誰都還要受驚嚇。
英禑緊閉雙眼，用雙手摀住耳朵，左右搖晃身體，努力讓自己
鎮定。

秀妍　　禹英禑，妳還好嗎？

此時，**李順英**（38歲／女）跟著老公走出玄關門。
順英的老公嘴裡罵著髒話，用力地推開順英。
哐噹噹！順英往後摔倒，老公用腳踹順英。
老公喘著氣下到1樓，走出大門。
英禑左右搖晃身體的情形愈發嚴重。

秀妍　　我們必須報警。
濬浩　　等等，好像已經有人報警了耶？

聽澔浩這麼說，秀妍停下撥打電話的動作，看向澔浩手指的地方。就像5年前那樣，依然住在1樓的**房東**（60多歲／女）拿著手機走出來，看著樓上，打電話報警。

房東　　是警察吧？這裡是冬柏街52號，我真的快被樓上吵死了！

S#14.　**順英的家**（室外／白天）

秀妍敲著順英家的玄關門。
英禑站在離秀妍很遠的後方。
英禑好不容易鎮定下來，但是害怕又有巨大聲響，所以戴著頭戴式耳機，保持戒備模式。

秀妍　　李順英女士！妳在裡面吧？我們是季向心女士的律師，有些話想跟妳談談！

秀妍持續敲著玄關門，但是順英始終沒有回應。
秀妍嘆了一口氣。

S#15.　**順英的家1樓**（室外／白天）

同一時間，
澔浩和房東在1樓玄關門外面談話。

房東　　如果我太早死，一定是樓上那個男的害的！他每天又砸又摔，亂丟東西，我總是膽戰心驚，擔心自己會不會提早進棺材，真想用盡一切辦法把他們趕走，但是又覺得那個成天挨打的太太很可憐！我就這麼忍著忍著，這種煩人的日子也過了5年，唉唷，煩死了！

325

澔浩	每次樓上發生爭吵時，妳都會報警嗎？
房東	會啊！那個打老婆的傢伙會聽我的勸嗎？找警察來至少會清淨一些，一下子也好。
澔浩	那麼5年前樓上發生爭吵，妳應該也有報警吧？
房東	當然！所以現在我只要報出我們家的地址，就像炸醬麵外送一樣，警察局就會派人來了。

此時，秀妍和戴著頭戴式耳機的英禍下來1樓。

澔浩	（對秀妍說）妳們見過李順英女士了嗎？
秀妍	沒有，她沒有回應。
房東	她被老公打成這樣，一定覺得很丟臉，怎麼可能出來應門？唉唷，煩死了～

房東癟著嘴走進家裡。

澔浩	看來每次李順英女士家裡有紛爭的時候，房東都會報警。那麼…在案發之前，應該也有報案紀錄吧？
秀妍	對耶！我們必須取得報案紀錄。

S#16. 汪洋法律事務所休息室（室內／白天）

秀妍在休息室沖咖啡，敏宇走了過來。

敏宇	李澔浩怎麼樣？
秀妍	什麼？
敏宇	妳覺得澔浩這個男人怎麼樣？
秀妍	權敏宇律師，看來你最近很閒啊？

敏宇	不管我怎麼想…都覺得濬浩喜歡的人應該是妳。
秀妍	什麼？
敏宇	在汪洋上班，是訟務組的律師，又經常見面…那就是崔秀妍了啊！怎麼？妳是在嫌棄濬浩不是律師嗎？
秀妍	濬浩說了關於我的事嗎？他跟你說的嗎？
敏宇	當然是他跟我說的，我們住在一起，當然會互相聊很多事。

「濬浩喜歡我？」
秀妍的心有點悸動。

S#17.　法庭（室內／白天）

公訴審判準備程序期日。

沒有被告，只有秀妍和英禑，以及檢察官**金正峰**（40多歲／男）出席。有3位法官坐在法官席上，其中審判長的外貌給人的印象不容小覷，**柳明河**（60多歲／男）不苟言笑，全身散發出固執老先生的氛圍。

秀妍	因此我方聲請傳喚被害人李順英女士為證人。
正峰	庭上，被害人已經在5年前的審判中出庭對質過，再次傳喚被害人為證人是不必要且不合理的請求，被告擅自逃跑後再次現身，有什麼權利要求被害人一直來回出庭？這簡直…
英禑	（打斷正峰說話）接受公正的審判是所有國民的基本權利，逃跑後再次現身的被告，難道就不是大韓民國的國民嗎？

正峰想要再次反駁，明河卻突然舉起了手，法庭內因為審判長突然其來的舉動變得鴉雀無聲。
明河直視著英禑，

明河	辯護人，妳的祖籍在哪裡？
英禑	什麼？
明河	祖籍，我在問妳的姓氏源流。
英禑	喔…我是丹陽禹氏。
明河	丹陽的話是忠清北道吧？不過妳為什麼這麼急著打斷別人說話呢？一點也不像忠清道人。
英禑	什麼？
明河	打斷別人說話，給人的觀感不大好，以後不要這樣。由我擔任審判長的法庭內，禁止打斷別人說話。
英禑	喔，好的。
正峰	恕我請教一個問題…請問庭上的祖籍是豐山柳氏嗎？
明河	咦？你怎麼知道？
正峰	豐山柳氏可謂代代久居安東河回村，歷史悠久的姓氏，庭上正展現了那種大家風範。
明河	（有點不好意思，但心情愉悅）喔，是嗎？
正峰	我是安東金氏，豐山位於安東市，所以廣義來說，庭上和我可以說是同鄉。
明河	喔！真的是這樣耶！很高興見到你！

明河和正峰有說有笑。
「這到底是什麼狀況？」英禑和秀妍愣在原地。

秀妍	庭上，我方聲請傳喚被害人李順英女士為證人…
明河	（打斷秀妍說話，對秀妍說）辯護人，妳的祖籍在哪裡？
英禑	咦？庭上？你剛剛打斷別人說話了。
明河	什麼？
英禑	「由我擔任審判長的法庭內，禁止打斷別人說話。」你違反規則了。

明河瞪著英祸。

英祸呆坐著，不知道問題出在哪裡。

秀妍小聲地嘆息。

檢察官為了忍住笑聲，咬著嘴唇。

明河　　從現在開始到庭審結束，辯護人們發言前請先舉手，沒有我的
　　　　允許，不能開口說話。

秀妍心想「不能再這樣下去」，鼓起勇氣舉手。

明河　　什麼事？

秀妍　　庭上，我是原州崔氏。

「所以呢？」明河板著臉看向秀妍。

秀妍　　跟你使用同一層樓法官辦公室的崔保延法官也是原州崔氏。（猶
　　　　豫著該不該說）他…是我的爸爸。

明河　　什麼？妳是崔保延部長法官的女兒嗎？

秀妍　　是的。

明河的表情在瞬息之間變得開朗燦爛。

秀妍也以微笑回應。

明河　　崔保延部長法官是我非常欣賞的後輩，我們很常一起吃飯，我
　　　　有大概聽說他兒子是醫生，沒想到他女兒是律師！他真會栽培
　　　　子女！呵呵！

秀妍　　謝謝，我會向父親轉達庭上的問候。

明河　　好啊，好！

再次開懷大笑的明河。

正峰看著眼前的狀況，表情頗有怒氣。

明河	我們剛剛說到哪裡了？
秀妍	說到聲請傳喚被害人作為證人。
明河	喔！好，那就傳喚吧。
正峰	什麼？
明河	既然要開庭審判，當然要周全一點。（對正峰說）怎麼？有問題嗎？
正峰	喔，沒有。

S#19. 汪洋法律事務所走道（室內／白天）

11樓茶水間前的走道。

英禑拿著杯子走出茶水間，

站在走道上的敏宇在看著某樣東西。

敏宇	（像是自言自語）明明就是，哪裡不是？（對英禑說）他們兩個，很配吧？

英禑看向敏宇手指的地方。在走道的另一端盡頭，

濬浩和秀妍並肩走著，和樂融融地有說有笑。

敏宇	簡直是郎才女貌，濬浩看起來很喜歡崔秀妍律師對吧？喔，還是妳不大懂這方面的事？

「喔，是這樣嗎？」英禑莫名呆滯，同時又有點…失落。

S#20. 法庭（室內／白天）

第一次公訴審判，包含身為審判長的明河，共有3位法官入座法官席，被告席上是向心，其身旁是辯護人明錫、秀妍及英禑；他們的對面坐了檢察官正峰。

因為是國民參與陪審，所以有7位男女陪審員坐在陪審員席。

明河　下一位證人是被害人李順英。證人，請到前面來。

順英坐在旁聽席最後一排的位置。

她脫下原先戴著的深色眼鏡和帽子，往前走去。

因為遭受老公長期的暴力，順英的臉孔消瘦憔悴，臉和脖子上的瘀青和傷痕無處遁藏。

順英　本人將秉持良心，當據實陳述，決無匿、飾、增、減，如有虛偽不實之陳述，願受偽證罪之處罰，謹此具結。

順英進行證人宣誓時，明錫觀察著陪審員的表情。有些人皺眉仔細地看著順英身上的傷，有些人則是不自覺地發出嘆息、暗自搖頭，大部分的陪審員都對順英滿是傷痕的模樣有所反應。

明河　辯護人，請詰問證人。

英禑起身準備進行證人詰問，明錫對兩位耳語幾句。

明錫　崔秀妍律師去吧。

英禑　什麼？

明錫　陪審員們很同情被害人，所以詰問語氣不能太強硬，讓崔秀妍律師溫和地進行詰問吧。

秀妍　　喔，好的。

英禎僵硬地坐在位置上，
秀妍溫和地走向證人席。
秀妍面對緊張的順英，露出春日暖陽般的燦爛微笑。

秀妍　　李順英女士，妳好。

順英　　妳好…

秀妍　　我可以理解光是要回想5年前的案件，就會讓妳感到難受，非常
　　　　感謝妳以證人身分出席。

順英　　是…

秀妍看著順英的傷口，小心翼翼地提問。

秀妍　　妳身上有很多瘀青和傷口，請問妳是怎麼受傷的？

正峰　　我有異議，這個問題與本案無關，妳要問候到什麼時候？

秀妍　　庭上，請准許我多問幾個問題，這和本案有關。

明河　　好，既然和本案有關，那我們就繼續聽吧。（對正峰說）駁回異
　　　　議。

明河對秀妍投以慈祥爺爺般的微笑。
正峰的臉上寫滿了不滿的情緒。

秀妍　　可以請妳說說妳是怎麼受傷的嗎？

順英　　喔，就只是…

秀妍　　請問是妳丈夫動手打妳嗎？

正峰　　我有異議！這個問題與本案無關！

秀妍　　（怕異議被庭上同意，趕快接著說）案發前兩天，2017年11月6日，李

順英女士的丈夫對她施暴，警方到場處理並留有報案紀錄，李順英女士身上的傷是否全為被告毆打所致，還是丈夫對其施暴所致，區分這點對本案來說非常重要，請同意我方確認事實關係。

明河　我明白妳的意思，接下來請針對案發當時的情況提問，請不要再問她目前的傷勢了。

秀妍　是，那麼我重新問妳。證人，2017年11月6日，妳記得那天警察有去妳家嗎？

順英　2017年已經是5年前了，我不記得了。

秀妍　那天，妳的丈夫對妳施暴，住在樓下的房東打電話報警，這裡有報案紀錄，妳還是不記得嗎？

　　　秀妍將紙本報案紀錄遞給順英。
　　　但是順英不打算認真看。

順英　我不記得了。

向心　滿口謊話！妳是成天被老公毆打到腦袋壞掉了嗎？

　　　向心突如其來的大吼，讓法庭在瞬息之間像被潑了冷水一樣，變得鴉雀無聲，秀妍慌張到臉上失去血色。

明錫　（小聲地對向心說）妳在做什麼!?要保持肅靜。

明河　被告，妳說什麼？

向心　她啊，根本沒怎麼被我們打，即使我們想多修理幾下，但是警察很快就來了，我們根本沒有時間。看看她的奸詐詭計！她把平時被她老公毆打的傷，全部轉嫁給我，讓我背黑鍋，不是嗎？我怎麼能坐以待斃？

正峰　庭上！被告侮辱被害人，把法庭當笑話，對自己的過錯毫無反省之意！

明河　（生氣）對！看來是這樣，你說得沒錯。

明錫　庭上…

明錫準備起身收拾這個混亂的狀況，英禑對明錫說了悄悄話。

英禑　要先舉手。

明錫　什麼？

英禑　在這次庭審，辯護人們發言前要先舉手，沒有庭上的允許，不能開口說話。

明錫　什麼…？為什麼？

英禑　嗯…可能是因為庭上的祖籍是豐山柳氏吧。

不知道英禑在說什麼，明錫聽得暈頭轉向，還是先舉手等待。

明河　（氣呼呼地看著明錫）什麼事？

明錫　庭上，非常抱歉，被告因為不熟悉庭審程序，一時情緒激動，才會脫口而出那些違心之論。為了讓被告緩和情緒，我們可以暫時休庭嗎？

明河　（凶狠）檢察官，你需要詰問證人嗎？

正峰　（被明河的氣勢震懾）不用，我沒有問題。

明河　證人可以先行離開了。（瞪著秀妍）我不會再讓被告與被害人在這個法庭見面。

秀妍無法好好進行準備好的詰問內容，暗自嘆氣，英禑坐在辯護人席，表情也同樣變得黯淡。

明河　休庭10分鐘。（對向心喝斥）被告！請妳鎮定一點！

明河似乎十分不悅，氣沖沖地起身離開。

明錫雙腳無力，癱坐在椅子上。

S#21.　法庭門前走道（室內／白天）

休庭時間，向心坐在走道上的長凳，明錫、英禑與秀妍圍繞站在向心身邊。

明錫　　妳不能妨礙我們。

向心　　怎麼能說是妨礙？你們老是拐著彎說話，我只是直截了當地講重點。

明錫　　就是因為妳直截了當，場面才會這麼難看，庭審講求的是程序和形式，不是在菜市場吵架，請讓我們按照策略幫助妳吧。

向心　　菜市場吵架？律師發言就是策略，我講話就是菜市場吵架嗎？現在是瞧不起我嗎？

秀妍　　鄭律師不是那個意思…

向心　　不然還能是什麼意思！妳也是律師，所以跟他站在同一邊嗎？我本來都安分地看著，但是我真的太鬱悶了！

英禑　　吁──吁。

耳邊突然傳來英禑的「吁吁」，向心突然停下。

英禑　　這場庭審不是為了還妳一個痛快，而是為了幫妳爭取減刑，請想想還在育幼院等妳的女兒，如果想早日見到季霞允小朋友，就必須聽我們的話。

是英禑的話奏效了嗎？向心安靜了下來。

335

明錫	下一位證人是那位醫生吧？
秀妍	對。
明錫	如果他認同傷勢可能是她丈夫施暴所致，能夠好好配合的話就太好了，但如果他耍花招，我們也得強勢一點。我們必須強調證人對於脫北者有偏見，降低他的證詞可信度，這次…（輪番看著英禍和秀妍）讓禹英禍律師進行詰問吧。
英禍	因為我…很強硬嗎？
明錫	嗯。
英禍	好。

S#22. 法庭（室內／白天）

炳吉坐在證人席，正峰把5年前炳吉開立的傷害診斷證明書攤在炳吉面前。

正峰	這是5年前你本人親自診察李順英女士後，開立的傷害診斷證明書，可以請你唸出劃底線的部分嗎？
炳吉	「自診斷日起，需接受14天的頸椎移位與拉傷、因隨機毆打造成全身多處挫傷及撕裂傷、因抓住頭髮用力拉扯，導致毛囊與頭皮損傷之治療。」
正峰	證人，根據你的判斷，請問造成這些症狀的原因為何？
炳吉	我判斷是在座的被告和其共犯的施暴所致。

陪審員們的視線一致地隨著炳吉的手指方向，看著向心。
向心因此驚訝動怒，本來想說些什麼…但還是忍住了。

正峰	我方詰問完畢。
明河	辯護人，請進行反詰問。

英禱起身走向炳吉。

英禱　案發前兩天，2017年11月6日，李順英女士遭其丈夫施暴，警方到場處理並留有紀錄。請問你做出這份診斷時，知道這個事實嗎？

炳吉　我不知道。

英禱　那麼證人，你現在知道了這個事實，你認為李順英女士身上的傷勢是否有可能並非被告，而是她的丈夫施暴所致？

炳吉稍微停頓了一下，

炳吉　不，我依舊認為是被告所致。

英禱　為什麼呢？傷口上又沒有寫施暴者的名字。

炳吉　我是醫生，我看傷口就能知道了。

英禱　可以請你根據醫學事實，解釋你是如何看出來的嗎？

炳吉　我已經提出身為醫生的見解，妳還要我根據醫學事實解釋⋯是還希望我多說什麼呢？

炳吉似乎很為難，聳了聳肩，看向審判長和陪審員們。英禱走回辯護人席，明錫把炳吉的專欄文章影本遞給英禱，像拳擊教練一樣在英禱耳邊說。

明錫　把他逼到角落。

英禱毅然決然地點了點頭，就像走上拳擊場的拳擊選手，走回炳吉面前，遞出這份文件。

英禱　這是你在2018年初發表在報紙上的一篇專欄文章，可以請你唸出標題嗎？

337

正峰	我有異議，問題與本案無關。

英禑舉起手看向明河，似乎是要明河允許她發言。

明河	請說。
英禑	這篇專欄文章的第一句是「一名遭脫北者們施暴的韓國女性來找過筆者」。既然證人曾經直接提及本案，那麼這篇專欄文章與本案並非無關。
明河	（稍微考慮了一下）駁回異議，辯護人，請繼續詰問。
英禑	證人，請你唸出專欄文章的標題。
炳吉	庭上，我可以不談論這件事嗎？
明河	你拒絕提供證詞嗎？理由是什麼？
炳吉	寫了這篇專欄文章後，我真的被罵得很慘，有很多惡意留言，甚至還接到抗議電話、收到威脅信。
明河	很遺憾，但是你剛才提到的部分並不構成拒絕作證的理由。請唸出專欄文章的標題。
炳吉	（不得已）〈正在形成犯罪集團的脫北者們〉。
英禑	證人宣稱「韓國社會的脫北者已經是巨大的社會問題」，並且主張「政府補助脫北者們定居援助金，實為對罪犯們提供犯罪獎勵金」，請問這屬實嗎？
炳吉	不，那是…

陪審員們對專欄文章的內容感到訝異，其中幾位留意地看著炳吉。炳吉深嘆一口氣，最後終於咬住了誘餌，開始闡述他的個人想法。

炳吉	不是我帶有偏見才這麼說，而是統計數據會說話。妳知道脫北者們的重案犯罪率是多少嗎？足足10%。這個數值是韓國人平均犯罪率的兩倍，再犯率甚至是韓國全體再犯率的五倍以上，這

樣妳還認為脫北者們不是犯罪集團嗎？

英禑　那麼你剛才說光憑被害人的傷口，就能辨別施暴者的見解，跟你平常對脫北者的看法無關嗎？

炳吉　什麼？

英禑　你認為被告的罪行大於被害人的丈夫嗎？因為被害人的丈夫是韓國人，而被告是脫北者嗎？

正峰　我有異議！這是誘導詰問！

明河　我同意。

炳吉　可是老實說⋯把好好一個韓國男人變成暴力丈夫，只為了讓脫北者受益⋯妳這麼做是對的嗎？

英禑　什麼？

炳吉　包括現在這場庭審經費，用的也都是國民的納稅錢，所以庭審應該要保護韓國人，而不是那個脫北者！

炳吉最終還是說出了仇恨言論，向心的臉色一陣青一陣白，明錫要向心冷靜下來，在向心耳邊對她說。

明錫　（小聲地說）請忍耐，陪審員們都站在我們這邊。

明錫以下巴示意，向心看向陪審員們。
向心也覺得陪審員們看向炳吉的眼神十分冷漠。

明河　嗯⋯本庭尊重證人的個人意見，但是脫北者也是大韓民國的國民，所以才會進行庭審。

炳吉　（稍微尷尬）喔，好，那是當然。

「完蛋了啊⋯」正峰心想，靜靜地嘆氣。
相反地，英禑的表情十分燦爛。

S#23. 汪洋法律事務所員工餐廳 (室內／晚上)

明錫、英禡和秀妍聚在一起吃晚餐。

此時，勝准走進員工餐廳。

勝准左顧右盼地找著明錫，氣喘吁吁地走來。

勝准的每一個步伐都蘊含著極大的憤怒。

勝准　　你這愚蠢的臭小子！

勝准不由分說地抓住明錫的衣領往上拉。

明錫甩開勝准的手，奮力抵抗。

明錫　　你在搞什麼？你瘋了嗎？

勝准　　你知道我為了創建「正醫盟」，投入了多少心血嗎？

明錫　　「正醫盟」？

勝准　　是啊，臭小子！因為你而泡湯的「正義醫生聯盟」！

勝准把列印出來的網路新聞甩在明錫的餐盤上，新聞標題是

「正義醫生聯盟高層對脫北者的仇恨言論，再度引爆熱議」。

明錫、英禡和秀妍看到報導，不禁打了冷顫。

勝准　　你不知道權炳吉是正醫盟高層，還讓他坐上證人席？你知道我

剛剛被他們會長罵得有多慘嗎？權炳吉不是有表明他不想談論

那篇專欄文章嗎！但是聽說汪洋的律師們打破砂鍋問到底！逼

他發表意見！！！

英禡身為打破砂鍋問到底、逼人發表意見的罪魁禍首，感到十

分慌張，勝准看向英禡和秀妍，癟了癟嘴。

勝准	你帶著新人們處理公益案件，結果搞成這樣嗎？明錫！你都當律師多少年了，怎麼還會犯下這種低級失誤？你居然為了區區一樁公益案件，害律所失去身家數十億韓元的大客戶？

勝准喊到整個員工餐廳都有回音。
正在吃飯的汪洋員工看著勝准和明錫，開始竊竊私語。

明錫	我知道了，適可而止吧。
勝准	我只有你這個同期，你不但幫不上忙，還當豬隊友扯我後腿？可惡！煩死我了！只有我在為公司擔心吧！

勝准往員工餐廳外面走，直到最後一刻都還在碎碎念。
明錫癱坐在椅子上。

秀妍	很抱歉，我沒有好好確認證人的身分。
英禖	很抱歉，害律所失去了身家數十億韓元的大客戶。
明錫	這是我的疏失，新進律師不必為此道歉。

明錫站起身。

明錫	這的確是我的錯，我現在也覺得很丟臉…即使如此，希望妳們不要認為這只是「區區一樁公益案件」、「區區一個脫北者」。就算這不是數十億韓元的案件…總之還是認真處理案件吧。

秀妍	喔…好的！
英禖	好。
明錫	妳們慢慢吃，我覺得太丟臉了，我先走了。

明錫孤單地離開員工餐廳。

秀妍和英禑看著明錫的背影，眼神中閃爍著尊敬之意。

S#24. 看守所家屬接見室 （室內／白天）

看守所內部設置的家屬接見室。

亮色系的壁紙和家具，還有各種玩具。

頗有托兒所的氛圍。

霞允坐在英禑和秀妍中間，等待著向心的到來。終於，門被打開，向心走了進來。

霞允　　媽媽！

向心　　霞允！

母女感動的重逢，抱緊彼此。

兩人不分前後地開始哭泣。

向心　　（抽泣）對不起，媽媽對不起妳…

看到眼前的場面，秀妍眼角噙著淚水。

另一邊，總是面無表情的英禑，想起了小時候的記憶。

S#25. 國小操場 （室外／白天） - 過去

18年前。

英禑就讀的國小舉辦的運動會。

午餐時間，9歲的英禑和35歲的光顯坐在野餐墊上。

| 光顯 | 英禑，吃甜瓜吧。 |

光顯把剛剛切好的一塊甜瓜放在英禑手上。
但是英禑忙著看操場上形形色色的「媽媽們」，餵小孩吃海苔飯捲的媽媽、和小孩玩鬼抓人結果自己更激動的媽媽、在小孩的臉上親親後笑得燦爛的媽媽…
看著看著，英禑突然意識到。

「喔，原來我沒有媽媽。」

| 英禑 | 爸爸。 |
| 光顯 | 嗯？ |

正在切甜瓜的光顯溫柔地看著英禑的臉。
但是英禑一如往常地不和爸爸對視，

| 英禑 | 我為什麼沒有媽媽？ |

光顯突然像中槍一樣，
臉上血色盡失。

S#26. 車（室內／白天）

再次回到現在，回汪洋辦公室的路上。
秀妍開車，英禑坐在副駕駛座。

| 秀妍 | 強盜傷害罪的法定刑太高了！殺人罪的最低刑度是5年，但是強盜傷害罪的最低刑度是7年，太扯了吧？我們針對刑度，試著提請法 |

律違憲審查如何？如果憲法法庭宣告違憲，向心姐就能獲判無罪。

英禑　那已經有好多次前例了，2001年、2006年、2016年都有過…

秀妍　結果呢？都沒有成功嗎？

英禑　對，全部都宣告合憲。

秀妍嘆氣，思索著有沒有其他方法，

秀妍　脫北者…可以算是一種難民對吧？沒有寬待難民、移民或外國
　　　　人犯法的法規嗎？

英禑　沒有。

秀妍　妳認真想想看，真的沒有嗎？

英禑　（認真想過後）真的沒有，而且也不應該有，那就形同准許難民、
　　　　移民或外國人犯罪。

秀妍　可惡！那還有其他方法嗎？禹英禑，妳是天才，想想辦法啊。

秀妍的焦急讓英禑開始思考。

INSERT：

平靜的湛藍海平面。

一隻鯨魚探出水面呈垂直姿態，觀察著四周。

這是鯨魚們的共同行為，又稱「探頭」。

CUT TO：

再次回到車內。

英禑　嗯…雖然有點牽強，但是我有想到一個辦法。

秀妍　是什麼？

S#27. 法庭 (室內／白天)

英禑 是北韓法律。

第二次公訴審判。
聽到英禑這麼說，正峰覺得很無語。
相反地，明河則是覺得很有趣，想繼續聽下去。

明河 北韓法律嗎？

英禑 是，北韓也有強盜罪，也就是北韓《刑法》第228條的強盜他人財產罪，「以危害他人生命與健康之暴行或威脅手段強奪他人財產者，處4年以下勞動教化刑。」

秀妍 但是根據「金日成綜合大學出版社」發行的《刑法學》，北韓的強盜罪與韓國相比，十分著重高強度的暴行與威脅。暴行必須達到致死或重傷的強度，威脅也限於當事人不答應要求時，罪犯在當場即時預告會施加讓當事人致死或重傷的暴行。萬一暴行與威脅程度未達法定標準，則強盜無法成立，那麼充其量只能歸屬於「搶奪他人財產罪」。

明河 搶奪他人財產罪？

英禑 「北韓《刑法》第224條，搶奪他人財產罪，搶奪他人財產者，處1年以下勞動鍛鍊刑。」庭上，請注意量刑的部分。強盜他人財產罪處4年以下勞動教化刑，也就是4年以下的有期徒刑，不過搶奪他人財產罪的量刑只有1年以下的勞動鍛鍊刑。以韓國量刑套用的話，僅僅是處1年以下的社會服務命令。

明河 北韓法律講座就到此為止，所以辯護人們，你們想要主張的是什麼？

英禑 比起韓國法律，被告更加熟悉北韓法律，被告只是討回自己應得的錢，並沒有壓迫被害人的自由意志與強奪錢財的意圖，被告更

　　　　沒有想到自己的行為屬於要處無期徒刑或7年以上有期徒刑的強
　　　　盜傷害罪，因為被告的行為在北韓的法律中，並不構成強盜罪。
正峰　　那麼辯護人們是主張被告當時心想「喔，因為以北韓法律來說
　　　　這不算強盜罪，所以我現在並不是在強盜」嗎？庭上，這真的
　　　　是令人聽不下去也看不下去的歪理。
明河　　（噗哧一笑）的確是聽不下去也看不下去⋯有必要確認一下，被告？

　　　　檢察官和律師們等待著明河的下一句話。
　　　　所有人的臉上都寫滿了緊張。

向心　　什麼⋯？
明河　　妳因為更加熟悉北韓法律，所以認為自己的行為並非強盜嗎？
向心　　（聽不懂審判長在說什麼，照著與律師們約定的）喔⋯是。
明河　　嗯，這樣嗎？如果被害人沒有還錢，妳打算怎麼做？妳沒有想
　　　　要不擇手段強制地拿回錢嗎？
明錫　　（高舉起手）庭上，可以請你再次告知被告有拒絕陳述的權利嗎？
明河　　當然，被告，妳不一定要回答，但是為了公正的判決，我還是
　　　　想請問妳，被告，妳可以回答嗎？

　　　　所有人的視線集中在向心身上，向心慌張地支支吾吾，律師們
　　　　賣力對向心比手畫腳給信號，要她回答出否定的答案，或是不
　　　　要做出回答，但是坦率的向心最終還是，

向心　　我當然是因為無論如何都想拿回錢，才會去那一趟的。因為那
　　　　是⋯我的錢啊。
明河　　被告，妳對剛才辯護人們的主張有什麼想法？妳真的認為根據
　　　　北韓法律，妳的行為並不構成強盜罪，所以才威脅被告嗎？
向心　　我不清楚⋯北韓法律怎麼樣的⋯說實話，我其實不清楚。

明河點點頭表示瞭解。

正峰和陪審員們的表情寫著「果然是那樣」。
律師們失去最後的希望，表情黯淡。

CUT TO：
最終結辯結束後的法庭。

明河　好，那麼言詞辯論到此結束，請陪審員們開始評議，本庭隨後
　　　將宣告判決。

法官們走出法庭。
明錫收拾東西起身，但是英禍和秀妍失魂落魄地坐在原地。

明錫　我要回辦公室，妳們不一起走嗎？
英禍　我要留下來等判決宣告。
秀妍　我也是。
明錫　（瞭解她們的心意）那就這樣吧，妳們陪著被告到最後吧，無論結
　　　果如何，妳們兩位都盡力了。

明錫對向心問候之後，就走了出去。
法警走向向心，向心趕緊向秀妍和英禍打了招呼。

向心　（費勁開玩笑）律師同志們，妳們怎麼連鼻子都垮下來了？

聽到向心這麼說，英禍用手抓住自己的鼻子，確認有沒有垮下
來，發現自己的鼻子還健在，馬上看向秀妍，確認她的鼻子是
否垮下來。

秀妍　（小聲地對英禑說）那句話不是字面上的意思。（對向心說）抱歉。

向心　抱歉什麼？我已經確定要去勞改營了嗎？

秀妍　（努力維持開朗的表情）還不確定，妳先休息一下，待會我們再一起聽判決宣告。

向心和法警走遠。
英禑看著這個畫面，陷入沉思。

INSERT：
一隻鯨魚從頭上的噴氣孔噴灑出水。
噴上藍天的水珠甚是涼快。

CUT TO：
再次回到法庭。

英禑　（像是自言自語）還有一個…還沒提出過的主張，提請法律違憲審查。

秀妍　什麼？妳不是說其他人試過好多次了，全都宣告合憲嗎？

英禑似乎聽不進去秀妍的話，
英禑在心裡經過忖度後，急忙衝出法庭。

秀妍　等等！禹英禑！喂！

S#28. 法庭門前走道（室內／晚上）

秀妍跟在反常地走很快的英禑後頭。

秀妍	陪審員們都已經開始評議了，妳還能多做什麼？
英禑	現在還沒完成判決宣告，可以聲請再開言詞辯論，我要去見審判長一面。
秀妍	妳不知道沒有訪客證，不能進法官辦公室嗎？
英禑	我們去索取訪客證就可以了啊。
秀妍	（鬱悶）訪客證是什麼餐券嗎？妳去索取就會有人給你嗎？要獲得法官的允許，妳覺得審判長會允許嗎？妳說啊？喂！

即使秀妍費盡唇舌，英禑絲毫不為所動。
用破釜沉舟的步伐，昂首闊步地往前走。

S#29. 法院辦公大樓1樓（室內／晚上）

英禑	你好，我們是律師，我們想要拜訪法官辦公室。
警衛	請問是哪一間法官辦公室？
英禑	柳…
秀妍	（搶過英禑要說的話）8樓崔保延部長法官的辦公室。
警衛	請問來訪目的是？有先跟法官約好嗎？
秀妍	喔，是崔法官麻煩我跑腿的個人私事。（警衛露出詫異神情）崔保延法官是我爸爸，這位是我同事，我們一起來跑腿的。
警衛	請稍等一下。

警衛致電崔保延法官辦公室，與實務官[7]通電話。

註釋7：實務官：韓國法院組織中，屬第八級與第九級的一般公務人員。

警衛	這裡是1樓洽公服務臺，有位崔保延法官的女兒想上樓拜訪，我想確認是否有事先預約。（對秀妍說）請問妳的大名是？
秀妍	我叫崔秀妍。
警衛	是崔秀妍律師。（似乎在等待實務官確認）好的，我知道了。

警衛掛上電話，拿出訪客登記簿和筆。

| 警衛 | 請在這裡寫下姓名與來訪目的，就可以進去了。 |

S#30.　8樓法官辦公室入口（室內／晚上）

法官辦公室的入口設有玻璃材質的滑門，秀妍用剛才拿到的訪客證感應開門。

秀妍和英祶走向明河的法官辦公室。

秀妍	妳知道為什麼要設置洽公服務臺嗎？就是要防止我們這種人，防止我們在法庭外的地方，另外找法官爭論。
英祶	我們並沒有在法庭外的地方，另外找法官爭論，我們只是要來聲請再開言詞辯論。
秀妍	檢察官也會那麼想嗎？我竟然被冒失魯莽的禹英祶拖下水，唉唷…

S#31.　法官辦公室（室內／晚上）

明河所屬的刑事合議部部長法官辦公室。

秀妍和英祶走進辦公室裡，對**實務官**（30多歲／女）說，

| 英祶 | 我們來拜訪柳明河法官。 |
| 實務官 | 請問…妳們是哪位？ |

此時，明河打開自己位於內部的辦公室房門，走了出來。

明河　　（驚訝）這是怎麼回事？妳們怎麼進來的？

英禍　　（高高舉手）庭上，我們想聲請再開言詞辯論。

明河　　（頭痛）唉…妳們不知道現在陪審員們正在評議嗎？

秀妍　　我們知道，我們也清楚這麼做很唐突，但是我們別無他法，只
　　　　好直接來找你，因為已經來不及提交再開言詞辯論聲請書了。

明河　　不行，如果妳們真的對判決不服，請提出上訴。

明河走回自己的辦公室，過度熱情的兩位律師跟在明河身後。

S#32.　明河的個人辦公室（室內／晚上）

明河的個人辦公室有著堆積如山的資料。
英禍緊跟在走向辦公桌的明河身後，高舉著手，希望明河給她
說話的機會。

明河　　（被煩人的英禍惹毛）怎樣？什麼事！

英禍　　被告最終並沒有向被害人討回那筆錢，這種情況依強盜傷害罪
　　　　起訴並交付審判，是違憲的，我們想提請法律違憲審查，請同
　　　　意再開言詞變論。

明河　　（鬱悶）強盜傷害未遂並不代表強盜未遂，必須要有傷害未遂情
　　　　勢，強盜傷害未遂罪才會成立！

英禍　　還是可以做出不同的解釋吧？比起強盜傷害罪，依強盜傷害未
　　　　遂罪裁罰，對被告而言比較有利，而《刑法》明文禁止不得無
　　　　故限縮解釋有利於被告人之規定。

明河　　奇怪，到底…妳是憑著好勝心在打官司的嗎？還是妳覺得有志
　　　　者事竟成？起初妳說被害人的傷勢不是被告造成的，接下來又

搬出北韓法律聲稱她沒有強盜意圖，現在又因為被告沒有討回錢而跑來跟我爭論，以強盜傷害未遂罪起訴裁罰是違憲？（勃然大怒）妳現在是在跟我開玩笑嗎？

明河的大喊讓英禝嚇得緊閉雙眼，雙手摀住耳朵，明河坐在辦公椅上，盡力讓自己的怒氣平靜下來。
英禝也稍微恢復鎮定，悄悄睜開眼睛，放下雙手，秀妍擔心地看著那樣的英禝。

明河	我可以理解妳們年輕律師的滿腔熱血，不過熱血也要看情況，有時候該衝，有時候該冷靜。
英禝	我們的滿腔熱血並非出自於我們年輕，而是因為季向心女士是位偉大的母親，就像鯨魚媽媽一樣。
明河	什麼？

英禝出乎意料的一句話，讓秀妍看向英禝。

英禝	季向心女士缺乏常識，做事隨心所欲，她似乎到現在都還不理解自己做錯了什麼事，但是季向心女士為了不拋下孩子，經歷了足足5年的逃亡生活，雖然母愛並不是能夠減刑的理由，但是她僅憑著將女兒撫養到能記住媽媽的年紀再入獄，以便出獄後重新接回女兒的念頭，這位偉大的母親因此熬過了那些艱苦的日子…希望你能明白她的苦衷。

英禝的言詞辯論讓辦公室裡暫時變得安靜。
明河梳理起現在的情況。

明河	妳現在這麼做…是在庭外爭論，我不想再聽下去，這些內容也

不會影響判決，我也不會同意再開言詞辯論，妳們再不出去，
我就要叫法警來了。

S#33. 法院外的長凳（室外／晚上）

法院前的一盞路燈，底下有個長凳。
英禍和秀妍並肩坐著。

英禍　　所有的捕鯨方式中，最有名的就是「先獵殺鯨魚寶寶」。朝弱
　　　　小的鯨魚寶寶投擲魚叉，聽說當鯨魚寶寶痛苦地在船邊翻滾
　　　　時，鯨魚媽媽絕對不會離開寶寶的身邊，因為牠不忍拋下疼痛
　　　　的孩子不管，那時，人們就會朝著最終目標，也就是鯨魚媽
　　　　媽，投擲第二把魚叉。
秀妍　　唉唷，這就是人類啊…
英禍　　鯨魚們智商很高，牠們一定知道如果不拋棄孩子，自己也會有
　　　　生命危險，但是牠們最終仍然沒有離孩子而去。如果我是鯨
　　　　魚…媽媽是不是就不會拋棄我了？

　　　　秀妍第一次聽英禍說起媽媽的事，驚訝地看著英禍。
　　　　英禍一如往常地面無表情，秀妍無從推測英禍現在是怎樣的心情。

S#34. 法庭（室內／晚上）

判決宣告。
法官們、陪審員們、向心和律師們坐在各自的位置上。

明河　　各位陪審員，都完成評議了吧？請提交評決書。

353

陪審員代表（40多歲／男）起身將裝有評決書的信封呈交給明河，
明河拿出評決書。

明河　　本庭在此宣讀陪審團的評議結果，針對公訴事實，7位陪審員一
　　　　致認為有罪，關於量刑之意見，7位陪審員一致建議⋯處4年有
　　　　期徒刑。

　　　　雖然早已有所覺悟，但是聽到判決內容，向心還是痛苦閉上雙
　　　　眼，秀妍握住向心的手。
　　　　英禑坐在一旁嘆氣。

明河　　各位陪審員，辛苦你們了。本審判庭真心尊重陪審團提交的評決
　　　　內容，現在本庭將宣告判決。主文，本庭將判處被告1年9個月有
　　　　期徒刑，但於本判決確定日起3年內，對被告暫緩執行刑罰，本
　　　　庭命被告接受保護觀察，並命其進行80小時之社會服務。

　　　　秀妍驚訝地差點大叫出聲，好不容易才忍住。
　　　　英禑也大吃一驚，像是定格畫面一樣僵在原地。

向心　　（聽不懂，坐立不安）什麼？他說什麼？
秀妍　　（小聲地說）是緩刑！

　　　　向心原先已經放棄一切，嚇得瞪大雙眼。

明河　　被告與共犯同謀，以奪取財物為目的，對被害人施以暴行並威
　　　　脅，罪行不良。考量犯案當時被害人的恐懼感受，與被告犯案
　　　　後逃逸，拒絕接受審判等情事，確實有嚴懲被告之必要。然
　　　　而，念在被告身為脫北者，尚不熟悉韓國社會之法律與規範，

且為無刑事犯罪前科之初犯，最重要的是…
明河用銳利的眼神瞥向秀妍和英祺。

明河　　雖然案發至今已過了5年，被告人並沒有忘記自己所犯下的罪
　　　　行，仍以接受處罰為目的自首，特此作為審酌例行之參考因素。

　　　　英祺和秀妍此時才知道獲判緩刑的箇中緣由，安靜地嘆息，並
　　　　對彼此耳語。

英祺　　喔…自首…是啊，自首。
秀妍　　我們一直在奇怪的地方鑽牛角尖，都忘記向心姐自首的事了。
英祺　　自首可是減刑理由中再基本不過的其中一項，我們居然都忘記
　　　　了…我們是笨蛋。
秀妍　　應該是審判長太聰明了吧？（看著明河）那就是老手的妙招。
英祺　　（看著明河）那就是…老手的妙招。

　　　　明河以老手的氣勢繼續宣讀判決文，英祺和秀妍用尊敬的眼神
　　　　看著他，此時，英祺突然看著向心。
　　　　向心的眼裡打轉著感動的淚水，好不容易才保持平靜的神情聽
　　　　完判決文。

S#35.　EPILOGUE：百貨公司女裝專櫃（室內／白天）

　　　　守美在某個名牌女裝專櫃挑衣服。
　　　　那天的百貨公司與平常不同，有許多陪著20多歲的女兒一起逛
　　　　街的媽媽，她們看起來都跟守美年紀差不多大。
　　　　守美的視線不自覺地看向那些「女兒」。
　　　　女兒幫媽媽套上圍巾，稱讚這很適合媽媽，或是女兒搖著頭嫌

棄媽媽挑的衣服，還有女兒站在鏡子前哈哈大笑，將衣服輪流擺在自己和媽媽身前…

「那孩子…現在也這麼大了嗎？」

那一刻，守美的心裡突然浮現那位遺忘許久的女兒，

店員　我們總公司以年輕世代為行銷對象，最近增加了很多帶著女兒來逛街的顧客，妳也有女兒嗎？

守美無法正面回應**店員**（30多歲／女）的問題，眼神蘊含了許多複雜的情感。

守美　不，我只有…一個兒子。

店員　天啊，那妳看到母女溫馨逛街的樣子，一定很羨慕吧。（開玩笑地說悄悄話）妳想要女兒的話，現在還不遲喔！

聽到店員這麼說，守美噗哧一笑，那抹微笑的嘴角帶有一點寂寞。

S#36.　EPILOGUE：百貨公司1樓（室內／白天）

英禤和秀妍走進百貨公司。

秀妍連哄帶騙地把心不甘情不願的英禤拖進來。

秀妍　喔，那妳就在旁邊欣賞就好，妳知道那個品牌的原價多貴嗎？如果不趁現在有折扣的時候買，我這輩子都買不起！

英禤和秀妍搭上手扶梯。

同時，守美站在對面往下走的手扶梯。

英禤和守美的距離，只要伸手就能碰到彼此，但是她們還是沒

有認出對方。

兩人在不知情的情況下，擦身而過。

〈完〉

「如果必須受挫，

　那我寧願一個人徹徹底底地受挫，

　因為我已經是大人了。」

昭德洞
故事I

⑦

S#1.　PROLOGUE：居民活動中心演講廳 (室內／白天) - 過去

3年前。

位於首爾近郊的鄉下村莊「昭德洞」的居民活動中心禮堂。
「東方土地住宅公社」**金明振**（30多歲／男）拿著麥克風，站在寫
有「*幸福路建道的居民說明會*」的橫幅底下。演講廳裡坐滿了
一百多位上了年紀的居民，但是明振一眼都沒正眼看過他們，
視線似乎完全固定在手上的資料，用冷淡無趣的聲音說，

明振　「幸福路」是為了因應「函雲新都市」的交通需求，由「慶海
　　　　　道」與我們東方土地住宅公設共同推動的汽車專用道

明振按下手中的遙控器，演講廳裡的投影幕出現了一張地圖。
從地圖上紅線粗體標示的地方可以看出，幸福路的規劃路線貫
通了慶海道義州市函雲新都市和首爾市江延區正岩洞。

明振　整體路線會像這樣，這是幸福路經過昭德洞的樣子。

明振再次按下遙控器，馬上出現位於首爾市旁邊「慶海道祈榮

市昭德洞」的地圖。

看著幸福路的規劃路線直接橫貫昭德洞，**趙賢宇**（40多歲／男）和居民們的表情因受到衝擊而暫時愣住。

賢宇　那根本⋯不能說是幸福路「經過」昭德洞啊，明明就是直接從村子中間貫穿過去了！

居民1　你們想把我們村子剖成兩半嗎？

居民2　哪有人這樣規劃路線的？你說啊?!

明振　這條路線是和慶海道協議過後決定的，我們東方土地住宅公社只是承攬並代為實施這項工程。

慶海道負責人**鄭燦日**（40多歲／男）走上前抓住麥克風。

燦日　我是慶海道建設總局的職員。我們雖然有義務告知居民定案路線，但是並不可能透過居民說明會改變路線，這條路線是經過專家們深思熟慮後才決定的路線。

明振和燦日這麼一說，讓居民們的抗議更加激烈。

坐在後排的昭德洞里長**崔韓秀**（60多歲／男）起身，扯著嗓門大喊。

韓秀　我，是昭德洞里長崔韓秀！

韓秀散發出威風凜凜的氣勢，讓居民們一致地安靜了下來。

韓秀　你們想想慶海道過去是怎麼對待昭德洞的？（遲疑）那個叫什麼？那個⋯

賢宇　地鐵10號線嗎？

韓秀　對！你們當初說要蓋地鐵10號線，趕走了昭德洞幾十戶的當地

人，把整個村子都挖遍了，不是嗎！

居民們　（異口同聲）沒錯！就是說啊！

韓秀　你們再想想，首爾市對昭德洞做了什麼？

這次韓秀又想不起下一個單字，話卡在喉嚨裡。
這種事對賢宇來說很常見，賢宇再次出面。

賢宇　垃圾焚化廠！

韓秀　對！就是垃圾焚化廠！我們又不是垃圾，但是首爾居民卻把垃圾焚化廠蓋在昭德洞，儘管我們再怎麼反對，無論是首爾市或慶海道，都完全無動於衷。

燦日　這跟我們有什麼關係？我們現在是在討論幸福路⋯

韓秀　我們現在是在討論昭德洞！地鐵才剛完工，垃圾焚化廠也剛蓋好，結果現在又要那個⋯

賢宇　幸福路！

韓秀　（馬上接續賢宇的話）⋯為了幸福路，又要我們讓出土地嗎？請你們適可而止，昭德洞的居民已經受夠了！

韓秀話中滿是過去這些辛苦時日的委屈，讓居民們再次怨聲四起。
場面已經混亂到居民說明會無法再進行下去，明振和燦日直嘆氣。

TITLE：
《非常律師禹英禑》

S#2.　汪洋法律事務所會議室（室內／白天）

3年後的現在。
明錫、英禑、敏宇和秀妍看著放在會議桌上的昭德洞空照圖。

幸福路的規劃路線用紅筆標示出來。

律師們的對面坐著韓秀和賢宇。

賢宇	他們把路線規劃成這樣，等於是要我們搬出這個村子，你們想想看，幸福路上每天都有一堆車跑來跑去，到時候那些噪音、廢氣、粉塵都是我們昭德洞的居民在承受。
韓秀	我們只要提到這方面的事，慶海道和東方土地住宅公社就會…那叫什麼？那個…
賢宇	隔音牆。
韓秀	對！他們就會說只要裝隔音牆就沒事了，但是裝了隔音牆，那麼我們的視野就會像多了7、8層樓高的公寓的…什麼？那是什麼？
英禑	隔音牆？
韓秀	不是！那個…
賢宇	擋土牆。
韓秀	對！就像多了擋土牆一樣，等於是把村子切成兩半，讓我們村子一分為二！

「原來正確答案是擋土牆」英禑頓悟，點點頭。

韓秀的健忘造就的機智問答讓英禑莫名地投入。

明錫	請問你們有和慶海道或東方土地住宅公社談過補償費事宜嗎？針對你們提出的難處，他們有沒有承諾提供金錢之類的補償…
韓秀	（苦笑）他們連對那些因為土地被徵收而被迫搬離村子的人，補償費都要給不給的了，怎麼可能發錢給留下來的居民？
明錫	補償費要給不給是什麼意思？
賢宇	昭德洞屬於綠帶地區，跟附近比起來，公告地價便宜很多，所以當時要蓋地鐵10號線的時候，被徵收土地的居民經濟損失慘重，整個家園都被徵收了，結果只拿到一千萬韓元不到的補償

費，這種情況比比皆是。一輩子生活在昭德洞的人，拿著一筆連付首爾房租押金都不夠的錢，到底能夠去住哪裡？

聽到居民面對這麼不樂觀的情況，明錫和新進律師們的表情變得黯淡。

韓秀　我們能做的都做過了，我們成立過居民對策委員會，交了幾十張陳情書，還打過幾百通投訴電話，甚至還在道廳前面抗議過，但還是沒有用。慶海道根本不想聽我們說話，那麼現在能做的就只剩下⋯那是什麼？

賢宇　打官司？

韓秀　打官司我知道，還有那個啊。

英禑　訴訟嗎？（怕被宣布答錯，趕緊接著說）幸福路規劃區域定案撤回請求訴訟？

韓秀　（對英禑說的話感到訝異）對，我們就是想要這麼做。

英禑因為答對問題而感到開心，露出了心滿意足的表情。

明錫　我們明白兩位的意思了，不過我們不是道路建設方面的專家，需要花時間瞭解幸福路的相關事項，在接受委託之前，我們可以先進行案件調查嗎？

韓秀　當然可以，不過我們也希望你們盡快決定，新都市那邊很久以前就開始動工了⋯（用手比劃出挖地的樣子）喔，那個⋯叫什麼？

明錫　（不自覺地參與機智問答）鏟子⋯？

英禑　油壓挖土機！

賢宇　（覺得大家都很莫名其妙）怪手啦。

韓秀　對！怪手很快就會翻遍我們的村子。

明錫　好，我們會再聯絡兩位。

韓秀和賢宇走出會議室。

目送兩人離開後，明錫和新進律師們再次坐回位置上。

明錫　　（看著昭德洞空照圖）你們有什麼想法？

秀妍　　我好奇為什麼路線會這樣規劃？除了貫穿村子之外，應該還有其他繞道的方法吧。

敏宇　　還能是什麼，就是成本的問題吧。因為比起繞道，直接貫穿的道路長度更短。

英祚　　如果他們僅是因為成本而做出這樣的決定，那我們就能主張他們違反《行政法》的比例原則，行政機關必須在各種手段中，選擇對對方造成最小權利侵害的一種。慶海道明明可以選擇繞道的替代方案，卻因為成本而沒有選擇這個方案，這個做法違反了比例原則中的最小侵害原則。

秀妍　　如果把居民的損失計算成社會成本，會不會比建設幸福路的收益來得高？那麼一來，就代表這個路線在利益衡量上是有瑕疵的。

明錫　　無論是「違反比例原則」，或是「利益衡量有瑕疵」，這些都很好，但是…司法部本身就不大喜歡去審理行政部做的事，再加上這樁案件涉及專業知識，這是法官不大瞭解的領域，要他們針對工程是否應該繼續去做出裁決，會有很大的壓力吧？

敏宇　　（用筆記型電腦搜尋）不知道是不是因為你說的理由，在類似的行政訴訟中，幾乎沒有居民勝訴的判例。

明錫　　嗯，我好像也沒有聽說過居民勝訴。

明錫輕嘆了一口氣，陷入煩惱。

明錫　　你們先去找專家，聽聽看專家們的意見吧，確認這條路線是最好的規劃，還是有其他替代路線，我們要先知道這一點，才能決定要不要接受這樁案件的委託。

S#3.　建築師辦公室（室內／白天）

這個充滿嘻哈氣息的空間，與其說是「建築師的辦公室」，看起來更像是「藝術家的工作室」。一位身穿棉褲、POLO衫，看上去就像大學生的**建築師**（四十多歲／男），看著標示出幸福路規劃路線的昭德洞空照圖，他的對面坐著英禑、秀妍和敏宇。

建築師　（微笑）我們韓國做土木工程的人真的很單純，完全不在乎地形，直接拿一把尺從起點到終點畫一條直線。如果是在歐洲，他們把從機場通往首都的道路稱為「景觀道路」，不會像這樣規劃成一直線，而是盡可能保留蜿蜒的地形，設計出適當的彎道。讓旅客得以愜意地享受這趟路途，營造出一種田園氣息，並為那個國家的形象做宣傳。

S#4.　教授研究室（室內／白天）

某間大學的教授研究室。
就像典型的「教授的房間」，跟建築師的辦公室比起來，多了一板一眼和保守的氛圍。身穿西裝的土木工程學系**教授**（50多歲／男）看著昭德洞的空照圖，英禑、秀妍和敏宇坐在教授的對面。

教授　以土木工程的立場來說，這條路線其實還不錯。我很瞭解這個村子，我常常用這個村子出作業，要求學生對這裡進行都市設計，我第一次聽說這裡要興建道路是在…2016年，唉唷，已經是6年前的事了。
秀妍　我們想請問幸福路能不能繞道興建，不要直接貫穿昭德洞？
教授　如果要繞道，就要靠近昭德洞下面這條叫做「平和路」的汽車專用道，或者是在這上面，貼著地鐵10號線興建。如果要蓋在平和路這邊，就要挖很多的隧道，很難興建交叉路口；貼著地

鐵十號線興建至少比較好,但是這裡又有「國防安全大學」,所以不大可能。

CUT TO:
建築師的辦公室。

建築師　　如果上移、下移都行不通,那還有一個方法,就是把道路蓋在地底下,也就是所謂的「道路地下化」。

敏宇　　這樣成本不會更高嗎?

建築師　　不,其實不一定。在地價昂貴的地區,道路地下化的成本反而比蓋在地面上低得多,而且如果採用道路地下化,代表地面上的空間還是能照常運用,如果把道路地下化後保留下來的土地利用價值納入計算,也能多少抵銷道路地下化衍生的附加成本。

秀妍　　如果成本方面沒有太大的差異,為什麼東方土地住宅公社不考慮道路地下化的方案呢?

建築師　　(嘆咪一笑)那就是問題所在。興建道路的人都是主修土木工程,通常他們的專業僅限於地面上,如果要採取道路地下化,就會涉及建築的概念,雖然簡單,但是畢竟涉及空間規劃。

CUT TO:
教授的研究室。

教授　　不,並非如此。你們必須理性思考,究竟昭德洞的土地保存價值是否高到要為此進行道路地下化?並沒有。昭德洞雖然位於首爾近郊,但是因為有些軍事用途,所以不大可能解除綠帶規劃,幾乎不可能被劃進新都市。

S#5.　汪洋法律事務所會議室（室內／白天）

明錫與新進律師們，韓秀和賢宇，兩組人馬面對面坐著。

賢宇　　現在你們的意思是…要我們直接放棄訴訟嗎？

明錫　　根據我們瞭解到的資訊，我們恐怕無法主張還有比現行規劃更
　　　　好的替代方案，這麼一來，勝訴的可能性也微乎其微。行政訴
　　　　訟到判決結果出來所需的時間短則3個月，長則超過1年半，這
　　　　場訴訟勝算不高，我們擔心你們會耗費太多時間和心力。

韓秀　　我本來不想這麼說…

　　　　韓秀似乎對於要不要說出口感到很為難，收回了後半句話。
　　　　明錫和新進律師們按捺不住好奇，專注在韓秀身上。

韓秀　　我還滿有錢的。

明錫　　什麼？

賢宇　　我們里長其實是很富裕的有錢人家，他們家世世代代都住在昭
　　　　德洞，從祖先傳下來的土地，不只是昭德洞，甚至遍布整個祈
　　　　榮市…想要避開里長家的土地經過祈榮市，根本是不可能的！

明錫　　喔…

韓秀　　這場訴訟…那叫什麼？有一句俗語嘛，雞蛋…

明錫　　不要把雞蛋都放在同個籃子裡？

韓秀　　不是…

英褀　　以卵擊石。

韓秀　　對！我知道這場訴訟是以卵擊石，但我還是要試一試，就算會
　　　　敗訴，就算只有我一個人，我也要拚一次，不管委託費多少我
　　　　都會給，請你們站在雞蛋這一邊吧。

　　　　明錫有些遲疑，賢宇以開朗的表情轉換氣氛，

賢宇	還是我們到昭德洞再繼續談這件事？
明錫	什麼？
賢宇	奇怪～你們都沒來過昭德洞，要怎麼決定是否接受這樁案件的委託呢？
明錫	喔，現在你們提供的資料就夠了，我們工作滿多的，也沒什麼時間。
賢宇	昭德洞很近，從這裡開車只要一小時就到了。
韓秀	是啊，到昭德洞再拒絕我們也不遲。

韓秀和賢宇真心誠意地邀請讓明錫和律師們露出為難的表情。

S#6.　廂型車（室內／白天）

賢宇的老舊廂型車停在汪洋法律事務所的停車場。
賢宇和韓秀坐在前座，後排則坐著新進律師們，等待著明錫和濬浩。

濬浩	你好。

伴隨著有朝氣的打招呼，比明錫早到的濬浩先坐上廂型車，英禑和秀妍一起坐在最後排的三人座。
秀妍想起敏宇說過濬浩喜歡自己，怦然心動。濬浩坐在英禑旁邊的空位。
英禑的腦海裡浮現了敏宇說過濬浩和秀妍郎才女貌的畫面。

英禑	你要跟我換位置嗎？俊男美女坐在一起應該比較好。
濬浩	什麼？
秀妍	妳說什麼？

英禍弓著身子，等待瀋浩跟自己換位置。

瀋浩不得已只好坐到秀妍旁邊。

坐在前一排座位的敏宇回頭看，噗哧一笑。

敏宇　禹英禍律師滿識相的嘛。

「權敏宇也跟英禍說了嗎？說瀋浩喜歡我？」

秀妍很害羞，同時，雖說是「俊男美女坐在一起」，但實際上瀋浩是坐在兩位女性中間。

瀋浩坐立不安地思考著事情到底為什麼會變成這樣。

CUT TO：

明錫也坐上車，一行人前往昭德洞。

賢宇開著車。

賢宇　你們有看到那裡的紅色旗子吧？那是前陣子東方土地住宅公社的人跑來插的，就是提前來按照施工路線插旗。

聽到賢宇這麼說，律師們和瀋浩看向窗外。

為了開工，依照規劃路線插上的紅旗，不僅遍布田野，甚至以直線延伸到山坡上。

韓秀　這裡就是我們昭德洞的入口了，我們下車走走吧？

S#7.　**昭德洞村莊**（室外／白天）

廂型車停在昭德洞的入口。

律師們和瀋浩下車，環顧四周。

不知道是不是因為天氣風和日麗，眼前的一切看起來都非常美麗。
處處都是大小適中的水田、旱田，
露出色彩繽紛的屋頂的矮樓，
還有充分展現季節感的樹木與花朵…
風光明媚又充滿人情味的鄉下村莊風景，讓成天待在辦公室工作的律師們心中就像如釋重負般放鬆。

明錫　村子…非常美麗。

韓秀　村子很美麗，住在這裡的居民更美，看那邊，「昭德洞金章勳」就在那裡。

一行人看向韓秀手指的方向
「昭德洞**金章勳**（40多歲／男）」正在水田裡工作，賢宇向他喊了一聲「唉唷！」章勳也揮手回了一聲「唉唷！」

秀妍　昭德洞…金章勳嗎？

賢宇　那個是他的綽號，他樂善好施，每年都會把自己種的米捐給市廳，讓政府分給祈榮市裡生活有困難的人。

韓秀和賢宇開始沿著住宅之間插著的旗子走，律師們和濬浩跟在後頭。
韓秀停在某一戶人家門前，敲著大門。

韓秀　興愍！興愍！

敏宇　（開玩笑）這次是孫興愍嗎？

賢宇　（認真）對，沒錯，昭德洞孫興愍。

敏宇嚇了一跳，他只是隨口一提，沒想到命中答案。

韓秀	祈榮市辦的那個叫什麼？那個…
賢宇	運動會嗎？
韓秀	對！每次舉辦運動會，拔河之類的項目，我們昭德洞不是第一名就是第二名，但是很奇怪，只要比足球，我們總會在預賽就被淘汰，連晉級門票都拿不到，後來我們成立了昭德洞足球隊，日以繼夜地瘋狂練習，結果在去年…那是什麼？那個…
英禑	冠軍？
賢宇	（接續英禑的話）…是沒有拿到冠軍，但是有晉級四強。我們足球隊的主力軍就是興愍哥！（大門打開的聲音）喔，他出來了！

「昭德洞**孫興愍**（60多歲／男）」穿著昭德洞足球隊球衣，對大家鞠躬，斑白的頭髮、因務農而曬黑的臉上布滿皺紋，和他的綽號不同，看起來稍有歲數，律師們和濬浩有些訝異。

興愍	怎麼樣…要幫你們簽名嗎？
韓秀	不用啦，打個招呼就好，你回去吧。

興愍沒有再多說下去，再次鞠躬打招呼後，就走進大門裡。韓秀往下一戶人家移動。
一行人跟在後頭。

明錫	昭德洞真是臥虎藏龍，既有金章勳，還有孫興愍…
韓秀	那裡，那一位是「昭德洞德蕾莎」。
明錫	德蕾莎…修女嗎？
韓秀	德蕾莎婦女會會長。

「昭德洞**德蕾莎**（50多歲／女）」坐在家門前的平床上，面向律師們。

德蕾莎	唉唷，你們都是律師吧！
賢宇	昭德洞沒有公共澡堂，所以德蕾莎婦女會會長每個月都會帶著村子裡的所有長輩，去一趟隔壁村子的澡堂，她還會幫奶奶們搓背，泡完澡後還會請大家吃雪濃湯。
德蕾莎	唉唷～這都是跟大家一起用村民們繳的會費做的啦！
韓秀	但是老實說，每個月這樣撥空費心哪裡容易？因為會長妳是德蕾莎才做得到啊！
德蕾莎	唉唷！沒什麼啦～律師們！昭德洞就拜託你們了～

即使德蕾莎有點害羞，但還是一一向律師們與濬浩握手託付。
韓秀走過德蕾莎的家，帶著一行人走向外圍。

明錫	那麼里長和委員長，你們兩位也有綽號嗎？
韓秀	嗯，我是那個…
英禑	「昭德洞怎麼講」？
韓秀	不是！我是「昭德洞李健熙」，我不是說過了嘛，我滿有錢的。
英禑	喔…
賢宇	我是…（害羞）「昭德洞張東健」。
秀妍	（不自覺地驚訝）什麼？
韓秀	為什麼那麼驚訝？他雙眼炯炯有神～長得很帥啊，昭德洞的閨女們到現在經過東健家門口，那怎麼講，都還會特別整理儀容呢。
賢宇	唉唷～里長也真是的！昭德洞哪有會整理儀容的閨女？我們居民的平均年齡是65歲耶。
韓秀	啊～是這樣嗎？難怪我們東健！到現在都還沒結婚啊！

韓秀和賢宇一來一往地開著玩笑，兩人自顧自地哈哈大笑，律師們和濬浩看著他們兩人的互動，嘴角也都揚起微笑。

韓秀	跟居民們的招呼也打得差不多了，我們接著去眺望一下村子的景色吧？（用手比劃）順著上坡走到欅樹下就好。

一行人看向韓秀手指的地方。
越過住宅，在矮矮的山坡上有一棵龐大的欅樹佇立在那裡。
欅樹的枝葉就像懷抱著整個村子般延伸，甚是稀奇。
「哇…」英禎靜靜地發出感嘆。

韓秀	這是「昭德洞自然紀念物」。
濬浩	它是實際被指定的自然紀念物嗎？
賢宇	（笑著說話）不，沒有！它只是昭德洞自然紀念物，就像昭德洞張東健一樣。
韓秀	那是什麼時候？2016年嗎？我們也有試著詢問過道廳，可是專家來看過之後，說這棵欅樹還不夠格，呵呵，說它還不夠格被指定為自然紀念物。
明錫	這麼雄偉的一棵樹，應該至少能被列為受保護樹木吧…真是可惜。
韓秀	沒有被指定為自然紀念物，那又怎樣？昭德洞的居民，每個人小時候都爬過那棵樹；有喜事時，都會在樹下擺席慶祝；有事相求時，也都會朝著樹的方向祈禱。雖然沒辦法為它戴上烏紗帽，但是它依舊是守護著我們村子的那個…怎麼講？那個…
英禎	欅樹？
韓秀	鎮村之樹。不過…要是蓋了幸福路，那棵樹應該也會被砍掉。

這麼一看，欅樹底下的山丘也插有紅色的旗子。
韓秀想到欅樹要被砍掉，似乎心煩意亂，不斷嘆氣。
律師們和濬浩看著韓秀這樣，表情變得黯淡。

S#8.　昭德洞山坡路（室外／白天）

律師們和瀋浩跟在韓秀和賢宇後頭，走在山丘下的坡路。律師們身穿無彩西裝排成一排走在山坡路的模樣，雖然和大自然裡的村莊風景很不搭，但是陌生的同時卻又帶點可愛。

韓秀　　現在要開始爬坡了，再走一下就到了。

韓秀和賢宇大步爬到山丘上的狹窄山坡路，明錫、敏宇和秀妍跟在後頭。
大家都穿著皮鞋，有些打滑。
另一邊，英禑比其他人晚一步開始爬坡。
為了不要打滑，英禑小心走著每一步，但最後還是踩了空，滑到山坡路底下。
瀋浩看到這一幕，急忙跑向英禑。

瀋浩　　禹律師，妳沒事嗎？
英禑　　喔，沒事。

瀋浩的視線注意到英禑襯衫的肩線部分裂開了。

瀋浩　　看來是被樹枝鉤到了。
英禑　　喔…

瀋浩脫下身上的外套，遞給英禑。

瀋浩　　先披著我的外套吧。
英禑　　喔…不用啦。
瀋浩　　妳現在在工作，穿著破掉的襯衫不大好。

濬浩把自己的外套掛在英禑的肩膀上。

自然且溫柔的手部動作。

那件外套散發出柔和的香水味⋯

如果是平時，英禑非常不喜歡穿別人的衣服，但是現在⋯沒那
麼討厭。

S#9.　昭德洞山丘（室外／白天）

沿著山丘往上走，英禑走到欅樹樹蔭下。

先行抵達的秀妍視線停留在英禑身上那件濬浩的外套。

濬浩跟在英禑後頭，像是在輔佐英禑似的，秀妍看著濬浩身上的
襯衫被風吹著，心想「這是什麼情況？」內心變得五味雜陳。

賢宇　　大家爬坡很辛苦吧？喝一杯冰涼的甜米釀解渴吧，這是德蕾莎
　　　　婦女會會長準備的。

賢宇從身上的保冷袋拿出甜米釀倒給大家，旁邊站著一位拿著
一把小提琴的30多歲男性，

是「昭德洞朴維鎮」。

明錫　　（對韓秀說）那位是⋯

韓秀　　昭德洞朴維鎮，今天你們大駕光臨，我特別請他來演奏幾曲，
　　　　他是昭德洞最厲害的人才。那個⋯是在哪裡？那裡⋯

賢宇　　慶海道廳？

韓秀　　對！他在慶海道廳上班。

在慶海道廳上班的維鎮開始演奏小提琴。

在「昭德洞自然紀念物」寬闊的樹蔭下，

喝著「昭德洞德蕾莎」準備的甜米釀，

聽著「昭德洞朴維鎮」的小提琴演奏，

剛才辛苦爬坡的律師們內心都變得平和。

韓秀　　我們煩惱了很久，要怎麼樣才能讓你們看見昭德洞的價值。如果單看文件上的數據，那麼昭德洞確實是個無關緊要的村子，因為我們居民人數很少、地價也不怎麼值錢。可是親自來走一趟的話，就會發現並沒有那麼糟。我們昭德洞有金章勳、孫興愍、德蕾莎婦女會會長，還有朴維鎮，是很了不起的村子，就算這棵櫸樹沒能被列為受保護樹木，但是它依舊帥氣不減，對吧？我想表達的是，我們昭德洞並不是能被輕易剷平、被任意消失、被這麼隨便對待的村子。

韓秀流暢地說出這番真誠的內心話，中間一次也沒有出現「怎麼講？」

英祺眺望著村子的全景。

昭德洞樸素的美景盡收眼底，英祺感受到它的特別。

那一刻，颯颯——

清涼的微風從櫸樹的葉縫裡徐徐吹來。

讓律師們的內心微微蕩漾。

S#10.　汪洋法律事務所11樓走道（室內／白天）

明錫和新進律師們急忙地走向明錫的辦公室，從他們充滿朝氣的腳步中，可以感受到他們想要解決案件的強烈意志。

明錫　　我們必須瞭解有關幸福路的一切，從建設計劃立案到路線規劃定案，按照時間順序整理好，把資料通通仔細看過，徹底翻遍

相關法規、判例。

律師們　好的，知道了。

明錫　我有交代濬浩把案件資料都拿來我辦公室，你們分一分帶走，三個人一起分應該馬上就能看完。

S#11.　明錫的辦公室（室內／白天）

明錫用力地打開辦公室的門。

辦公室裡裝有案件資料的紙箱堆積如山。

過於龐大的資料量讓律師們瞪大眼睛。

秀妍　這些全都是…幸福路的相關資料嗎？

敏宇　三個人一起分著看…應該也沒辦法馬上看完吧？

英祺　沒辦法馬上看完。

明錫　嗯，是啊，總之…加油。

MONTAGE：

以蒙太奇形式展現三位新進律師在各自的辦公室，用各自的方式不分晝夜地閱讀案件資料。

英祺的辦公室

英祺負責的資料像骨牌般排列在辦公室的地板上，坐在地板上的英祺似乎是用眼睛在掃描資料，不間斷地閱讀著。搖晃著痠痛的脖子、往眼睛裡滴人工淚液，仍持續看著資料。

敏宇的辦公室

敏宇負責的資料被堆高得像俄羅斯方塊，敏宇坐在辦公桌前，用筆記型電腦一邊搜尋著各種內容，一邊閱讀資料，沒有時間下樓

吃飯，敏宇邊吃漢堡邊看資料，但是消化不良，又吞了消化劑。

秀妍的辦公室

資料散落在四面八方，秀妍的辦公室就像被炸彈攻擊過一樣，
但是實際上秀妍非常放鬆地穿著睡褲，躺在沙發上閱讀資料。
秀妍讀到有點睡意，打盹時又被自己驚醒，令人心疼。

S#12. 明錫的辦公室（室內／白天）

明錫不在辦公室。
英祧和秀妍坐在沙發上閱讀著各自的資料。
這幾天都沒能吃飽睡好的兩人，看上去顯得浮腫疲倦。此時，
伴隨著叩叩的敲門聲，濬浩抱著厚厚一疊資料信封走了進來，
秀妍整理著頭髮，趕緊把瀏海上的髮捲拿下來。

秀妍　　這該不會是補充資料吧？拜託不要告訴我還有資料要讀。

濬浩　　糟了，怎麼辦？的確是補充資料，這些是居民對策委員會遞交
　　　　給慶海道的陳情書，以及慶海道的回函。

　　　　濬浩把資料信封放在沙發前的桌子上。
　　　　英祧就坐在濬浩旁邊，卻一眼也沒看濬浩，專注在自己的工作上。
　　　　濬浩想要跟英祧對視，不自覺地維持了同個動作一下子，但是
　　　　英祧始終沒有抬起頭。
　　　　濬浩再次往門的方向走，眼神中帶有一點可惜。

濬浩　　那就辛苦妳們了。

　　　　濬浩走出辦公室。

秀妍看著這一切狀況。
心情和那天看到英禑穿著澄浩的外套一樣，

秀妍　　妳是真的不知道還是裝作不知道？
英禑　　什麼？
秀妍　　在我看來…澄浩好像喜歡妳耶？
英禑　　喔…應該不是，我有問過他。
秀妍　　妳問過他?!

「他們兩個已經發展到問過這種問題了嗎？」秀妍有些頭暈。

秀妍　　妳怎麼問的？

「我是怎麼問的？」英禑陷入沉思。

FLASHBACK：
第5集，「梨花ATM」停車場，在車內的英禑和澄浩。

英禑　　李澄浩喜歡禹英禑，這是事實嗎？

澄浩的眼神因為突如其來的一句話而動搖。
澄浩的臉紅得不像話。

CUT TO：
現在，明錫的辦公室。

秀妍　　天啊，妳是在審問犯人吧。那澄浩怎麼說？

380

秀妍的心情漸漸從嫉妒英禍，轉變為好奇當時的狀況。「李濬浩怎麼說？」
英禍再次陷入沉思。

FLASHBACK：
再次回到第5集，「梨花ATM」停車場，在車內的英禍和濬浩。

濬浩　　那個…

像是靜止畫面般，兩人動也不動地看著彼此。
兩人之間像是連空氣都停止流動。
濬浩好不容易才打破沉默。

濬浩　　這個問題對黃杜庸部長來說，好像太難回答了。

CUT TO：
再次回到現在，明錫的辦公室。

英禍　　李濬浩…他迴避了我的提問，沒有正面回應。
秀妍　　唉唷，妳在開庭嗎!?愛情是庭審嗎？「他迴避了我的提問，沒有
　　　　正面回應」這是什麼律師口吻？
英禍　　（支支吾吾）他沒有明確地回答…就轉移話題了。
秀妍　　不然呢！（模仿英禍的聲音）「李濬浩喜歡禹英禍，這是事實
　　　　嗎？」妳這樣子問，他難道要順著妳的話回答「是的，與事實
　　　　無誤」這樣嗎？換作是我當然也會迴避提問，不正面回應！
英禍　　（不知道該說什麼）嗯…
秀妍　　（莫名地有點生氣）妳自己怎麼想？妳喜歡濬浩嗎？

秀妍的提問過於困難，英禑閉上眼睛。

「我在對澔浩自作多情個什麼勁？」

秀妍徹底被打回現實。

秀妍嘆著氣，正準備起身去喝杯冰水，讓自己解解悶，

英禑　　太難了，應該很難會有人喜歡我。

秀妍　　什麼？

英禑　　這點道理我自己心知肚明，妳是美女，而我⋯有自閉症。

英禑的一句話，準確觸動了秀妍的「同情心」——既是秀妍的
優點也是她的弱點，善良的心意一湧而上，秀妍有點想哭。

秀妍　　我說妳！不要講那種喪氣話！喜歡妳哪裡難了！

S#13.　毛怪家餐酒館（室內／晚上）

今天依然人煙稀少的毛怪家餐酒館。

英禑和格拉米並坐在吧檯座位。

格拉米　妳想知道禹英禑到底喜不喜歡李澔浩，是吧？

英禑　　嗯。

敏植把剛做好的海苔壽司遞給英禑。

敏植　　不過這種戀愛煩惱，妳應該要找能幫妳解答的人諮商吧，她懂
　　　　什麼？

格拉米　你胡說什麼～我可是「江華島致命女郎」耶？我的魅力僅次於

花紋席[8]！（對英禑說）來，專注聽我說，妳想像一下李濬浩。

英禑　　嗯。

格拉米　怎麼樣？

FLASHBACK：
第1集，汪洋法律事務所一樓大廳的旋轉門前。

濬浩　　一、二、三，一、二、三。

濬浩抓住旋轉門，比著手勢示意英禑走進來。
英禑鼓起勇氣，靠近旋轉門。
濬浩和英禑一起走進旋轉門，來到大樓外面。
通過旋轉門的兩人，就像跳著華爾滋的情侶。

CUT TO：
現在，毛怪家餐酒館。

英禑　　李濬浩…很親切。

FLASHBACK：
不久前，昭德洞山坡路。
濬浩把自己的外套遞給英禑。

濬浩　　妳現在在工作，穿著破掉的襯衫不大好。

註釋8：花紋席：江華島特有的莞草工藝品，高麗時期流傳下來的生活文化遺產。

濬浩把自己的外套掛在英禑的肩膀上。
自然且溫柔的手部動作。
那件外套散發出柔和的香水味…

CUT TO：
現在，毛怪家餐酒館。

英禑 很溫柔。
格拉米 那妳跟他在一起的時候怎麼樣？會不會臉紅心跳？

「有嗎？」英禑回想。

FLASHBACK：
第4集，江華島落日村。
被日落染紅的神祕天空籠罩著英禑和濬浩。

濬浩 我希望像妳這樣的律師，能夠跟我站在同一邊。

濬浩的帥氣臉龐對著英禑微笑。
英禑回憶起當時的心動。

CUT TO：
現在，毛怪家餐酒館。
當時的記憶讓英禑的臉微微變紅。

英禑 我有那樣過。
格拉米 什麼啊，妳這小子！居然還臉紅，妳真的很喜歡他耶。
英禑 嗯…

格拉米	妳如果還是不確定，稍微去觸摸他一下如何？
英禍	什麼？
格拉米	去測量一下觸摸到他的時候，自己的心跳有多快，如果心率大概是每分鐘150下，那就是單純有好感；但是如果心跳快到像要爆炸一樣，心率飆到快破表，那就代表妳真的很喜歡他。
敏植	妳不要亂教！什麼稍微觸摸他一下！那可是犯罪！
格拉米	什麼？
英禍	沒錯，不可以未經允許隨便觸摸別人的身體。
格拉米	那就徵求他的允許啊。

敏植對格拉米提供的解決辦法感到失望，氣得牙癢癢。
相反地，英禍靜靜地陷入沉思。

S#14. 法庭（室內／白天）

第一次言詞辯論期日，法官們進來之前的準備時間。
居民代表韓秀和賢宇坐在原告席，
明錫和新進律師們是原告代理人，
被告席上有代表被告慶海道的燦日，以及東方土地住宅公社的明振作為輔助參加人出席，
泰山法律事務所的**兩位男性律師**（20多歲／30多歲）是被告代理人。

敏宇	（看著對造律師們）這還是第一次跟泰山的朋友們正面對決。
秀妍	（稍微挖苦）「泰山的朋友們」？你跟他們有熟到可以稱呼「朋友」啊？
敏宇	他們其中一個人是我的法學院同屆同學，也就是說，他也是新進律師，另外一位律師看起來年紀也不大。
明錫	嗯…確實如此。難道他們沒有資深律師，只派兩個人來嗎？

此時，泰山的律師們紛紛起身，朝著剛才走進法庭的「某人」行90度鞠躬禮問候。

汪洋的律師們轉頭看向「某人」。

「某人」散發著壓倒性領袖魅力走來，甚至會讓人回想起電影《觀相大師：滅王風暴》中，首陽大君登場的畫面，那個「某人」就是守美。

秀妍　　（驚訝）那是太守美律師⋯沒錯吧？

敏宇　　（同樣驚訝）什麼啊，王怎麼親自出征了？

英禑　　王？她⋯是王嗎？

秀妍　　她不久前還是泰山的代表，聽說她辭去代表一職，當回一般律師，沒想到她真的出席庭審了，不是只有掛名而已。

敏宇　　就是說啊，還有傳聞說她是法務部長候選人，她不忙嗎？

明錫　　好了，不要再閒聊，專注在案件上吧。

明錫指責後，秀妍和敏宇收回看向守美的視線。

不過明錫果然因為守美的出現，臉上的緊張顯而易見。

英禑看著守美。

從頭到腳都散發出完美幹練的架式，

臉上掛著一抹淺淺的微笑，向燦日、明振打招呼的從容不迫，

全身展現出優雅與強勢並存的氛圍。

是感受到了英禑的視線嗎？

守美突然轉頭看向英禑。

英禑和守美一對視，就莫名感到害羞，避開視線。

CUT TO：

法庭內設置的大投影幕上出現昭德洞的空照圖。

幸福路的規劃路線用紅色標示，

3種替代路線以藍色標示。

明錫起身，向包含**審判長**（50多歲／男）在內的3位法官展開言詞辯論。

明錫   被告所規劃的幸福路路線，貫穿了原告們的居住地昭德洞，把村子一分為二。請看向這個替代路線，幸福路可以往昭德洞的南方或北方繞道，也可以將道路地下化。儘管有這麼多種替代路線，被告卻輕視了原告們的權利，並且高估了建設道路所帶來的利益，這樣的決定在利益衡量上有所瑕疵。

審判長   被告，請問原告的主張是否屬實？你們沒有審慎評估過替代路線嗎？

守美   庭上，被告已經審慎評估過了。

守美擺出她的招牌微笑，站起身來。
「究竟守美會展開怎樣的辯論？」
汪洋的律師們一同緊張了起來。

守美   （看著空照圖）我親自來向各位演示，為何原告們提出的3種路線無法成為好的替代方案。

守美按下遙控器，投影幕上出現像是賽車遊戲的畫面。像是影像優質的3D遊戲，在畫面裡仿真的幸福路上，有一輛汽車載著3位穿著法袍的可愛法官角色人物。

守美   不好意思，我們未經同意，就擅自讓審判長和陪席法官們出現在影片中了。

審判長   （看著投影幕）喔，那是我們嗎？那三個穿著法袍搖頭晃腦的人物？

守美   是的，今天天氣風和日麗，我們沒辦法帶法官們離開法庭，至

少用這樣的方式，在幸福路上開車兜風，好嗎？

聽到守美這麼說，法官們輕輕地微笑。
韓秀、賢宇以及汪洋的律師們表情不大樂觀，似乎在他們有所
表現之前，泰山就已經勝券在握。

守美　首先，我們來親自走一趟原告所主張的第一條路線。

守美按下遙控器，畫面中法官們乘坐的汽車開始行駛。轟隆！
引擎和行駛的聲音栩栩如生。
不僅是審判長，其他法官們也盯著畫面目不轉睛。

守美　如果將幸福路南移，建在平和路旁邊，道路總長度就必須增加
5km，然而不只是道路長度增加，平和路旁邊還有垃圾焚化廠，
這屬於不可能遷移的設施，這麼一來該怎麼辦呢？就必須像這
樣挖隧道、建高架，更不用說與首爾市相連的地方，還要規劃
急轉彎了。

畫面裡法官們乘坐的車子連續經過隧道、高架、急轉彎，似乎
在搭乘雲霄飛車，在搖晃的畫面中，代表法官們的那些角色，
身體也跟著抖動。

守美　追加工程費用超過3千億韓元，總長度卻要增加5km，道路還會
像雲霄飛車一樣顛簸，勢必會造成無數起車禍。那麼第二條路
線會是如何呢？

對應守美所說，畫面裡的車子這次行駛在第二條替代路線上。

守美　如果將幸福路北移，蓋在地鐵10號線旁邊，就必須經過國防安全大學的腹地，但是校方不可能同意，最後就會變成這樣。

畫面裡的車子衝撞穿過國防安全大學操場上的畜舍，就像動作片中過於激烈的追擊畫面，
畜舍被撞倒，家畜發出悲鳴，避開車子逃跑。
過於生動的演示讓看著畫面的法官嚇得皺起眉頭。明錫心想「這樣下去不行」，突然起身。

明錫　原告們也一樣不同意，國防安全大學不願意讓出畜舍用地，他們的意見固然重要，但是昭德洞居民反對自己的家園被剝奪，你們就能無視他們的意見嗎？

守美　庭上，函雲新都市的住戶將從明年6月開始入住，如果因為這場訴訟，導致幸福路延宕完工，勢必無法避免首爾市和慶海道的交通大亂。幸福路所經過的其他村子也都能夠理解這一點，並且願意讓出他們的土地，但是唯獨整個慶海道人口數最少的村子昭德洞非常不配合，甚至提出要將道路地下化，這才是地區利己主義…

韓秀　（氣不過，突然站起來）什麼地區利己主義！怎麼能夠這樣侮辱我們的意見？

賢宇　（跟著站起來）其他村子都有拿到合理的補償費，他們當然願意配合！但是我們昭德洞的情況不一樣！

守美　喔，那麼原告們是為了拿到更多補償費，才提起這場訴訟嗎？即使要多浪費幾千億韓元的國民納稅金，造成整個地區的交通大亂，只要你們能拿到更多補償費，這些對你們來說就全都無所謂嗎？為了阻止這項工程，即使提起訴訟也在所不惜？這不是就地區利己主義的定義嗎？

韓秀和賢宇被守美牽著鼻子走，憤怒的心情讓他們氣得臉紅脖

子粗，甚至說話結巴。

守美　庭上，幸福路的工程力拚要在今年底完工，因此已經有一定的
　　　進度。如果現在要撤回這項決定，可以預見將會造成幾百億韓
　　　元的損失。

　　　審判長點頭同意守美的言詞辯論內容，明錫嘆了一口氣，在英
　　　禍的眼裡，那樣的守美看上去非常帥氣。

S#15.　英禍的房間（室內／晚上）

伴隨著叩叩的敲門聲，光顯端著裝有麵包的盤子走了進來。

光顯　英禍，吃點麵包吧，我們家附近新開了一間麵包店…

　　　光顯看見英禍在做的事情。
　　　光顯過於驚訝導致全身僵硬。
　　　英禍似乎在網路上搜尋「太守美」，英禍的筆記型電腦上顯示
　　　守美的相關資料，桌上也放滿了守美的新聞報導與雜誌。

光顯　妳…在做什麼…？
英禍　你聽過太守美律師嗎？

　　　光顯既不能說聽過，也不能說不知道。
　　　英禍相當老神在在，絲毫沒有察覺到光顯陷入衝擊的狀態。

英禍　她不久前從泰山法律事務所辭去代表一職，她是泰山法律事務
　　　所創始人的女兒，和江川集團的會長結婚，育有一名兒子…

光顯	（阻止英禛說下去）為什麼…妳為什麼在查太守美的資料？
英禛	喔，她是我現在負責案件的對造律師。
光顯	（瞠目結舌）什麼…?!
英禛	我看到她辯論的樣子，雖然是我們的對手，但真的很帥氣，讓我也想要變得像她一樣。

「想要變得像她一樣？想要變得像自己的親媽媽一樣？」
英禛的一句話讓光顯感到十分害怕。
光顯的臉上血色盡失。

S#16. 昭德洞入口（室外／白天）

就是律師們拜訪昭德洞時，廂型車停下的那個村子入口。
巨大的挖土機開始挖地。
包括韓秀和賢宇在內的村子居民都跑出來抗議，站在身穿工作服的工人們面前。

賢宇	你們在做什麼？誰准你們動工了？
工人1	還要誰准？就是國家要做的道路工程。
韓秀	我們為了阻止道路工程，現在正在進行訴訟，要請他們阻止施工，那怎麼講？那個…
賢宇	效力中止！
韓秀	對！我們申請了效力中止！
工人2	喔，那你就去找法官追究啊！為什麼來跟我們吵？
工人3	我們要是沒有按時完工，拿不到錢，你要負責嗎？你說啊?!

挖土機再次啟動，賢宇站在挖土機前面，用全身擋住。居民們和工人們之間展開了激烈的肢體衝突，韓秀終於從這場混亂中

抽身，拿起電話打給明錫。

韓秀　（通話）鄭律師，請問效力中止什麼時候才會生效？工人已經闖
　　　進我們村子入口開始挖地了，現在這裡亂成一團！

S#17.　明錫的辦公室（室內／白天）

明錫坐在辦公桌和韓秀通話。
明錫露出了心疼的表情。

明錫　因為目前還沒有裁定效力中止，所以沒有辦法阻止工程進行，
　　　我會再去請合議庭盡快裁定。

　　　明錫掛斷電話，嘆了一口氣。
　　　剛才似乎正在開會，坐在沙發上的新進律師們看著明錫。

秀妍　是幸福路的事嗎？
明錫　嗯，昭德洞那邊好像也開始動工了。
秀妍　裁定效力中止需要這麼久嗎？該不會是合議庭忘了吧？
明錫　應該不大可能忘記…感覺是想要先拖時間，等之後再跟原案一
　　　起駁回，意思就是法官認為這樁案件原告幾乎不可能勝訴。
敏宇　也是，站在法官們的立場，壓力一定也很大吧？畢竟幸福路的
　　　有無，會大大影響函雲新都市的地價，要是草率取消，可能會
　　　成為全民公敵。
明錫　所以我們更應該找到他們的違法事由，只有在法院判斷該計劃
　　　違法時，法院才能取消政府執行計劃。
英禑　我…找到一項違法事由了。
明錫　（喜形於色）真的嗎？是什麼？

明錫起身走向沙發。

敏宇和秀妍也把注意力放在英禣身上。

英禣　　他們違反了「策略性環境影響評估」的程序。

敏宇　　嗯，是嗎？策略性環境影響評估，他們都完成了啊？

英禣　　是完成了沒錯，問題在於時間點。根據《環境影響評估法》，策略性環境影響評估必須在「制定對環境有影響的計劃」時進行，但是以幸福路為例，道路設計的計劃是於2017年開始制定，而策略性環境影響評估卻是到了2019年才進行。

明錫　　是這樣嗎？那是慶海道的疏失呢，做得好，我們就用這點試試看吧。

敏宇　　我們是不是也應該在陳述資料上花點心思？就算沒做到像泰山那種立體遊戲畫面，是不是也要準備得華麗一點…

明錫　　（微笑）要怎麼華麗地演示策略性環境影響評估太晚進行？

秀妍　　聽說有一些專門製作簡報的公司，要去詢問看看嗎？

明錫　　這個嘛，我們反其道而行如何？

新進律師們好奇明錫的話中之意，好奇地看著明錫。

明錫　　慶海道找來大型律所，他們越是想用譁眾取寵的資料來影響法官，我們就越應該著重在昭德洞居民們的真誠，走樸實無華的路線？雖然我們也是大型律所，但是我們要比泰山有人性一點，打溫情牌。

英禣　　嗯…那麼我們申請到昭德洞進行現場驗證如何？

明錫　　現場驗證？

英禣　　對，因為我們一開始也不打算接下這樁案件，但是親自去了一趟昭德洞之後，就決定接受委託了。

明錫　　（微笑）是啊，雖然似乎沒有什麼名義可以申請現場驗證，不過

可以先納入考量，禹英禑律師，辛苦妳了。

即使同樣都辛苦熬夜好幾天，但是找出違法事由、因為好的提議被稱讚，這些功勞全都歸給英禑的情況。
敏宇和秀妍心想「反正第一名都是禹英禑」，全身像洩了氣的氣球一樣。

S#18.　宣榮的辦公室 (室內／白天)

宣榮和光顯面對面坐在沙發上。
光顯頂著似乎徹夜未眠的凹陷臉孔，艱難地開口。

光顯	妳知道現在英禑負責的案件，對造律師是太守美嗎？
宣榮	（說是不知道卻顯得過於驚訝）真的嗎？
光顯	妳…是故意的吧？

光顯使勁地瞪著宣榮的眼睛。
宣榮尷尬地微笑，避開光顯的視線。

宣榮	什麼？
光顯	我就覺得奇怪，堂堂律所代表竟然會為了招攬書審被刷掉的新進律師，親自找上門…
宣榮	我難道是單純以汪洋代表的身分去嗎？我也是想說難得見你一面，才去找你敘敘舊嘛。
光顯	宣榮，如果妳真心把我當學長，就老實告訴我。妳讓英禑進汪洋工作，是不是因為太守美？
宣榮	聽你這麼說，看來你和太守美之間的傳聞，是真的吧？
光顯	嗯。

光顯像是抱著破釜沉舟的決心，毫不猶豫地回答。

雖然宣榮知道應該是真的，但實際聽到還是很驚訝。

光顯堅決地說出下一句話。

光顯　　我可以通融一次。

宣榮　　什麼？

光顯　　我可以允許妳為了打擊太守美，利用我女兒一次，就當作是妳
　　　　讓她進來工作的代價。

宣榮　　讓她進來工作的代價？利用？你怎麼說得那麼難聽？

光顯　　妳不是想讓汪洋成為業界第一嗎？妳必須打敗泰山，但是如果
　　　　太守美進軍政壇，事情就會更加棘手。妳現在已經贏不了她，
　　　　等她當上法務部長就更不可能了，所以妳才讓英禍進來汪洋工
　　　　作，不是嗎？

宣榮　　什麼？所以你的意思是，我錄取你的女兒，是為了有朝一日昭
　　　　告天下，太守美的私生女在汪洋嗎？

光顯　　如果妳一定要有那種居心才肯接納我女兒，那隨便妳，但是我
　　　　只允許一次，妳只能在關鍵時刻利用我女兒一次，不要這麼隨
　　　　便讓她們兩個站上同一個法庭。

宣榮　　這又是什麼意思？學長，怎麼會有你這種爸爸？如果你覺得我
　　　　利用你女兒，就應該要阻止我啊，那才是父母該做的事吧？

光顯　　如果我阻止妳，妳就會把我女兒趕出公司啊，妳一定會找個藉
　　　　口，讓她在汪洋待不下去。

宣榮　　什麼？

光顯　　宣榮，這個世界不會給英禍機會，就算她是首爾大學法學院第
　　　　一名畢業，就算她律師考試接近滿分…還是會因為她有自閉症
　　　　而被刷掉。不管是律所，或是個人工作室，她全都投過履歷，
　　　　但是卻連面試的機會都沒有，我看著我女兒處處碰壁，卻無能
　　　　為力的心情…（忍住淚，烙下狠話）我寧願當個壞爸爸，就算英禍

395

會埋怨我，那也是我應得的，就算要把她出賣給打算利用她的壞學妹，我也要為她爭取一個機會。

光顯眼角噙著淚水，過於迫切的眼神讓宣榮說不出話來。

S#19.　汪洋法律事務所23樓走道（室內／白天）

英禍和敏宇走在23樓的走道，也就是宣榮辦公室所在的樓層，敏宇正在和明錫講電話。

敏宇　　（通話）我們現在在23樓。（停頓）喔，那我們現在過去。

此時，光顯從宣榮的辦公室走出來，遇見英禍和敏宇，剛才視死如歸的神情煙消雲散，光顯大吃一驚。

英禍　　爸爸怎麼會來這裡？

光顯　　喔，英禍，那個⋯

敏宇　　爸爸？你是禹英禍律師的父親嗎？（鞠躬問好）你好。

光顯　　喔，你好。（對英禍說）我來這裡找認識的人，我要走了，晚點家裡見。

光顯隨便搪塞幾句話，就像逃跑般消失了。
「來這裡找認識的人？」敏宇的眼神變得銳利。

敏宇　　妳爸爸和代表，是怎麼認識的？

英禍　　什麼？

敏宇　　他剛才從代表的辦公室走出來，又說「來這裡找認識的人」⋯
　　　　意思就是他認識代表啊。

英禑	喔…
敏宇	妳知道些什麼嗎？
英禑	嗯…
敏宇	（推理到一半，突然靈光一現）對了，妳上次是不是說過，妳爸爸是首爾大學法學院畢業的？
英禑	喔，對。
敏宇	那麼代表她…是妳爸爸的大學學妹耶？搞什麼啊，妳真的是空降部隊耶。
英禑	空降部隊？
敏宇	我就覺得奇怪，妳果然有靠山。

敏宇這才恍然大悟，發出嘆息。
敏宇看向英禑的眼神變得凶狠。
「空降部隊？靠山？」英禑露出混亂的表情

S#20. 汪洋法律事務所休息室（室內／白天）

濬浩正在泡咖啡，秀妍走進休息室。
秀妍站在一旁等待輪到自己，濬浩把泡好的咖啡遞給秀妍。

濬浩	妳先喝這個吧。
秀妍	不用啦，我還要幫英禑泡咖啡。
濬浩	喔，妳跟禹英禑待在一起嗎？

光是提到英禑的名字，濬浩的表情就豁然開朗，秀妍更加確定濬浩喜歡英禑，
於是發動了她的雞婆模式。

秀妍	濬浩，你最近都跟英禑一起吃午餐，對吧？
濬浩	喔，對。
秀妍	你真心覺得聽她聊鯨魚，很有趣嗎？
濬浩	嗯…
秀妍	（不聽濬浩的回答）我一開始也覺得還不錯，心想「別人想瞭解鯨魚還要花時間看自然類紀錄片，但是英禑自己就會講給我聽，這不是很棒嗎？」她講到藍鯨、大翅鯨、海豚的時候，老實說我也覺得很有趣，但是當她說到一角鯨、白鱀豚，就會開始疲乏了。我因為考試失利在哭，她這個第一名跑來跟我說，鯨魚的祖先是巴基鯨，那時候我真的很想揍她一拳！你看，我到現在都還忘不了那該死的巴基鯨！
濬浩	崔律師，我不大明白妳的意思…
秀妍	如果你現在表現得像要聽她聊一輩子的鯨魚，結果撐不過1年就想叫她閉嘴，終究會帶給她傷害的話，你就不應該開始這份感情。你自己也一樣，如果只是一時興起，就不要對她那麼好。
濬浩	（不自覺地勃然大怒）我並不是一時興起。
秀妍	那你就去跟英禑說清楚！說你不是一時興起！為什麼要讓所有人都搞混？
濬浩	我哪有…
秀妍	不管是禹英禑！或權敏宇！（停頓）還有我！都被你搞混了，都是因為你！

秀妍心中湧上各種情感，眼角泛淚。
濬浩見狀，內心更加複雜。

S#21. 法庭（室內／白天）
第二次言詞辯論期日，明錫進行辯論。

明錫　庭上，被告違反了策略性環境影響評估的程序。根據《環境影響評估法》，策略性環境影響評估必須在「制定對環境有影響的計劃」時進行，但是以幸福路為例，道路的初步規劃及進階規劃是於2017年進行，而策略性環境影響評估卻是到了2019年才進行，因此時程上是有問題的。

策略性環境影響評估、初步規劃及進階規劃…
滿天飛的專業用語讓審判長非常頭痛。
審判長翻找著眼前堆積如山的資料，嘆了一口氣，

審判長　被告代理人，請答辯。

守美　策略性環境影響評估必須在制定對環境有影響的計劃時進行，這一點沒錯，問題在於確切的時間點是什麼時候。

守美按下遙控器，投影幕上出現清楚標示出道路規劃全部過程的圖標，一目瞭然。

守美　這是道路規劃的標準程序，請先把初步規劃及進階規劃等艱澀用語放在腦後，請先注意這個部分，「最佳路線定案」是在整個道路規劃的後期才敲定，以幸福路為例，在2019年10月最佳路線才終於定案，而原告代理人指出的策略性環境影響評估是在2019年的6月進行。和其他道路規劃相比，幸福路的策略性環境影響評估的確是比較晚完成，但是確實是在「制定對環境有影響的計劃前」開始進行，因此並沒有違法。

審判長留意地看著投影幕上的圖標，點了點頭。
此時，英禑的眼神閃閃發光，似乎想起了什麼。

一隻小海豚用力飛躍至湛藍海面之上。

CUT TO：
再次回到法庭。

英禤　嗯…並非如此。如果被告代理人的主張正確，那麼2019年10月原告們遞交陳情書時，應該是能更改道路建設計劃，也就是說可以變更路線。但是從當時慶海道的回函來看，上面寫了「道路設計已完成，無法進行變更」。

審判長　是這樣嗎？可以請妳說一下這段文字確切出現在哪裡嗎？畢竟你們提交的證據實在太多了…

審判長的一句話，讓秀妍和敏宇手忙腳亂了起來。
為了找出記載英禤說的那段話的確切證據，兩人開始翻找著桌上，甚至是地上堆積的資料，英禤也冷靜地嘗試喚起記憶。

INSERT FLASHBACK：
在英禤的視線裡重演不久前的記憶，地點是明錫的辦公室。
英禤和秀妍待在一起的時候，澔浩搬來的那些厚重信封裡的資料，英禤從記憶裡準確地找出那張寫有那段話的證據，英禤的記憶清晰地就像一張照片。

CUT TO：
再次回到現在，法庭。

英禤　2019年4月3日，慶海道寄給昭德洞居民對策委員會的回函第三段第二行，「目前道路初步規劃及進階規劃皆已完成，故無法對

400

已定案之路線進行變更⋯」上面是這麼寫的，這是原告第四號
證據，以慶海道道知事名義寄送的回函。

聽到英禑這麼說，敏宇終於找到那份證據，呈交給審判長。

審判長　（看著證據）嗯，確實如此，根據這封回函，慶海道早在2019年4
　　　　　月就認定路線已經定案，那麼原告代理人指出策略性環境影響
　　　　　評估屬於事後才進行⋯應為妥當。

汪洋的律師們這才鬆了一口氣，相反地，燦日、明振以及泰山
的兩位男性律師露出難堪的表情。
另一邊，守美即使面對這種被回以重重一擊的情況，仍然保持
從容。
「她是打哪來的？」守美饒有興味地看著英禑。
在這個對我方有利的情況，為了趁勝追擊，明錫連忙起身。

明錫　　庭上，我方希望申請到昭德洞進行現場驗證。我們認為如果能
　　　　　親臨現場，看看幸福路從中貫穿對居民們造成多麼嚴重的權益
　　　　　損害，應該有助於庭上做出更明智的判斷。
審判長　唉唷，光是你們提交的資料就已經有很多東西要看了⋯你們交
　　　　　照片就好吧，去一趟現場實在太遠了。
賢宇　　（急忙起身）不遠，昭德洞離這裡很近，開車只要一小時。
韓秀　　（跟著起身）有些事情一定要來我們村子親自看過才會明白。庭
　　　　　上，請來一趟昭德洞吧。

居民們迫切的邀請讓審判長的表情變得尷尬。
守美聽到居民們這麼說，似乎想到了什麼事情，轉頭對燦日和
明振悄悄地耳語。

S#22.　**法院洗手間**（室內／白天）

英禍站在洗手檯前面洗手。

守美走進洗手間，朝著英禍走去。

守美　妳是汪洋的律師，對吧？我們負責同一樁案件，卻還不知道彼此的姓名，我是太守美。

英禍　喔，我叫禹英禍，正著唸、倒著唸都一樣，黑吃黑、多倫多、石榴石、文言文、鹽酸鹽、禹英禍。

英禍心中那個帥氣的守美居然來問自己的名字，英禍莫名感到緊張。

似乎是過於緊張，語氣和態度都比平常還要尷尬。

面對那樣的英禍，守美擺出淺淺的微笑。

守美　禹英禍律師？這個名字怎麼好像很耳熟？（暫時思考）總之，見到妳很高興，剛才妳讓我印象深刻，妳的記憶力很驚人。

英禍　喔…是。

守美笑著往洗手間裡面走遠。

英禍這才消除緊張，嘆了一口氣。

S#23.　**法院停車場**（室外／白天）

英禍、敏宇與秀妍把帶來法庭的資料箱搬到汪洋的車子旁邊，濬浩把那些箱子一個個搬上車子後座和後車廂。

濬浩　大家都要回辦公室嗎？前面還有一個位置。

敏宇　（走向車子）喔，那我…

| 秀妍 | （講到大家都聽到）那給禹英禑坐吧。（對英禑說）妳去。 |

英禑照著秀妍所說，走向副駕駛座。
濬浩和秀妍越過英禑，眼神交會。
秀妍散發出「給我好好講清楚」的恐怖眼神，濬浩因此打了個冷顫。
車子駛離，敏宇和秀妍留在停車場。

敏宇	我本來想要舒舒服服地回辦公室，妳幹麼來攪局？要讓位妳自己去讓。
秀妍	沒有直覺可言的人，沒資格舒舒服服地回去。
敏宇	沒有直覺可言？我嗎？妳是在跟我說話嗎？
秀妍	（打開手機叫車應用程式）你要搭計程車吧？我來叫車。
敏宇	話說回來，禹律師的爸爸，妳知道他是首爾大學法學院畢業的嗎？他跟代表好像是學長學妹的關係。
秀妍	（噗哧一笑）哇——沒有直覺可言的人是怎麼知道的啊？
敏宇	（嚴肅）禹律師是有代表當靠山才進來的空降部隊，妳還覺得好笑嗎？我們不是應該一起為此感到憤怒、繃緊神經嗎？
秀妍	（一如往常地挖苦）為什麼要感到憤怒、繃緊神經？還要大家陪你一起？
敏宇	因為她走後門。

敏宇的表情無比認真。
秀妍這才發現敏宇不是在開玩笑，表情也認真了起來。

| 秀妍 | 你在說什麼？你有證據證明英禑走後門嗎？ |
| 敏宇 | 我看到禹律師的爸爸從代表的辦公室走出來，妳想想看，不管是汪洋還是泰山，只要是大型律所，新人全都是在法學院畢業 |

403

前就確定入職，但是禹律師卻是足足在畢業6個月後，新進律師的教育訓練、研習都結束後才單獨進公司，這不是很奇怪嗎？要有靠山才可能吧。

秀妍　　有靠山又怎樣？你要報警嗎？還是要去跟監察組報告？

敏宇停頓了一下，似乎還沒想到那麼遠。

秀妍　　如果你要這樣追根究柢，那麼代表之所以當上代表，單純是因為實力嗎？而不是因為爸爸是汪洋創始人，直接傳位給她？

敏宇　　所以呢？妳的意思是這間公司從代表就有問題，所以就要默許有人走後門嗎？崔秀妍律師，妳爸是部長法官，所以妳心虛了嗎？還是妳現在覺得自己跟代表、禹律師是同一類人？

秀妍　　（火大）我的意思是！你就只是想找英禑麻煩，不要裝作一副大義凜然的樣子，你要是真的覺得公司風氣不正，就應該先從代表開始檢討，為什麼不敢惹強者，只挑英禑這種軟柿子吃？

敏宇　　禹英禑是強者！妳還不懂嗎？妳不是說她在法學院的綽號就是「反正第一名都是禹英禑」，這場競爭一點都不公平。禹英禑每次都贏過我們，但我們卻不能攻擊她，為什麼？因為她有自閉症！我們永遠都要體諒她、幫她，連車上的唯一一個空位都要讓給她，說什麼禹律師是弱者，根本就是假象！

敏宇這一段真心話讓秀妍不知道該說什麼。

S#24.　車（室內／白天）

另一邊，英禑想起格拉米出的任務「觸摸李濬浩」，腦海裡都是兒少不宜的畫面。
英禑看向旁邊正在開車的濬浩。

瀋浩的側額流著汗水，
上捲的袖口之下是瀋浩的手臂，
肌肉之上明顯的血管，
不經意地放在方向盤上的那雙大手⋯
瀋浩從剛才就一直感受到英禡的視線。
內心五味雜陳，以複雜的表情開口，

瀋浩　　怎麼了嗎？
英禡　　喔⋯沒事。

為了把兒少不宜的畫面趕出腦海，英禡靜靜地打開靠近自己的
車窗。

S#25.　**明錫的辦公室**（室內／晚上）
瀋浩和英禡把車上滿滿的資料搬到明錫的辦公室，瀋浩先行走
向門邊。

瀋浩　　禹律師，辛苦妳了。
英禡　　是，你也辛苦了。

瀋浩打開門站在門邊，等待英禡先出去，但是英禡留在原地，
欲言又止。

英禡　　那個⋯李瀋浩。
瀋浩　　什麼？
英禡　　我可不可以觸摸你一下？

濬浩的瞳孔大幅晃動，稍微倒退幾步。

濬浩	什麼？
英祼	我想確認我是不是喜歡你。
濬浩	喔…妳必須觸摸我才能確認嗎？
英祼	嗯…

濬浩關上門。
本來只是來放資料就走，所以辦公室裡沒有開燈一片漆黑，只有都市的昏黃燈光透過窗戶隱約照在兩人身上。

英祼	我想知道觸摸到你的時候，我的心跳有多快…我想測量心率是多少。

濬浩慢慢地走向英祼。
英祼幾秒前才在徵求濬浩讓自己觸摸，現在濬浩靠近自己，反而後退了好幾步。

濬浩	嗯…意思是妳沒有觸摸我的話，心跳就不快嗎？就算在我身邊也沒感覺嗎？

濬浩不斷靠近。
英祼不斷往後走，直到撞上沙發椅背才停了下來。
濬浩和英祼的距離近得幾乎要碰到彼此的身體。
濬浩低頭，靜靜地看著英祼的臉。

濬浩	（聲音低沉）這樣我好失落。

兩人之間的距離近得就像要接吻。

看向彼此的眼神和呼吸都變得熾熱。

從頭到腳，完全沒有觸摸到任何一個地方，但是英禑的心跳撲
通撲通！

心跳快得就像要爆炸一樣。

「喔，原來我喜歡這個人⋯」

英禑因一湧而上的恍然大悟感到暈眩，閉上雙眼。

S#26.　禹英禑飯捲 (室內／晚上)

即使有堆積如山的待處理菠菜，光顯卻只是愣愣地坐著。

一直到英禑下班，打開飯捲店的門，才打起精神。

光顯　　喔！我女兒回來啦？

英禑　　我回來了，我先回家了。

剛才和潽浩臉紅心跳的餘韻尚未散去，英禑正要走出飯捲店，
往家所在的2樓走去，光顯鼓起勇氣開口。

光顯　　英禑，爸爸有話要跟妳說。

英禑　　嗯⋯明天再說吧，我今天有點累。

光顯　　(怕英禑走掉，馬上接著說) 韓宣榮代表，是我的大學學妹。

英禑看向光顯。

光顯　　大學時期我們很要好，畢業後因為各自繁忙，就沒再聯絡了。
　　　　總之，她之前來找我，她說可以讓妳進汪洋工作。

英禑　　什麼？

光顯	我想妳現在應該要知道這件事了。
英禑	那麼我…真的是有代表當靠山才能進公司的空降部隊嗎？我是走後門的嗎？
光顯	不管是不是走後門，我都感謝宣榮。我們這段時間都因為找工作不順利而感到煎熬嘛，等妳當父母就會知道了，看著子女到處受挫，那有多痛苦。

英禑心中湧上各種念頭，十分混亂。
光顯小心翼翼地，接著坦承更加重要的事實。

光顯	其實宣榮答應讓妳進公司…還有其他的原因。那個…
英禑	（打斷光顯說話）我想要徹徹底底地受挫。
光顯	什麼？
英禑	如果必須受挫，那我寧願一個人徹徹底底地受挫，因為我已經是大人了。
光顯	英禑…
英禑	你每次都這樣介入我的人生，連挫折都要幫我擋在前頭，我不喜歡，請你不要這麼做。

砰！英禑大力關上飯捲店的門，走了出去。
光顯跟了出去，雖然大喊著「英禑！英禑！」但是英禑沒有回頭。
「這麼晚了，她一個人要去哪裡？」
光顯擔心地看著女兒用不順暢的步伐大步離去，一度哽咽。

S#27.　網咖（室內／晚上）

一位身穿運動服裝、把帽子壓得低低的男性走進網咖，仔細一看，是敏宇。

敏宇坐在電腦前，打開汪洋公司內部社群網頁，進入「匿名留言板」，按下「發文」的按鈕後，稍微猶豫了一下。

而後敏宇似乎下定決心，開始撰寫文字。

標題是「我要揭發汪洋招聘弊端」。

〈完〉

「我們在昭德洞山坡上，

　一起看著那棵欅樹的時候…我很開心。

　我一直想見妳一面，很高興見到妳。」

第8集

昭德洞故事II

8

S#1.　PROLOGUE：前情提要

濃縮第7集內容的前情提要。

幸福路規劃區域定案撤回訴訟與昭德洞的居民們，

英褍和守美在法庭上以對造律師的身分相見。

英褍終於頓悟自己喜歡濬浩，

秀妍為英褍的愛情加油，同時卻也有些嫉妒，為自己這樣矛盾
的情感所困，

敏宇在公司內部社群網頁匿名留言板上揭發英褍走後門的事…

TITLE：

《非常律師禹英褍》

S#2.　**格拉米的套房** (室內／白天)

小巧的房間裡，擺了一張單人床、衣櫃、電視等物品，可謂麻
雀雖小，五臟俱全。

散落一地卻不會太凌亂的衣服和生活用品，都顯示出屋主的灑脫。

英褍躺在地上，戴著畫有圓滾滾大眼睛的眼罩，一看就知道是

格拉米的東西。

英禑聽見不熟練的切菜聲，頂著一頭亂髮起床。

格拉米站在雙人餐桌前切著海苔飯捲。

格拉米	妳有睡好嗎？
英禑	（戴著圓滾滾大眼睛的眼罩）沒有，我不適應陌生環境，整晚幾乎沒睡。
格拉米	喔，看得出來。

英禑脫下眼罩走向餐桌。

格拉米只用白飯、辛奇、荷包蛋做的粗糙海苔飯捲，歪七扭八地擺在盤子上。

英禑	嗯…沒有火腿和菠菜嗎？醬燒牛蒡呢？
格拉米	還說什麼醬燒牛蒡啊，有什麼就吃什麼，這是董格拉米飯捲。

英禑別無他法，坐在餐桌椅子上吃著董格拉米飯捲，但是意料之外地…很好吃。

格拉米	好吃吧？
英禑	（因為好吃而驚訝）喔，真的，好奇怪。
格拉米	對吧？這個莫名地很好吃吧？

兩人的嘴裡咬著飯捲，像傻瓜般咧嘴笑著。

格拉米觀察著英禑的表情，小心翼翼地問。

格拉米	妳跟妳爸吵架了嗎？
英禑	嗯…不是。

格拉米	不然呢？妳爸叫妳離開嗎？
英禑	是我自己走的。
格拉米	對，我知道妳是自己走的，離開家…但是為什麼？
英禑	我要搬出來獨立生活，因為我是大人了。

英禑突如其來的獨立宣言，讓格拉米露出愣住的表情。

S#3.　汪洋法律事務所11樓走道（室內／白天）

電梯的門打開，剛來上班的英禑在11樓走出電梯。

訟務組的**員工們**站在電梯附近。

兩位員工用手機看著某個東西，嘴裡振振有詞，發現英禑後大
吃一驚，他們剛才在看的是昨晚敏宇在公司內部社群網頁匿名
留言板的貼文。

FLASHBACK：

第7集，網咖。

敏宇在汪洋公司內部社群網頁匿名留言板發文。

標題是「我要揭發汪洋招聘弊端」。

畫面上浮現敏宇讀著發文內容的聲音。

敏宇	（N）我要揭發汪洋招聘弊端。

CUT TO：

回到現在，汪洋11樓走道。

英禑走向自己的辦公室。

祕書們斜眼看著那樣的英禑，竊竊私語，

似乎是正在閱讀敏宇的貼文，英禑一經過就急忙闔上筆記型電

腦的**律師**，

甚至還有律師們人手一杯咖啡聊是非，對著英禍表示不屑…

雖然人們看向英禍的視線非常不友善，

但是英禍卻絲毫沒有察覺。

在這個令人不適的上班路途中，敏宇的朗讀聲音持續著。

敏宇　　（N）我不久前得知汪洋一位新進律師其實是以不當手段錄取，
　　　　有別於其他新進律師，那位律師是在汪洋正式甄選結束後，才
　　　　單獨被錄取的，那位律師甚至也沒有參加新進律師的教育訓
　　　　練，怎麼會發生這種事呢？

S#4.　　宣榮的辦公室（室內／白天）

宣榮坐在辦公桌，用電腦閱讀著敏宇的貼文。

臉上掛著有點不自在的表情。

敏宇　　（N）是因為那位新進律師的父親和汪洋最高層級的律師是同校
　　　　校友的關係嗎？如果沒有父親的不當請託，那位新進律師真的
　　　　會被汪洋錄取嗎？

S#5.　　明錫的辦公室（室內／白天）

明錫坐在辦公桌，用電腦閱讀著敏宇的貼文。

字裡行間明顯指向英禍，明錫心煩意亂地嘆息。

敏宇　　（N）認識律所的高層人士就能獲得一份工作，誰還敢說這個社
　　　　會既公平又正義？

同時，秀妍因為等會兒的會議，坐在明錫辦公室的沙發上，用手機讀著敏宇的貼文，嗤之以鼻。

敏宇　（N）我放棄了青春歲月才得到「汪洋法律事務所律師」一職，卻有人靠著人脈當空降部隊，不勞而獲，原來這就是家裡遭小偷的心情啊。

叩叩，伴隨著冷冰冰的敲門聲，敏宇為了開會來到明錫的辦公室，秀妍為了讓明錫也能聽見，故意大聲地說，

秀妍　怎麼，家裡遭小偷的心情有好點了嗎？

敏宇　（慌張）什麼？

秀妍　公司內部匿名留言板那篇攻擊英祚的貼文，是你寫的吧？

聽到秀妍這麼說，明錫瞥向敏宇。
敏宇慌張地支支吾吾，此時，「叩叩，休息一拍，叩」英祚走進明錫的辦公室。
在場各位一下子全都安靜下來，觀察著英祚的表情。
看不出英祚到底知不知道現在的狀況，英祚的臉上沒有任何表情，走向沙發坐下。

明錫　好了，既然大家都到了，就開始開會吧。

明錫從辦公桌走到沙發準備坐下。
叩叩，伴隨著急性子的敲門聲，這次走進來的是宣榮。在場所有人驚訝地起立。
「該不會是因為匿名留言板的貼文才來的吧？」敏宇內心感到不安。

416

明錫	代表？有什麼事嗎？
宣榮	聽說你們現在負責的案件，對造律師是太守美？

宣榮坐在沙發上，大家這才跟著坐下。

明錫	對，這個訴訟是為了撤回慶海道規劃建設幸福路，所提出的規劃區域定案，我們是昭德洞居民的訴訟代理人。
宣榮	進行得怎麼樣？
明錫	跟目前規劃的路線相比，我們很難舉證有更適合的替代方案，不過我們有找到一項違法事由。
宣榮	違法事由？是什麼？
明錫	慶海道比法定期程還要晚進行策略性環境影響評估。
宣榮	但是他們還是有做嗎？
明錫	對。
宣榮	那麼把這件事視為規劃區域定案的違法事由，似乎有點牽強，只能算是程序上的…一種小失誤吧。工程還在繼續進行嗎？
明錫	是，雖然我們申請了效力中止，但是目前還沒做成決定，所以工程還在持續進行。
宣榮	什麼啊？你們現在屈居下風啊？

聽到宣榮這麼說，明錫和新進律師們都有些畏縮。

明錫	我們起初就知道這樁案件並不容易，在妳聽來也許有點奇怪，但是昭德洞真的非常…美麗，村子居民都有著灑脫大方的魅力，馬上就要進行現場驗證了，我們屆時會強調這一點，試著改變合議庭的想法。
宣榮	你們打算對合議庭動之以情嗎？
明錫	對。

宣榮	（微笑）那真是個浪漫的方法，但是這個世界並非一切都很美好，請你們也考慮一下多點政治、少點浪漫的方法。
秀妍	多點政治、少點浪漫嗎？
宣榮	和汪洋維持良好關係的媒體記者中，應該有人對這樁案件感興趣吧？不妨將這樁訴訟包裝成大衛與歌利亞之爭，營造這種框架，試著製造輿論吧，讓合議庭有所顧忌，認為站在慶海道是有壓力的。
敏宇	喔…
宣榮	這種方法聽起來很普通，但是有時候很管用，就像匿名留言板上的一篇小道消息也能引起騷動，這就是人心，不是嗎？

宣榮以意味深長的眼神看向英禩。
敏宇心裡一揪，不自覺地低下了頭。

宣榮	總之，你們要贏。
明錫	什麼？
宣榮	不要輸給太守美。

宣榮臉上雖然掛著微笑，用開玩笑的語氣說，但是眼神卻非常認真，明錫和新進律師們的肩上感到一陣沉重。

S#6.　汪洋法律事務所11樓走道（室內／白天）

會議結束後，英禩走出明錫的辦公室，走向自己的辦公室，秀妍跟在英禩後頭，抓住英禩並遞出手機，手機螢幕裡是公司內部匿名留言板上敏宇撰寫的貼文。

秀妍	妳有看到這個嗎？

英禑	（看著手機畫面）「我要揭發汪洋招聘弊端」？嗯…這個…
秀妍	是妳。
英禑	什麼？
秀妍	這篇貼文是在說妳走後門，有人故意寫這篇貼文來攻擊妳。
英禑	妳怎麼知道是在說我…
秀妍	只有妳是在正式甄選後進公司的，公司的人們整個早上都在竊竊私語，妳沒有察覺異常嗎？

老實說，英禑還真的沒察覺到。
但是英禑心裡馬上湧上各種想法，表情變得黯淡。

英禑	這些都是事實，我爸爸和代表的確是大學學長學妹的關係。我…是走後門的。

路過的祕書聽到英禑這麼說，耳朵都豎了起來。
秀妍看到這個情況，故意大聲地說，讓所有人都聽見，

秀妍	首爾大學法學院成績好的人，都是先在大型律所實習，畢業前就確定入職，但是只有妳，在學校每次都拿第一名但是沒有一間律所要錄用妳，大家明明知道這不公平，但是大家都覺得事不關己，所以裝傻不吭聲，我也是如此。
英禑	不管怎麼說，因為我有自閉症…
秀妍	（打斷英禑說話）喂！法律規定不得歧視身心障礙人士，妳成績那麼優異，卻沒有人願意雇用妳，這才是歧視、不正當和弊端！不管妳是怎麼進來的，就算晚了一點，但是妳理所當然會被錄取！

秀妍的大嗓門讓遠處路過的敏宇回頭看向兩人，秀妍怒瞪著敏宇，敏宇趕緊走進自己的辦公室。

秀妍	這篇貼文似乎是權敏宇律師寫的，所以你們倆獨處時，記得朝他的後腦杓一拳揍下去，或是用力打他的胸口。
英禍	嗯…但那是犯罪…
秀妍	（打斷英禍說話）不要老是被別人欺負，妳這個笨蛋！走後門又怎樣，少裝可憐了！妳剛才有聽到代表說的話吧？我們也要多點政治、少點浪漫，好嗎？

秀妍大力地打了一下英禍的肩膀，大步地往前走。
英禍愣在原地，思緒混亂。

S#7.　昭德洞入口（室外／白天）

現場驗證當天。
賢宇的廂型車和汪洋的車子停在昭德洞入口，賢宇和韓秀、澺浩和律師們各自下車撐開雨傘。有別於上次晴朗無雲時的拜訪，今天…下著雨。
烏雲滿布的陰灰色天空下，因為已經開始動工，土地到處都被翻得如軟泥般，
高聳的挖土機佇立，擋住了村子的風景，路上滿是因為工程所需而擺設的路障…眼前的一切都黯淡無色，汪洋的律師們的內心也變得鬱悶。

汪洋的律師看見泰山的車子停在對面，守美和泰山的律師們下車，整齊劃一地撐開雨傘，所有人都撐著畫有泰山標誌的紅色雨傘，一看就知道是同個團隊。
明錫回頭看向「自己的團隊」，各自撐著大小、形狀、顏色都不盡相同的雨傘，這幅景象莫名寒酸。

明錫	汪洋沒有訂製雨傘嗎？我們看起來很像一群烏合之眾。
濬浩	喔，有的！

濬浩趕緊打開後車廂。

幸好後車廂放著畫有汪洋標誌的藍色新雨傘，濬浩把雨傘分給律師們。

這是測量心率以後濬浩和英禑第一次見面，濬浩拿雨傘給英禑的時候有點尷尬，汪洋的律師們理所當然地撐開雨傘，發出「砰！砰！」的聲音，看起來就像紅色雨傘「泰山團隊」以及藍色雨傘「汪洋團隊」的對決。

此時，泰山律師們的視線看向一臺車身印有大名鼎鼎的報社《正義日報》的轎車，正在靠近。

泰山律師1	《正義日報》怎麼會來？
泰山律師2	看來是汪洋找他們過來的吧？他們關係很要好，我之前也看過幾次《正義日報》幫汪洋寫正面新聞。

如同泰山律師們的推測，**記者**（30多歲／男）下車後，敏宇走上前去迎接。

有別於緊張的年輕律師，《正義日報》登場後，守美反而從容不迫。

守美	（像是在自言自語）他們還是用心良苦，今天應該沒什麼值得採訪的…

此時，掛有「**執行公務中**」標誌的公務車開向昭德洞入口，法官們一下車，明錫和守美就走向審判長，希望審判長撐起自己

公司的雨傘。

明錫 審判長好。

守美 遠道而來辛苦了。

審判長 （嘆氣）就是說啊，真的滿遠的，而且還下雨，真是麻煩…

跑那麼遠一趟進行現場驗證，審判長對現在的情況甚是不滿，同時拒絕了明錫和守美的雨傘，砰的一聲，撐開自己的黑色雨傘。英禑注意到審判長的雨傘上某一角印有海豚標誌，秀妍對韓秀耳語。

秀妍 （小聲地說）里長，請你像上次那樣解說引導。

韓秀 （點頭）審判長，插著紅色旗子的那條路就是…那怎麼講？那個…

賢宇 （小聲地對韓秀說）幸福路。

韓秀 就是幸福路的規劃路線，因為它橫向貫穿整個住宅區，一旦開始施工，所有住戶都必須離開村子，我們要跟著旗子走一遍嗎？

審判長 （還是很不悅）好，走吧，反正都專程來這裡了。

韓秀走在前面帶頭，審判長以及其他人跟在後方。

S#8. 昭德洞孫興慜的家（室外／白天）

韓秀在昭德洞孫興慜的家門口停下，敲著大門。

韓秀 興慜！興慜！

明錫 （用開朗的語調對法官們說）昭德洞的居民們都會互相以綽號稱呼，這戶居民因為很會踢足球，所以他的綽號是孫興慜…

守美	（打斷明錫說話，大聲地說）喔，金正煥先生！你好。

這才知道興愍的本名是金正煥，正煥身上沒有穿昭德洞足球隊
球衣，看起來甚是陌生。

韓秀	興愍，這位是審判長，打個招呼吧。
興愍	唉唷～什麼興愍啦…又不是在耍寶。（對審判長說）你好，我是金正煥。

韓秀對於興愍嚴肅地用本名自我介紹感到慌張。
守美將一張資料遞給審判長。

守美	金正煥先生已經同意慶海道重新開出的土地徵收補償金額，這是金正煥先生簽署的同意書。
賢宇	什麼？妳在說什麼？興愍哥是居民對策委員會的幹部…怎麼會同意土地徵收？

賢宇直跺腳，認為守美不可理喻。
這讓興愍更加難為情，

興愍	喔，對，我同意了。
賢宇	什麼!?
興愍	奇怪～因為這些律師們來找我談過，他們說慶海道搞不好會提高補償費，也許會比原定金額高個兩倍，我就先同意了啊。
韓秀	你怎麼能不先跟我們商量就擅自決定！
興愍	我跟你們商量又怎樣，你會理解我的心情嗎？你本來就是有錢人啊～既然都要被徵收，不如多拿一點錢回來也好，這種心情你怎麼會懂？況且也不只有我同意，那裡！（手比劃著）澈敏也

同意了。

一行人看向興愍手指的方向。
本名是昭德洞金章勳的澈敏，騎著機車，停了下來。

賢宇　章勳？章勳也同意了嗎？（大聲地對章勳說）喂！章勳！你同意了嗎？

章勳為難地停留在原地，沒多久又再次騎著機車遠去，泰山的律師們見狀趕緊找出章勳的同意書，由守美遞給審判長。

守美　張澈敏先生也同意慶海道重新開出的補償金額了。

明錫　如果慶海道決定提高補償金額，應該要最先通知居民對策委員會，像這樣私下個別接觸住戶，勸他們簽同意書，是不當行為。

守美　提高補償費一事目前還沒定案，慶海道只是想瞭解若是提高補償費，會有多少戶數同意土地徵收，才事先調查以便掌握情況，同意書僅用於確認的形式。

明錫　那麼問題就更嚴重了，明明補償費提高一事都還是未知數，你們這是在試探居民們吧？審判長，這是被告代理人為了勝訴，試圖分裂居民們的手段。

守美　在昭德洞這個地方，因為里長掌握大權，無權無勢的居民們難以為自己發聲，居民們只有透過同意書，才能鼓起勇氣表達個人立場，還請審判長加以考量居民們的心情。

韓秀　（衝擊）什麼？什麼…?!

賢宇　（同樣受到衝擊）里長掌握大權？居民們難以為自己發聲？妳現在到底在說什麼？

守美　昭德洞土地徵收範圍內共有480戶，目前為止已有343戶簽署同意書，從開始簽字至今才過半個月，就有七成以上的戶數表示同

424

意，如果這不是居民們真正的立場，那什麼才是呢？審判長，我方要提交這些同意書作為證據。

明錫　那些同意書僅僅表示如果慶海道願意提高補償費，居民們對金額表示同意，現在都還不確定是否提高補償費，那些同意書並沒有任何證據效力。

審判長　雙方都請冷靜，我明白了，今天是現場驗證期日，證據請另外提交，現在就先專注在現場情況吧。

審判長雖然這麼說，但是卻留意地看著守美提交的那一疊同意書，明錫走向韓秀說了悄悄話。

明錫　（小聲地說）我們無從得知對造律師到底跟多少居民談過，我想還是不要介紹居民們了，我們直接去看欅樹吧。

韓秀　（點頭後）審判長，我們帶你去可以眺望全村的地方。

S#9.　昭德洞山坡路（室外／白天）

欅樹山丘下的山坡路。

審判長撐著黑色雨傘，在他後頭跟著藍色雨傘的汪洋團隊，以及紅色雨傘的泰山團隊，兩隊形成平行線。

一行人默默地承受著強烈的風雨，還是列隊行走的模樣…令人哭笑不得，記者走向敏宇，小聲地問。

記者　現在出了一點狀況，對吧？

敏宇　對…本來居民們很團結，這裡…原本是很美麗的村子。

記者　肯定是被泰山的策略分化了，他們拿同意書當藉口，把居民們搞得四分五裂。

敏宇　（嘆氣）是啊…

韓秀　　好！現在要爬坡了，再走一小段就到了。

韓秀和賢宇帶頭走向往山丘上走的狹窄山坡路，法官們跟在後面。
下雨路滑，甚至穿著皮鞋，「唉唷！」泥土混著雨水濺在滑倒
的審判長外套上。
今天累積下來的煩躁感一觸即發，走在後面的英禑沒有察覺，
向審判長搭話。

英禑　　為了預防這種狀況，我今天特地穿了運動鞋。

審判長　（無言）所以呢？妳現在是在炫耀嗎？

英禑　　（慌張）不，我不是在炫耀，需要我把外套脫下來給你嗎？對你
　　　　來說可能有點小件，但是披著的話…

審判長　（打斷英禑說話）唉唷，不用了。

第九幕　昭德洞山丘（室外／白天）

一切都不順心的一天，山丘上的情況也不是很好。
雨水飛濺至德蕾莎婦女會會長事先倒好的甜米釀杯子裡，朴維
鎮手足無措，對於必須淋雨拉小提琴的情況不大樂意。
包含審判長，人們一個個爬上山丘。

賢宇　　（遞出甜米釀）審判長，請喝杯甜米釀吧。

審判長　（推回甜米釀）不用了，下雨天這麼冷，喝什麼甜米釀…

「是現在嗎…？」朴維鎮拉起了小提琴，是一段上行音階。
同時，審判長對韓秀說，

審判長　原告，你要我們來這裡看什麼？快點進行吧。

426

| 韓秀 | 喔，好。 |

韓秀對維鎮使眼色，送出停止演奏的信號。
維鎮的小提琴拉出了一段下行音階，不悅地結束了演奏。

| 韓秀 | 審判長，站在這個山丘上俯瞰整個村子，風景可說是一覽無遺吧？幸福路貫穿了昭德洞，對居民們來說是非常沉重的負擔。 |

聽韓秀這麼說，審判長俯瞰著村子全景。
因為工程已經開始，村子入口被挖得滿是坑洞，
從住宅區正中間一直貫穿到山丘下的那些紅色旗子。
就在此時，櫸樹的樹葉縫隙間吹來強烈風雨，雨傘和甜米釀都
因為狂風而翻覆，
法官們也關閉了內心。

| 審判長 | 老實說…我會決定親自走訪昭德洞，是因為我嚴重懷疑原告們提出請求的正當性。首先，我不知道「原告們」到底是哪些人，居民對策委員會有確實反映全體昭德洞居民們的意見嗎？ |

審判長的話如同晴天霹靂般，讓汪洋團隊全體臉色發白。

| 賢宇 | 審判長，這是冤枉啊。居民對策委員會和昭德洞居民們經常聯繫，也保持密切溝通，今天讓你看到不好的一面，是因為對造律師耍手段分化我們才會這樣。 |
| 審判長 | 我會給你機會證明你說的話，原告和被告雙方都請在下次進行言詞辯論前，向居民們收取同意書，看是同意居民對策委員會意見的人數較多，還是同意慶海道決定的人數較多，我要親眼確認。如果對於目前幸福路這條規劃路線，反對的居民人數未 |

超過昭德洞全體居民人數的半數，本合議庭也只能駁回原告們
的請求。

意料之外的要求讓汪洋團隊和泰山團隊都繃緊神經。
審判長身旁兩側的藍色及紅色雨傘之間，瀰漫著煙硝味。《正
義日報》的記者小聲地對敏宇說，

記者　　唉唷，事情越來越複雜了，現階段似乎沒有適合我報導的部
　　　　分…等事情處理得差不多再聯絡我吧。

敏宇　　是…抱歉讓你白跑一趟。

記者　　不會，我先走了。

記者雖然嘴上說著不在意，但是表情中不免透露出白跑一趟的
煩躁，敏宇嘆了一口氣。

S#10.　韓秀家的客廳（室內／白天）

韓秀、賢宇和汪洋的律師們聚在韓秀家的客廳。
一群人看著掛在牆上的昭德洞大尺寸地圖。
地圖上用紅筆劃出來的是幸福路的規劃路線，有些住戶被塗上
紅色，有些則塗上藍色。

敏宇　　你的意思是這些塗成藍色的住戶，較有可能站在我們這邊，對吧？

韓秀　　是啊，塗成紅色的住戶是之前…那怎麼講？那個…（用手比出錢的
　　　　手勢）

英祿　　錢？

韓秀　　不是，是錢沒錯，不是有那種錢嗎？那個…

英祿　　補償費！

428

韓秀	對！那些紅色住戶就是領了補償費，說要搬出村子的人。
秀妍	沒被編定為道路用地的住戶，確實大多被塗成藍色。
韓秀	的確是那樣沒錯，那些土地被徵收的住戶就是覺得「不管金額再怎麼低，只要拿到補償費搬家就好」才會輕易簽字，而且他們又聽說補償費可能提高，當然更樂意了。
賢宇	唉唷，我現在真的搞不懂了，我以為興愍跟章勳會一直站在我們這邊，沒想到他們轉眼間就改變心意了…（嘆氣）
明錫	我們還有時間可以說服居民們，不要太擔心。

此時，濬浩抱著厚厚的信封走進韓秀的家。

濬浩	我把同意書印出來了。
明錫	喔，辛苦你了，我們也開始行動吧。
濬浩	是，不過外面…

濬浩露出為難的表情，說不下去。
汪洋的律師們、韓秀與賢宇因為濬浩的模樣感到詫異。

S#11.　韓秀的家（室外／白天）

不知不覺間，昭德洞的雨停了。
汪洋團隊走出韓秀的家，眼前看到的是數十位的工讀生，拿著泰山的同意書，在村子裡走來走去。

敏宇	泰山…這麼快就找到工讀生了嗎？
濬浩	我們要不要也趕快找人來幫忙？
明錫	（心煩）好。（對律師們說）至少我們幾個先著手處理吧。

泰山快速的處理速度，讓汪洋團隊的氣勢一開始就處於下風。

S#12. 居民1的家（室外／白天）

英禑站在某個住戶敞開的大門前。

「叩叩，休息一拍，叩」英禑敲門後往門內看，發現**居民1**（50多歲／男）正在簽署泰山的工讀生發給他的同意書。

英禑發現晚了一步，嘆了一口氣。

S#13. 居民2的家（室外／白天）

秀妍堅決地敲著緊閉的大門。

秀妍　　有人在嗎？我是汪洋法律事務所的律師！

「哐！」大門被打開，**工讀生2**（20多歲／女）走了出來，對著**居民2**（50多歲／女）說再見，工讀生2沒有注意到秀妍，不小心撞到她。

工讀生2　（敷衍地對秀妍說）天啊？對不起。（對居民2說）那我先走了！
居民2　　嗯！再見！
秀妍　　那個…

居民2似乎沒有聽到秀妍說話，「哐！」的一聲關上大門，秀妍環顧四方。
秀妍看著在泰山律師2的指揮下，工讀生們有條不紊地收同意

書，但是身邊只有自己來自汪洋，大大地嘆氣。

S#14.　居民3的家（室外／白天）

敏宇和泰山**工讀生3**（20多歲／男）抵達同一戶的大門。

他們同時用力敲著大門。

居民3　（聲音）請問是誰？

工讀生3　泰山…

敏宇　（打斷對方說話）我是汪洋的（強調）「律師」！不是工讀生！

在工讀生3稍微猶豫的時候，

和敏宇是法學院同屆同學的泰山律師1原本站在後頭，聽到敏宇
強調自己是「律師」，就飛奔過來這裡。

泰山律師1　你在說什麼啊！泰山也有派「律師」來！

居民3（60多歲／男）一打開大門，敏宇和泰山律師依舊同時遞出
各自的同意書。

居民3　那個…說會給補償費的是哪裡…

泰山律師1　（歡迎）是這裡！是泰山！（遞出同意書）請看這裡…

在競爭中被壓制敏宇，深深嘆氣。

S#15.　德蕾莎的家（室外／白天）

在同意書上失利的英祿、秀妍、敏宇，與明錫、韓秀、賢宇在

德蕾莎婦女會會長家門前會合。

敏宇	泰山不知道是把補償費的事說得多天花亂墜，我見到的居民都只在意錢。
英祸	我…我連要見到居民都很困難。
秀妍	因為我們在人數上就處於劣勢了，泰山怎麼會那麼快就找到人呢？
明錫	（嘆氣）潗浩呢？你有聯絡他嗎？
敏宇	是，是有找到工讀生了，但是來這裡需要一點時間。
德蕾莎	唉唷，那麼我至少先召集婦女會吧，不管用什麼方法，只要讓大家在這裡簽名就好，對吧？
明錫	喔，與其說是「不管用什麼方法」…（本來想多說什麼，最後放棄）對…謝謝妳。

S#16.　婦女會館（室內／白天）

村子裡的爺爺奶奶們一人拿著一張同意書，聚集在婦女會館，就像在辦活動一樣，德蕾莎正在說明簽署同意書的方法。

德蕾莎	大家都寫了名字，對吧？那麼底下的地址！要填寫自己家裡的地址。
爺爺1	（搖晃著同意書）這是什麼？
明錫	喔，那個是…
德蕾莎	（打斷）問那麼多幹麼～我會叫爺爺去做壞事嗎？你信不過我嗎？（指著明錫）信不過這位律師嗎？
明錫	喔，與其說是相信我才簽名…（本來想多說什麼，最後放棄）是…請相信我吧。
爺爺2	那你要唱首歌！讓我們聽聽～律師有多會唱歌。
明錫	什麼？

奶奶	（拍手打拍子）不會唱歌就不能幫人辯護～喔～可恨的人～

奶奶起了頭，其他人也跟著唱歌。
明錫感到很為難，轉頭看旁邊，卻發現韓秀和賢宇也在拍手。

明錫	（小聲地對新進律師說）唉…澯浩還要很久才來嗎？
秀妍	我打個電話確認。

秀妍拿著手機走出婦女會館。
此時，英禑突然發現自己的包包不見了。
「放在哪裡了呢？」英禑心想，正準備跟著秀妍走出去，

敏宇	禹律師這是要去哪裡？
英禑	喔，我要去找我的包包，我好像放在櫸樹下了。
敏宇	（煩躁）快去快回！現在情況看來是非唱不可了！

敏宇話音一落，明錫就頂著害羞到通紅的臉蛋開始唱歌。

明錫	（唱歌）在風中～煙消雲散的～那虛無的誓言～

爺爺奶奶們忙著跟著明錫的歌聲跳舞，敏宇、德蕾莎、韓秀跟
賢宇辛苦地從人群中收回同意書，英禑趁亂走出婦女會館。

S#17. 昭德洞山丘（室外／白天）

英禑爬上山坡，左顧右盼地尋找著遺忘在這裡的包包，
守美的聲音從櫸樹粗大的莖部後方傳來，英禑停下動作。
守美正在通電話，一邊往櫸樹的前方走出來，發現了英禑。

守美　　（通話）請再聯絡我。（掛斷電話後，笑臉迎人）妳是禹英禑律師，
　　　　對吧？
英禑　　喔，對，那個包包…

英禑指向守美手中拿著的公事包。

守美　　喔，這是妳的包包啊？剛剛被放在櫸樹下面，一看就知道是
　　　　「律師的包包」，我本來要帶下山尋找主人。

守美微笑，把包包遞給英禑。
「為什麼站在這個人面前會緊張呢？」英禑扭扭捏捏地接過包包。

英禑　　謝謝。
守美　　我想起來了，我是在哪裡聽過妳的名字。
英禑　　什麼？
守美　　妳之前有為金正久會長的案件寫律師意見書吧？那場在大賢飯
　　　　店舉辦的婚禮，發生的婚紗滑落案件。
英禑　　喔…對。
守美　　我讀過那份律師意見書，金正久會長說（模仿正久的聲音）「泰山
　　　　做不到的事，汪洋就這麼順利地解決了」他邊這麼說，邊給我看
　　　　那份律師意見書。（微笑）當時妳是主張請求特殊損害賠償吧？
　　　　因為妳的論點很創新，所以我記得妳的名字，禹英禑律師。
英禑　　（不知道該回答什麼，支支吾吾）這樣啊。
守美　　禹英禑律師，在汪洋上班有趣嗎？
英禑　　什麼？
守美　　要來泰山工作嗎？

英禑大吃一驚，守美又露出招牌微笑。

434

守美	你們想展現出…昭德洞所擁有的無形價值，對吧？像是居民們對這塊土地的愛之類的，我指的是你們這次申請現場驗證的用意。
英禑	什麼？喔…
守美	這種時候該怎麼形容汪洋呢？非常天真。世界上最脆弱的就是人心，尤其是在錢的面前。

英禑回想起今天在錢的面前，態度一百八十度大轉變的昭德洞居民們，表情變得沉重。

守美	我們正在處理同一樁案件，所以不宜多談，對吧？等這樁案件結束，歡迎妳來泰山作客，汪洋也是一間很好的律所，但是我覺得泰山似乎更適合妳，讓我們一起勝訴吧。

守美遞出名片，英禑不知所措地接過名片。
那一刻，櫸樹的葉縫裡吹來徐徐微風，英禑的內心莫名變得濕漉漉的。

英禑	我每次看到都覺得，這棵櫸樹…

守美好奇英禑在說什麼，靜靜地看著英禑。
英禑抬頭看向櫸樹。

英禑	真的很帥氣。

守美也跟著英禑的視線，抬頭看向櫸樹。

守美	（微笑）是啊…真的像妳說的一樣。

雨停之後的天空下，浮現了彩虹。

英禑和守美並肩站著，欣賞櫸樹的姿態。

敏宇在遠處的住宅區環顧四周尋找英禑，卻看到這幅畫面。

S#18. 昭德洞村子（室外／白天）

英禑背著找回來的包包，走向山丘下的住宅區。

敏宇朝著英禑走了過來。

敏宇　　妳和太守美律師剛才在聊什麼？

英禑　　什麼？

敏宇　　我看到妳們在櫸樹下聊了好一陣子耶？

英禑　　要是我告訴你談話內容，你又要上傳到留言板嗎？

敏宇　　什麼？（隱藏自己的慌張）奇怪，我有做什麼嗎…

英禑突然站在原地，高舉起手就像是要攻擊敏宇的頭。

敏宇因此不自覺地蜷縮身體並顫抖。

英禑緊接著作勢要往敏宇的胸口擊出重重一拳，而敏宇這次也
出於本能地倒退了幾步，敏宇對於自己竟然這麼認真地躲避英
禑的動作感到丟臉，滿臉通紅。

敏宇　　什麼啊！妳到底在幹麼？

英禑　　如果你再做出那種事，我就會一拳朝你的後腦杓搥下去，或是
　　　　重擊你的胸口，我可不會老是被別人欺負的。

英禑的態度出乎意料地強硬，敏宇因此有點害怕。

但是敏宇馬上找回氣勢。

敏宇　妳在理直氣壯什麼？留言板上的貼文，不管是我寫的還是任何人寫的都無所謂，反正那都是事實啊，不是嗎？妳爸爸和代表的確是大學學長學妹的關係，妳也確實是走後門的！

敏宇用充滿嘲諷的眼神瞪著英禑。
英禑則以複雜的表情無聲地嘆息。

S#19.　英禑家的客廳（室內／晚上）

光顯走進家門，驚訝地發現玄關門已被打開。
聽見英禑房間傳來翻找東西的聲音，心想或許是英禑回來了，

光顯　英禑嗎？妳回家了嗎？

在房間裡的英禑拖著一個小型行李箱走到客廳，看起來是穿著下班的服裝，單純回來家裡拿行李的。

英禑　我要走了，我只是回來拿衣服。
光顯　妳要去哪裡？
英禑　我要搬出去獨立生活，在找到房子之前，我會跟格拉米住在一起，你不用擔心。

英禑閃過擋在自己面前的光顯，走向玄關門。
光顯跟在後頭。

S#20.　英禑家的前院（室外／晚上）

英禑打開玄關門，走出家門。

準備下去1樓，往樓梯的方向走，
光顯留住英禑。

光顯　　　跟爸爸談一談吧，好嗎？
英禑　　　我不要。
光顯　　　獨立生活這麼重要的事，妳怎麼能不跟爸爸商量就自己決定？
英禑　　　我打算換一間律所，我不會繼續在汪洋工作了。
光顯　　　換一間律所…妳在說什麼？妳要去哪間律所工作？
英禑　　　我打算去泰山，太守美律師邀請我加入泰山。

這就是天塌下來的心情嗎？光顯的眼前一片漆黑，英禑稍微推
開光顯走向樓梯。

光顯　　　（像是在喃喃自語）不行…不能去哪裡，那個女人…

光顯受到過大的衝擊，喘不過氣，在一旁喃喃自語時，英禑已
經走到樓梯前，正要搬起行李箱。
光顯心想如果就這麼讓英禑離開，好像再也無法說出真相，於
是鼓起勇氣。

光顯　　　太守美是妳的親媽媽。

即使光顯沒有說得很大聲，英禑愣在原地，停下動作回頭看。

英禑　　　什麼？
光顯　　　太守美是把妳生下來的人，是妳的…媽媽。

有別於眼眶開始泛淚的光顯，英禑面無表情。

像是絲毫不受影響，泰然自若地轉過身，往樓梯踏出第一步的那一刻，英禑昏倒了。

光顯　英禑！！！

哐啷啷！英禑摔下樓梯。
光顯驚慌失措地跑向英禑。

S#21. 單人病房（室內／晚上）

躺在病床上睡著的英禑，睜開了眼睛。
坐在陪病椅上的光顯，激動地對英禑說。

光顯　英禑，妳還好嗎？妳醒來了嗎？
英禑　我全身…都好痛。
光顯　（心疼）天啊，醫生說妳全身多處挫傷…很痛嗎？要請醫生幫妳打止痛藥嗎？
英禑　不用，沒關係。
光顯　幸好沒有傷到骨頭，醫生說多休息就會痊癒了。

父女之間瀰漫著一股沉默。
光顯對於必須再次提到親生母親的事甚有壓力，嘆了一口氣。
但是光顯立刻下定決心，

光顯　英禑，很抱歉現在才告訴妳，之前我說媽媽生妳的時候難產過世…那是騙妳的。
英禑　我一直都知道。
光顯　（驚訝）什麼？

英禑	是奶奶跟我說的。
光顯	這樣啊…？
英禑	當時奶奶跟我單獨待在一起，奶奶喝得酩酊大醉，對著我大呼小叫，「妳媽沒有死，她是丟下妳逃跑的，她毀了我兒子的人生就逃跑了」奶奶是這麼說的。
光顯	（嘆氣）我跟太守美本該是兩個生活在不同世界的人，我是貧窮的農家小孩，太守美則是泰山創始人的女兒，這樣天差地遠的兩個人在大學相識…不知不覺地喜歡上對方，我們兩個都不太懂談戀愛這回事，所以在還沒做好準備時，就有了妳。當她發現自己懷孕後…態度就徹底轉變了，比起和一無所有的我結婚，成為年輕媽媽，她更想要回到自己原本生活的世界。

S#22.　守美家附近的巷口（室外／晚上）- 過去

27年前，某個下雨的夜晚。

滿是高級單戶公寓的住宅區巷弄。

27年前的**太守美**（24歲／女）憤怒地喘著氣，撐著紅色雨傘往前走，27年前的**禹光顯**（26歲／男）跑上前去攔住守美。

守美	放手！學長你瘋了嗎？你怎麼可以跑來我家門口？
光顯	妳一直對我避而不見，我能怎麼辦？我聯絡不上妳，我還能怎麼辦！守美，只要一下就好，我們談一談，好嗎？
守美	我跟你沒什麼好談的。

守美用力地推開光顯，轉身就走。

光顯倒地，雙膝無力地跪在地上。

「摔得很重嗎？」守美因為擔心光顯，稍微回頭看了一眼，光顯全身淋著雨，跪在原地一動也不動。

守美　　什麼啊…你還好嗎？

光顯　　（自言自語）這都是…我們的錯。

守美　　（聽不清楚）什麼？

光顯　　生下孩子吧。

聽到光顯這麼說，守美的臉上布滿了痛苦。

守美　　我們已經談過很多次了…那件事…

此時，光顯跑到守美面前，再次跪下。
光顯緊緊拽著守美的褲管，苦苦哀求。

光顯　　我答應妳！我絕對不會讓妳為難，只要妳生下孩子，我就會帶
　　　　著孩子消失！我也會中斷學業！管它什麼司法特考，我會放棄
　　　　一切！我保證再也不會出現在妳眼前，守美，拜託…

光顯依舊維持著跪地低頭的姿勢，
光顯開始哭泣，守美看著光顯，眼裡也流下止不住的淚水。

CUT TO：
現在，病房。
有別於從前的哭天喊地，現在的光顯平靜地說著這段過往。

光顯　　最後太守美總算同意生下妳，她對外放出消息，宣稱自己是去
　　　　美國留學，實際上她懷孕期間好像都只待在家裡。而那段期
　　　　間，我大學畢業了，妳出生之後，我就遵守約定把妳帶走了。

S#23. 光顯的家（室外／晚上）- 過去

26年前。

滿是破舊聯排住宅的巷弄。

26年前的**禹光顯**（27歲／男）站在租屋處門前，等待著某個人，緊接著一輛黑色高級進口車開進了巷弄，停在光顯面前。

光顯緊張地猛吞口水。

車門被打開，守美家的**家庭幫傭**（40多歲／女）抱著嬰兒下車。

家庭幫傭 禹光顯先生？

光顯 是。

家庭幫傭 請抱走孩子，是一位女孩。

家庭幫傭把英禑放入光顯的懷中。

這是光顯和女兒奇怪的初次見面。

看著在襁褓中熟睡的嬰兒臉孔，光顯莫名地想哭，

光顯 守美…她過得好嗎？

家庭幫傭 （嚴肅）請你不要打聽她的事，你們再也不需要互相聯繫了。

家庭幫傭回到車上。

光顯猜想著守美會不會就在貼著隔熱膜的車窗後面，看向車內的眼神不自覺地變得迫切，但是在他看出什麼之前，車子早已無情地離去。

光顯佇立在原地，緊緊抱著英禑。

CUT TO：

再次回到現在，病房。

| 光顯 | 在那之後，我就忠實履行自己的承諾，為了避免遇見太守美，我放棄了司法特考，只做著跟法律毫不相關的工作，把妳養大，所以⋯我現在很後悔。 |

聽到意料之外的內容，英禑嚇了一跳。

英禑	你很⋯後悔嗎？
光顯	當我看到妳求職到處碰壁時，我真的很後悔，我想應該是我誤會了吧，誤以為對一個曾經愛過的女人信守承諾，是有義氣且帥氣的事，但是那些行為，到頭來卻毫無意義。
英禑	你很講義氣也很帥氣，我⋯
光顯	（打斷英禑說話，堅決地說）無論如何，我都應該當上律師，在沒有人願意雇用妳時，我應該親自雇用並指導妳，應該要成為至少能留一間律師辦公室給女兒的那種有能力的爸爸。

不知道這些事情在光顯腦海裡反覆思考過了幾次，
光顯說著這些話時，眼神裡毫無動搖。

| 光顯 | 英禑，我的人生經驗告訴我，這世上所有事情都有政治考量。宣榮會雇用妳是考量了政治因素，太守美會拋棄妳⋯也不是因為討厭妳，是因為她無法和我這種男人結婚，她有那樣的政治考量。而我卻不知道每個人的生活都在進行政治考量，我這個獨自把承諾跟義氣掛在嘴邊的可悲男人⋯最後讓自己的女兒替他付出了無法成功的代價。 |

光顯說著對過去人生的悔恨，眼角噙著淚水。
那一刻，英禑的腦海裡閃過某個念頭。

INSERT：
許多隻海豚充滿力量地躍出湛藍的海面。

CUT TO：
再次回到病房。

英禑　　昭德洞的欅樹也是如此嗎？

英禑翻找著腦海裡的記憶。

FLASHBACK：
第7集，大學教授研究室。
土木工程學系教授說著有關幸福路的事。

教授　　我第一次聽說這裡要興建道路是在…2016年，唉唷，已經是6年
　　　　前的事了。

FLASHBACK：
第7集，昭德洞村子。
韓秀說著有關欅樹的事。

韓秀　　2016年嗎？我們也有試著詢問過道廳，可是專家來看過之後，說
　　　　這棵欅樹還不夠格，呵呵，說它還不夠格被指定為自然紀念物。

CUT TO：
回到現在，病房。
英禑似乎想到了好主意，眼裡散發著光芒，身體也充滿活力；
相反地，光顯不知道英禑為什麼這樣，愣在原地。

英禑	我的手機在哪裡？我必須打給鄭明錫律師。
光顯	現在…這個時間？
英禑	是，可以請你迴避一下嗎？基於律師的保密義務，我不能讓你聽到通話內容。

明明剛才還是對女兒透露出生祕密的主角，光顯一下子就變成了必須迴避的配角。

雖然有點尷尬，但是為了女兒，光顯還是暫時迴避。

光顯	好。（把手機交到英禑手上）手機在這裡。

光顯走出病房，英禑慢慢坐起身來，打電話給明錫。

明錫用剛睡醒的聲音接起電話。

明錫	（聲音）喂？
英禑	鄭明錫律師，我爸認為這世界上所有事情都有政治考量，因此每個決定的背後必定都隱藏著政治因素。

英禑透過電話，聽到明錫發出長長的嘆息。

明錫	（聲音）所以呢？
英禑	你不覺得奇怪嗎？我指的是昭德洞的櫸樹，那麼帥氣的樹木，先不談它無法被指定為自然紀念物，為什麼連受保護樹木都不是呢？
明錫	（聲音）那個…跟案件有關嗎？
英禑	萬一昭德洞的櫸樹無法被指定為自然紀念物是因為政治考量，那就和案件有所關聯了。昭德洞的居民們在2016年曾詢問過慶海道廳有關櫸樹的事，可是當時可能會在昭德洞建設道路的消

息，已經在暗地裡傳開了，土木工程學系的教授也知道那件事。（等待著明錫的反應）鄭明錫律師？你睡著了嗎？

因為睡著而變得安靜的明錫發出驚醒的聲音。

明錫　　（聲音）禹英禑律師，妳知道現在幾點嗎？

英禑　　（看著壁鐘）現在是凌晨3點10分。

明錫　　（聲音）凌晨3點10分是大家睡覺的時間吧？不管是小鳥或是小羊也都在睡覺吧？

英禑　　什麼？

明錫　　（聲音）不管有沒有政治考量，就算妳想要確認事實關係，也應該要等到白天再處理吧？現在妳是能做些什麼？

英禑　　喔…

明錫　　（聲音）明天再說吧，再見。

明錫不聽英禑的回答，直接掛斷了電話。
英禑這才環顧四周，發現現在時間有多晚了，因為解決案件的其他可行方案而浮躁的內心，一下子冷卻下來，英禑有些尷尬。

S#24.　醫院走道（室內／晚上）

同時，光顯獨自坐在昏暗的醫院走道長椅上。
內心湧上各種念頭，靜靜地嘆著氣。

S#25.　昭德洞居民活動中心（室外／白天）

隔天。
英禑一上班就和濬浩奔向昭德洞居民活動中心。

他們和正走出居民活動中心門口的韓秀跟賢宇談話。

這天下著雨，所有人都撐著雨傘。

賢宇	如果要將昭德洞的櫸樹指定為自然紀念物，必須先向慶海道諮詢，由慶海道文化遺產委員會進行初審後，他們認定「喔，這符合指定標準」，才會撰寫報告書提請文化遺產廳作成指定，程序上是這樣。
英禑	那麼是兩位親自向慶海道諮詢的嗎？2016年？
韓秀	不，我們是請維鎮幫忙，當時維鎮在慶海道廳上班。
濬浩	維鎮是那位拉小提琴的人嗎？
韓秀	對啊，昭德洞朴維鎮。
英禑	朴維鎮先生的本名是什麼？
賢宇	就是朴維鎮。
英禑	什麼？
韓秀	那就是維鎮當初學小提琴的原因，因為和朴維鎮同名同姓。
英禑	喔…
濬浩	朴維鎮先生現在還在道廳上班吧？
韓秀	當然，這個時間他應該在上班了。

S#26. 慶海道廳（室內／白天）

位於慶海道廳3樓的休息室。

現在才知道維鎮的本名就是朴維鎮，維鎮、英禑與濬浩面對面坐著。

英禑	我們詢問過文化遺產廳，他們表示從來沒有受理過關於昭德洞櫸樹的報告書，請問是當時慶海道文化遺產委員會決定不撰寫報告書嗎？

維鎮	喔，這個…這是很久以前的事了，我沒什麼印象…應該是吧。
英禑	為什麼？是因為昭德洞的櫸樹被判斷未達指定為自然紀念物的標準嗎？
維鎮	（莫名驚訝）什麼？誰判斷的？我嗎？
英禑	（暈頭轉向）什麼？沒有啊，我是說慶海道文化遺產委員會。
維鎮	喔～妳是說慶海道文化遺產委員會嗎？原來妳是那個意思，哈哈！讓我想想～是怎麼一回事呢？
澯浩	請問當時有留下與櫸樹相關的審議紀錄嗎？根據里長的說法，當時有專家們到現場驗證，看過樹木的實際狀況，所以應該有會議紀錄或是報告書之類的資料，方便讓我們看看嗎？
維鎮	喔…資料嗎？

維鎮有所猶豫，不得已從座位上起立。

| 維鎮 | 請在這裡稍等一下，我去拿資料過來。 |

維鎮走了出去。
空蕩蕩的休息室只剩下英禑和澯浩兩人。
空氣突然…變得尷尬。

澯浩	那天妳有順利回家嗎？
英禑	那天？
澯浩	那天在鄭明錫律師的辦公室…妳突然跑走了。

FLASHBACK：
第7集，明錫的辦公室。
兩人之間的距離近得就像要接吻。
看向彼此的眼神和呼吸都變得熾熱。

從頭到腳，完全沒有觸摸到任何一個地方，但是英禑的心跳撲通撲通！心跳快得就像要爆炸一樣。

「喔，原來我喜歡這個人…」

英禑因一湧而上的恍然大悟感到暈眩，閉上雙眼靜止不動，而後馬上輕輕推開濬浩，跑出辦公室。

CUT TO：

回到現在，慶海道廳休息室。

英禑想起那天的回憶，臉變得通紅。

濬浩看著英禑，也跟著臉紅。

在正經八百的道廳休息室裡，讓氣氛變得奇妙的兩人，英禑打破尷尬的沉默。

英禑　　那天…我的心率非常快，雖然完全沒有觸摸到你，但是心跳真的很快，這麼一來應該…是喜歡你沒錯。

英禑突然吐出一番可以視為告白的話語。

這次換成濬浩心率加快。

濬浩心想這次不能再拖延，必須馬上回覆，

像是下定決心般開口。

濬浩　　禹律師，我…

英禑　　（看見了什麼而驚訝）該不會…逃跑了吧？

濬浩　　什麼？

濬浩隨著英禑的視線轉頭看向休息室外面。

看見走道上的維鎮拿著黑色雨傘，慌慌張張地跑走的背影。

英祸　　朴維鎮先生…逃跑了。

　　　　這句話就像個信號，濬浩趕緊起身去追維鎮。
　　　　因為先前摔下樓梯，英祸的身體尚未康復。
　　　　雖然走路還有點搖搖晃晃，英祸也盡全力跟上追趕。

S#27.　慶海道廳走道（室內／白天）

　　　　維鎮跑到走道盡頭，準備跑向樓梯。
　　　　濬浩追著維鎮，大聲喊道。

濬浩　　朴維鎮先生？你要去哪裡？

　　　　維鎮回頭一看，正式開始了他的逃跑行動。
　　　　這是一場來得突然且莫名其妙的追擊戰。
　　　　濬浩追在維鎮後面。
　　　　英祸用不自然的姿勢努力試著跟上，但是早已被甩在後頭。
　　　　此時，英祸看到眼前的電梯正要關門。

英祸　　喔…請等一下！

　　　　英祸攔下並搭進電梯。

S#28.　慶海道廳樓梯（室內／白天）

　　　　維鎮急急忙忙地跳下樓梯，濬浩也急急忙忙地跟在後頭。

S#29.　慶海道廳1樓 （室內／白天）

維鎮終於來到1樓。

電梯門打開，英禑一出現，維鎮就「呃啊！」大叫一聲，逃出辦公大樓。

英禑和滄浩也追著維鎮，到了戶外。

S#30.　慶海道廳廣場 （室外／白天）

維鎮撞上路過的行人還是繼續往前跑，滄浩不斷喊著「朴維鎮先生！朴維鎮先生」繼續追趕，英禑也和同一位路過的行人相撞，說著「不好意思！不好意思！」並鞠躬道歉後，繼續跟在後頭，這是一場在雨天發生的拙劣追擊戰。

滄浩　　喔？朴維鎮先生！小心！

「叭！」伴隨著喇叭聲，宅配貨車緊急煞車。

維鎮瑟縮了一下，稍微停頓後又再次逃跑。

滄浩和英禑向受驚嚇的貨車司機道歉後，繼續追了上去。

CUT TO：

警衛大叔 （50多歲／男） 在慶海道廳廣場後方整理垃圾，看著驚慌失措跑過來的維鎮，嚇了一跳。

警衛大叔　什麼啊？你是誰？是犯人嗎？

維鎮　　　大叔！借過！

不過警衛大叔沒有讓開。

反而丟掉手中撐著的雨傘，採取更加積極的守備姿勢，抓住維

鎮，兩人跌倒在地。

濬浩和英禑氣喘吁吁地跑向兩人。

維鎮　　放開我！我不是犯人！我在慶海道廳上班！

警衛大叔　在慶海道廳上班？那你幹麼逃跑？

濬浩　　（氣喘吁吁）就是說啊，到底為什麼那麼做？

英禑　　（氣喘吁吁）為什麼要逃跑？

維鎮依然被警衛大叔壓制抱住，抬頭看向濬浩和英禑，臉上寫滿了為難。

維鎮　　喔，因為我很丟臉！就是因為丟臉才逃跑的！我覺得很丟臉！

S#31.　慶海道廳露天休息室（室外／白天）

位在慶海道廳廣場某一側的露天休息室。

在簡易的屋頂下，放有幾張長椅。

英禑、濬浩和維鎮坐在長椅上對話。

維鎮　　後來我朋友阻止了我，他罵我「你是笨蛋嗎？再過不久地鐵10號線就要開進昭德洞，幸福路也在規劃中，你怎麼能夠在這個時間點詢問自然紀念物的事？」（嘆氣）那棵櫸樹一旦被指定為自然紀念物，不管是地鐵還是道路都進不來。

英禑　　所以你做了什麼？

維鎮　　我拜託了幾位在道廳工作的同事，我請他們冒充文化遺產委員會專家，演戲給里長看，假裝在勘查櫸樹，拜託他們在里長面前說出那棵樹木還未達被指定為自然紀念物的標準。

濬浩　　所以你實際上並沒有詢問過文化遺產委員會嗎？

| 維鎮 | 是的…雖然我現在才明白，無論是地鐵，還是幸福路，都會對我們村子造成不利的影響，但是當時我只覺得地價永遠漲不起來的昭德洞，一下子迎來兩項利多，所以我就… |
| 英禩 | 話說那把雨傘是在哪裡買的？ |

聽到英禩文不對題的提問，濬浩看向維鎮從剛才就拿著的那把雨傘。
那是某一角印有海豚標誌的黑色雨傘，和現場驗證當天審判長拿的是一模一樣的雨傘。

維鎮	（拿起雨傘看）這個嗎？
英禩	對，印有印太瓶鼻海豚圖案的那把雨傘。
維鎮	這個…是京蒲建設的標誌啊，不是我自己買的，是我去參觀大樓樣品屋的時候，他們送我的。

S#32. 法庭（室內／白天）

第三次言詞辯論期日。

| 審判長 | 雙方都取得居民同意書了嗎？結果如何？ |
| 明錫 | 庭上… |

明錫面帶為難，一邊支支吾吾一邊起立。守美搶先一步起身說話。

| 守美 | 昭德洞人口數共計4,176位，戶數共計2,513戶，同意書是按戶收取，共計1,557戶對慶海道的決定表示同意，而這個數字也超過昭德洞總戶數的半數。 |
| 審判長 | （對明錫說）被告代理人說的正確嗎？ |

明錫　　　是的，庭上，但是同意書…

審判長　　（打斷明錫說話）那麼就如同本庭現場驗證時所說，本合議庭依據
　　　　　現在的結果，只能駁回原告們的請求，以上…

　　　　　面對再這樣下去庭審就要結束的危機，韓秀、賢宇及汪洋的律
　　　　　師們都很緊張，明錫趕緊應對眼前的狀況。

明錫　　　庭上！我方聲請法官迴避，在裁定聲請法官迴避有無理由前，
　　　　　請立即停止訴訟程序。

審判長　　什麼？因為請求即將被駁回，你現在打算採取拖延戰術嗎？你
　　　　　到底是依據什麼聲請法官迴避。

明錫　　　庭上還記得上次現場驗證時，自己使用的那把雨傘嗎？

審判長　　雨傘…？

　　　　　英禑起立，分別遞給審判長和守美同樣的一張照片，那是《正
　　　　　義日報》在上次現場驗證時拍的，照片裡可以看見審判長撐著
　　　　　某一角印有海豚標誌的雨傘。

英禑　　　庭上手中的雨傘印有海豚圖案，乍看之下可能會以為那是「寬
　　　　　吻海豚」，但是跟寬吻海豚相比，牠的體型更加苗條且修長，
　　　　　因此判斷牠為「印太瓶鼻海豚」…

審判長　　（勃然大怒）妳現在到底在說什麼？

　　　　　審判長的大聲喊叫讓英禑嚇得緊閉雙眼。
　　　　　不過英禑沒有因此忘記接下來要說的話，

英禑　　　…比較恰當。

明錫　　　庭上，那隻海…（原本要說海豚）那隻印太瓶鼻海豚是京蒲建設的

標誌。照片中庭上手中的雨傘，是京蒲建設預定在函雲新都市興建的「京蒲海洋公園大樓」樣品屋，分送給參觀者的雨傘。

守美這才理解汪洋的意圖，乾笑幾聲。
明振、燦日及泰山的律師們甚是緊張，法庭內議論紛紛。

審判長 原告代理人現在的意思是，我為了要購入函雲新都市的大樓，所以去了那間樣品屋嗎？我根本不知道我手中的雨傘是怎麼來的！

明錫 為了以防萬一，如果庭上對於預定在函雲新都市興建的大樓有些許的購入意願，恐有作成偏頗判決之疑慮，因此我方聲請法官迴避。

英祐 因為在金錢面前，人心是最脆弱的。

英祐將守美在櫸樹下說過的話，原封不動地搬上法庭。
雖然守美面對對造律師聲請法官迴避的情況感到頭痛，卻也覺得那樣的英祐莫名地⋯可愛。

S#33.　泰山法律事務所休息室（室內／白天）

泰山公司內部的休息室，氛圍就像一間大型咖啡廳。
有許多員工喝著咖啡聊天，其中守美和泰山的**人資組長**（40多歲／女）並坐在一起，等待著英祐。

人資組長 妳這樣親自推薦人選，甚至還是新進律師，真的很罕見⋯我非常好奇她是何方神聖。

守美 等妳見到她本人也會覺得很有趣，她看上去傻裡傻氣的，但應該是個天才，我已經因為她吃過好幾次悶虧了，讓我有種「這還是第一次有新進律師敢這樣對我」的感覺。

聽到守美這麼說，人資組長笑了。
此時，英禑走向兩人。

守美　禹英禑律師！很高興見到妳，在我們律所見到妳，更是喜上加喜，這位是人資組長。

人資組長　久仰大名。

人資組長露出燦爛的微笑，遞了名片給英禑。
英禑收下名片，表情卻比平常還要僵硬。

英禑　那個…我想我必須單獨和太守美律師談談。

人資組長　什麼？要我…離開嗎？

英禑的一句話讓人資組長感到慌張。
守美的表情也變得尷尬。

守美　怎麼？為什麼？我本來打算介紹妳們認識就先離開耶？

英禑　我接下來要說的事…我希望只有太守美律師聽到。

守美　（有些不悅卻仍保持微笑）到底是什麼事？組長，我們下次再聊吧。

人資組長　（同樣不悅卻仍忍住）好的，我知道了。

人資組長走出休息室，英禑坐在守美的對面。

守美　妳有什麼話要對我說嗎？

英禑　請問妳…認不得我嗎？

守美　什麼？

英禑靜靜地看著面前守美的臉。

英裸心想「這張臉有哪個部分和我相似嗎？」
心情變得五味雜陳。

英裸　　我是禹光顯的女兒。

聽到「禹光顯」這個塵封在記憶裡的名字，守美臉上的笑容消失了。

英裸　　請問妳認不得我嗎？

守美這才靜靜地看著面前英裸的臉。
過於驚訝且害怕的心情，讓守美的心跳加速，為了不讓休息室中的眾多員工發現自己的心情，守美全身僵硬得像石頭一樣。

英裸　　我原本是打算離開汪洋的，如果泰山願意接受我，我想換一家律所，但是不久前，我得知了妳的身分…我想我沒辦法到泰山工作了。我想要離開汪洋是為了離開爸爸獨立生活，成為真正的大人，好不容易脫離了爸爸，總不能再進入媽媽的律所工作吧。更何況還是生下我之後拋棄了我，現在也完全認不出我的…那種媽媽。

從英裸的口中聽到「媽媽」這個單字，守美像觸電般顫抖著。

英裸　　我很感謝妳邀請我加入泰山…但是我會繼續在汪洋工作，留在爸爸身邊。

此時，英裸放在桌上的手機發出震動。
英裸看著剛剛收到的簡訊。

457

守美依舊像結凍般一動也不動，看著英禑發愣。

英禑　　看來昭德洞的櫸樹將會獲指定為自然紀念物，無論會不會更換
　　　　合議庭，慶海道幸福路的路線規劃勢必要進行變更了，對昭德
　　　　洞的居民而言，真是個好消息。

守美現在根本聽不進去昭德洞的事。
守美不自覺地，問出了一直以來放在心底的那個問題。

守美　　妳…恨我嗎？

英禑的眼神有些動搖。
英禑害怕稍有不慎情感就會潰堤，繃緊自己的情緒。

英禑　　我們在昭德洞山坡上，一起看著那棵櫸樹的時候…我很開心。
　　　　我一直想見妳一面，很高興見到妳。

英禑離開座位，走出休息室。
如暴風般席捲而來的情感，讓守美淚流不止。

　　　　FLASHBACK：
　　　　櫸樹葉縫裡吹來徐徐微風，雨停之後的天空下，浮現了彩虹。
　　　　英禑和守美並肩站著，欣賞櫸樹的姿態。

S#34.　**昭德洞山丘 (室外／白天)**
　　　　現場驗證當時來過昭德洞的《正義日報》記者，站在鏡頭前播
　　　　報新聞。

458

記者	位於慶海道祈榮市昭德洞的櫸樹即將獲指定為自然紀念物，文化遺產廳表示這棵櫸樹不管在歷史、景觀、審美上都有著獨特價值，而且生長狀態良好，是具有高度價值的自然遺產。

新聞畫面裡的櫸樹甚是美麗。
記者持續報導。

記者	與此同時，昭德洞居民們針對幸福路的路線規劃不僅貫穿整個村子，甚至規劃砍除這棵櫸樹一事，正在進行行政訴訟，要求慶海道變更路線規劃。以這次櫸樹獲指定為自然紀念物為契機，合議庭與慶海道是否願意傾聽昭德洞居民們的聲音，也成為社會關注的焦點。

S#35. EPILOGUE：飯店咖啡廳（室內／白天）

某間高級飯店裡既寬敞又精緻的咖啡廳。
宣榮剛結束業務相關的會議，正準備離開咖啡廳，宣榮的**隨行人員**（30多歲／男）原先在入口等待，而後走向宣榮。

隨行人員	代表，真龍集團的副會長也在這裡。
宣榮	是嗎？
隨行人員	是，不過他和太守美律師在一起，就在那裡…

祕書指向咖啡廳內側的某張桌子。
大企業「真龍」**副會長**（50多歲／男）和守美面對面坐著，副會長率先起身。
宣榮心裡一陣發寒。
宣榮走向正準備離開咖啡廳的副會長。

宣榮	副會長，你怎麼會來這裡？是來見太守美律師的嗎？
副會長	喔？對！唉唷，居然會在這裡遇到韓宣榮代表！

慌張的神情就像外遇被逮個正著一樣。
副會長馬上收斂表情，決定說出某件事。

副會長	我正想找個時間聯絡妳，等事情告一個段落。
宣榮	事情告一個段落？
副會長	我們真龍集團開始進行繼承作業了，雖然目前為止汪洋都處理得很好，但是之後我們打算交給泰山負責。
宣榮	什麼？
副會長	很抱歉沒能事先告訴妳，詳細內容我們之後再談…
宣榮	（打斷副會長說話）副會長，你不知道最近在和幸福路有關的行政訴訟中，汪洋打敗了泰山嗎？就算太守美律師親自出馬，都還是輸給我們，最重要的是，汪洋的繼承家業組是韓國最棒的夢幻團隊，我們還特別請來了首爾家庭法院家事專門的部長法官，稅收領域也請到曾是明星法官的…
副會長	（打斷宣榮說話）你們固然很好，勝訴也是好事，請到部長法官、明星法官也都很有能力，一切都很優秀…不過再怎麼說…還是贏不過法務部長，不是嗎？
宣榮	什麼？
副會長	再過不久太守美律師應該就會成為法務部長…真龍也不得不針對未來的情況加以考量。

宣榮像是中槍一樣，愣在原地。

副會長	韓代表，請不要過於失落，我之後再聯繫妳。

副會長也不聽宣榮的回應，就急忙離開咖啡廳。

宣榮有些不滿，拔腿就往守美的方向而去。

被留在咖啡廳入口的隨行人員擔心地看著宣榮的背影。

CUT TO：

咖啡廳內側守美的座位。

宣榮站在守美的面前，守美抬頭看著宣榮，

守美　　韓宣榮代表？好久不見耶？

說著這句話的同時，守美臉上掛著微笑。

那抹微笑更是惹惱了宣榮。

不由分說地坐在守美的對面。

宣榮　　妳啊，一定要當上法務部長，不然烏紗帽都還沒戴上就在遊說
　　　　了，要是沒能當上法務部長該怎麼辦？豈不是在詐騙嗎？

守美　　說什麼遊說啊～真龍的副會長找我諮詢，我只是給了他一些建
　　　　議，你們汪洋怎麼不表現好一點，要是你們辦事妥當，他怎麼
　　　　還會來找我呢？

守美和宣榮面對面看著彼此，眼神中迸出火花。

宣榮　　小心點，一個人垮臺也就只是轉瞬間的事，況且妳也不是個過
　　　　去毫無痕跡、完美無缺的人。

守美　　痕跡？怎麼說？我有什麼痕跡嗎？妳是說我把汪洋的客戶搶來
　　　　泰山的事嗎？還是…把妳的男人搶來變成我老公的事？

宣榮　　（勃然大怒）妳說什麼？

守美　　（竊笑）抱歉，那都是多久以前的事了，對吧？

461

宣榮　　　（壓抑怒火）我不是指那些…太守美本來就擅長的事，而是太守美還沒擅長這些事之前，不是有犯過一次錯嗎？（譏諷）大學時期純純的愛，不是有個愛的結晶嗎？妳不記得了嗎？

宣榮的反擊讓守美的表情瞬間僵硬。

宣榮　　　小心點。

宣榮起身，大步走出咖啡廳。
守美等到宣榮完全離開後，才敢靜靜地吐出噎在口中的那聲顫抖。

〈完〉

Q1：請談談出版劇本書的感想。

有些人會認為劇本只是將故事影像化所需要的道具，或是電視劇拍攝完畢就再也沒有用處的東西。能夠像這樣再次梳理作品，讓之前竭盡心力撰寫的劇本能夠如同重生般，以新的樣貌和讀者相見，我很開心。感謝各位願意成為《非常律師禹英禑劇本書》的讀者，希望大家在閱讀這十六集的劇本時，也能和禹英禑律師一同度過快樂且有趣的時光。

Q2：設定主角「禹英禑」姓名時，經過了哪些過程呢？

三年前的某一天，我還在為這部電視劇構思，正當我走在路上時，突然浮現一個想法：我要把主角的名字取為「禹英禑」！因為這個名字正著唸、倒著唸都是「禹英禑」！就像黑吃黑、多倫多、石榴石一樣！

因為這部電視劇觸碰了許多敏感題材，所以在我寫劇本的過程中，我必須保持繃緊神經的狀態，步步為營。寫這部劇本對我而言，並非把身體交給靈感，那種自由創作的「藝術家筆觸」；而是如履薄冰，時時刻刻懷疑自己的「審查員筆觸」。

也許就是因為如此，當某一天我的腦海浮現一個隨意想到的「禹英

褸」，以及「我叫禹英禑，正著唸、倒著唸都一樣，黑吃黑、多倫多、石榴石、文言文、鹽酸鹽、禹英禑」這段自我介紹時，我才會這麼喜歡這個名字，因為這讓我從這部充滿自我審查的劇本中，像是戳了一個洞一樣，難得有個得以喘息的空間。

Q3：許多人認為這是一部「沒有反派的電視劇」。很好奇在角色設定上，您是否有刻意地模糊善惡之分？

我認為在這部電視劇中，與其把那些被我刻畫成妨礙主角禹英禑的特定人物稱為「反派」，更應該說他們都是禹英禑在每一集會面臨到的新「障礙物」。在某些集數裡，英禑擁有的自閉症類群障礙症，也許就是她所遇到的障礙物，在其他集數裡，那個障礙物可能是我們這個社會加諸在她身上的偏見，又或者是律師同事的嫉妒、委託人的謊言等。因此，比起創造出立場鮮明的反派角色，我更致力於在每一集中讓多元的障礙物亮相。

Q4：執筆過程中，哪個部分的臺詞最讓妳費心呢？

在最後的第十六集中，英禑對母親說明自己的人生，最讓我絞盡腦汁的就是那段臺詞。比起為了想寫好那段臺詞而費心，為了讓我那份太想寫好這段臺詞的心意「吁吁」冷靜下來，才是真正辛苦的地方。我不斷叮嚀自己「不要為了想要寫出經典臺詞而賣弄文筆，而是應該寫得坦率一點、坦率一點！」最終寫出了「我的人生雖然奇特又古怪，但同時也很有價值且美好」這句臺詞。

Q5：很好奇您執筆時，是否有想像著演員實際演戲的模樣。另外，有關朴恩斌演員試鏡一事，聽說演員方面曾明確拒絕過，而劇組仍然決定等待她點頭答應，也很好奇劇組是如何成功說服她的。

在我編寫劇本時，腦海中的確有想著演員演出的模樣，但是我不認為實際上演員會照著我的想像表演，我反而更加希望演員演得更加逼真、演得遠遠比我的想像更加豐富，甚至我還期待著演員在某些部分，可以跳脫劇本，完全創新。在這方面，我真的很喜歡朴恩斌演員用地表最強的表演能力，優美地呈現出禹英禑這個角色。

為了說服朴恩斌演員，我和劉仁植導演準備了很多說詞、資料，以及我們的真心誠意，聽說朴恩斌演員喜歡兔子，初次見面那天我還穿了左邊胸口繡有一隻兔子的襯衫，也許是因為兔子太小隻了，她才沒有察覺到，但我當時似乎是想借助那隻小兔子的運氣吧。

Q6：很好奇您是怎麼想到要用「鯨豚類」來將英禑的內心世界視覺化。

劉仁植導演告訴我，他希望可以用視覺的素材來表現出英禑的內心世界，所以在「拼圖、機智問答、對稱、動物、鯨豚類、輪胎」等選項中，經過深思熟慮，我們決定以鯨魚來呈現。鯨豚類從樣貌上就兼具美麗與帥氣，我很期待這個素材能讓電視劇的場面調度更加豐富。

和鯨豚類共同並列最終候補的選項是「機智問答」與「對稱」，我分別對機智問答與對稱進行了大量的資料調查，甚至也為此嘗試過修改劇本。但是以問答的情況來說，要找出符合每集案件內容的機智問答非常困難；對稱則是因為擔心會涉及太多數學方面的知識，而讓觀眾難以消化內容，因此有些人持反對意見。

就這麼繞了一大圈，最終決定以鯨魚來呈現，而當我看見第九集用了英

褌與游入法庭內的虎鯨相視的畫面，我認為當初選擇鯨豚類真是個好決定。

Q7：本劇深受觀眾喜愛，許多人對於本劇也發表了各式各樣的反應與解析，請問有您印象深刻的內容嗎？

對我而言，「電視劇很有趣」是我最樂見的觀眾反應。身為一位創作者，我很明白自己的創作要被別人認為有趣，是多麼難以達成的事。

Q8：在未來創作的路上，有什麼信念會讓您持續銘記在心？

曾經我有個夢想，如同我十三歲時看完電影《碧海藍天》的感想，我希望當某人看完我的作品時，也能產生「啊，我也要成為製作出那點什麼的人！」這樣的想法。

現在比起那樣的夢想，我更像是抱持著決心，立志每次都用招待常客的心態來創作作品。我希望人們在我真心誠意打造的世界裡，盡興地度過了美好的時光後，當他們要回家時，能產生「啊，今天真的很有趣！」這樣的想法。

工作人員名單

劇本 文智元

導演 劉仁植

演員 朴恩斌、姜泰伍、姜其永、全培秀、白智媛、陳慶、河允景、朱鐘赫、朱玄英、林成宰

製作 ASTORY、kt StudioGenie、Nangman Crew

〔ASTORY〕

	송성호, 김정현
製片 이상백	**DIT** [ohon] 김미경, 김은지
製作統籌 이영화	**攝影設備** [DMC Film] 김유식
製片主任 김민지, 이세원	**燈光導演** 손윤희
執行製片 김수현, 왕 휘	**燈光組** 이형우, 전창규, 신진수, 장민순,
影視內容全球化商業統籌 한세민	김형준, 유현규
影視內容事業 하야시 유카, 박여주, 우예리	**發電車** 임동민
營運支援室 이현진, 배애영	**同步錄音** 허준영
行銷／OST製作 박인정, 전희진	**同步錄音組** 박경수, 김주현
營運策略 김용수	**器械** [Moving Image Service] 김광훈
	器械組 전강진, 이상원
攝影導演 홍일섭, 한상욱	**無人機** [Team GRG]
跟焦員 이증복, 장성욱	**試鏡** [jnagent] 정치인, 노하은
攝影組 차도영, 이건주, 김형민, 유호연,	**兒童演員試鏡** [TI] 노태민, 정유민, 김석호

臨時演員 [hangang.art] 김진태, 이대영, 한중연

美術〔Studio Hyun〕

美術導演 김소연

美術組長 이유빈, 이진주

美術組 박윤정, 오희민

置景〔Art Inn〕

置景統籌 이용직, 박승현

置景製作 김승리

置景工 이흥식, 최지성

置景支援 문동녘, 정민교

繪畫 이승엽, 이상택

裝飾 김기현, 조행복

行政 남궁윤, 고경민

大型道具進行 김태훈

道具 [Deco LAB] 정화연

小型道具進行室長 허경두

小型道具組 서조이, 서보균

裝潢組長 정대호

小型道具支援 서연란, 홍하영, 손지원, 김다해

食物造型師 강민희

紙工藝 최서영

化妝 [K.work] 김봉천, 김란희, 곽민경, 김예아

服飾 [The Style] 김보배, 유데레사, 임지현, 김예지

特殊效果 [DND LINE] 도광섭, 도광진, 변세윤

武術導演 [Best Stunt] 강 풍, 임승묵

特殊道具車 [INATRWORK] 박민철, 허성두, 최견섭, 이영현

工作人員巴士 김영태

臨時演員巴士 [Dong Baek Media]

平板車〔barobarostory〕

導演平板車 하순만

製片平板車 허남철

鏡頭平板車 김상섭, 장동욱

道具車 정윤성

服飾車 최재범

片場租借 [Global Media], [Sunshine Eye Studio]

剪輯 [coolmedia] 조인형, 임호철

剪輯助理 최효석, 정다영, 남보라, 황윤정

音樂總監 노영심

音樂 김정배, 나하은

管理 January

音樂導演 김성율

音樂 유종현, 조남욱, Daniel Lee, KOOW, 박정인, 최재원

音樂操作員 김동수

音響〔Rainmaker〕

Supervising Sound Designer 유석원

Sound Designer 김병구, 배상국, 허정현, 김수남

VFX [WESTWORLD] 손승현, 허동혁, 황진혜, 양영진, 김수동, 서덕재, 노민영, 황보김경, 정이마, 이아현, 문수빈, 여진희, 김서영, 정창현, 공태인, 오지연, 이대희, 전영빈, 김수빈, 민경환, 황한울, 김주택, 황영선, 이선주, 신서영

Digital Intermediate〔U5K Imageworks〕

Colorist 엄태식, 김민정

469

Assistant Colorist　김린하, 오다빈

DI Producer　손민경

Technical Supervisor　서중권

Image Mastering　최우석

綜合剪輯〔DH Media Works Lab〕

Director　이동환

Image Mastering　이한슬

Assistant　김혜정

Data Management　박주현, 김재겸

代理宣傳　〔PRJ〕박진희, 이미송, 최보미

劇照　최다현

花絮　〔RIVIERE PICTURES〕유가람,
　　　배희진

海報／小標題設計　〔Pygmalion〕이유희,
　　　　　　　　　박재호, 이서연, 박인혜

海報／小標題照片　이승희

宣傳片／預告　〔nineconcept〕최준구,
　　　　　　　김은진, 김현진, 김두한,
　　　　　　　황윤정

標誌／字體　전은선

〔劇本諮詢〕

法律相關

　〔太平洋法律事務所（有限）〕윤지효律師

　〔湖岩法律事務所〕신민영律師、
　　　　　　　　　　백나눔律師

自閉症類群相關

　〔拿撒勒大學〕김병건教授

精神健康醫學相關

　〔Purme基金會Nexon兒童醫院〕
　김수연科長

〔案件原型〕

신민영

《我為何為他們辯護》

조우성

《一喜勝千憂》

신주영

《法庭的高手》

지 향

《我並不那麼想》

劇本印刷〔Super Book〕

分鏡　강숙

插畫協助　〔KT Y〕정5、정다은、Cez、
　　　　　유보라

470

〔 kt StudioGenie 〕

策劃　김철연
責任製作人　이주호
製作人　김은선, 김영하
製作策略／行銷統籌　정지현
製作策略　김승민, 강은교, 천주원, 김은비
行銷　최시정, 정은년, 김도원
事業統籌　오기제
國內事業　권영민, 정연실, 박석희
海外事業　송현정, 김중균

〔 Nangman Crew 〕

共同製作　이상민

〔 ENA 〕

頻道統籌　오광훈
編輯統籌　신재형
編輯　백수연, 김혜림, 이슬비
營運　천지현, 이현지
宣傳行銷　김지현, 함초롱, 용금주, 이주원
線上行銷　이정민, 정우성, 민윤정, 유현승
OAP　김동준, 백민정, 김지원
設計　김재희
IMC　김재영, 정민우
廣告策劃　박철민, 강예리
廣告營運　김지명, 지현희, 김나영, 김소연
節目審査　김현호

行銷統籌　〔Kings Marketing Group〕
　　　　　주지성, 임형섭, 김승우
場地交涉　〔ROYAL QUEST〕 이손영,
　　　　　고도연, 이휘동, 김민수
助理作家　김도하
SCR　장정윤, 하현정
FD　김명식, 김대남, 김진경, 김유미
助理導播　고은호, 이광문, 심유나

471

2022

우영우의 세계를 함께 탐험해주셔서
감사합니다 ♡ 사랑합니다 ♡

※謝謝大家和我一起探索禹英禑的世界
我愛你們

· **姜泰伍** ·

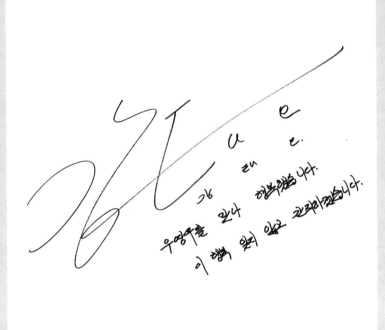

우영우를 만나 행복했습니다.
이 행복 잊지 않고 간직하겠습니다.

※能遇見禹英禑，我很幸福。
　我會珍惜這份幸福，不會忘記。

473

· 姜其永 ·

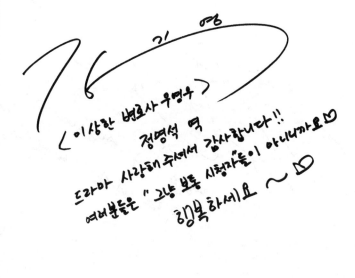

기 명

< 이상한 변호사 우영우 >
정명석 역
드라마 사랑해 주셔서 감사합니다!!
여러분들은 " 그냥 보통 시청자들이 아니니까요♡
행복하세요 ～ ♡

※《非常律師禹英禑》
　飾演鄭明錫
　謝謝大家喜愛這部電視劇！！
　因爲大家的確不是「一般觀衆」
　大家要幸福～

474

· 河允景 ·

하윤경

넘치는 사랑 줘셔서 감사합니다!!
여러분의 앞날에 '봄날의 햇살' 같은 순간에 가득하길 ..:☼:
건강하고 행복하세요 ♡ -하윤경

※感謝大家滿滿的愛！！
希望大家的未來充滿「春日暖陽」般的時刻…
大家要健康、要幸福哦 –河允景

475

〈이상한 변호사 우영우〉를 만나 제 인생에 기적이 일어났습니다.
너무 소중한 2022년도를 만들어 주셔서 너무 감사드립니다!
사랑합니다♥ - 권민우 -

2022

※遇見《非常律師禹英禑》，爲我的人生帶來奇蹟。
謝謝大家給了我非常珍貴的2022年
我愛你們 -權敏宇-

476

우리 모두에게
봄날의 햇살 같은 나날들이 펼쳐지길 ..
- 2022. 8. 19 동그라미 주현영 -

※希望我們都能迎來春日暖陽般的每一天…
– 2022年8月19日 董格拉米朱玄英 –

愛呦文創